陳查禮探案全集 2

THE CHINESE PARROT

中國鸚鵡

厄爾・畢格斯◎著
劉育林◎譯

臉譜

陳查禮探案全集 2

中國鸚鵡

The Chinese Parrot

作　　者	厄爾・畢格斯 Earl Derr Biggers
譯　　者	劉育林
特約編輯	曾淑芳
發 行 人	蘇拾平
出　　版	臉譜出版
發　　行	城邦文化事業股份有限公司 台北市信義路二段 213 號 11 樓 電話：(02)2396-5698 / 傳真：(02)2357-0954 郵政劃撥：1896600-4 城邦文化事業股份有限公司 城邦網址：http://www.cite.com.tw
香港發行	城邦（香港）出版集團 白港北角英皇道310號雲華大廈4 / F，504室 電話：25086231 / 傳真：25789337
新馬發行	城邦（新、馬）出版集團 Cite(M) Sdn. Bhd.(458372 U) 11, Jalan 30D/146, Desa Tasik, Sungai Besi, 57000 Kuala Lumpur, Malaysia 電話：603-9056 3833 / 傳真：603-9056 2833 57000 Kuala Lumpur, Malaysia
初版一刷	2002 年 1 月 10 日

ISBN　957-469-715-0

定價：350元

目次

第一章　菲力摩爾珍珠　005
第二章　來自夏威夷的警探　027
第三章　在陳麒麟的家　043
第四章　綠洲特餐　061
第五章　麥當的別墅農莊　079
第六章　東尼，新年快樂　101
第七章　郵差展開行動　127
第八章　一場聯絡友誼的小小牌局　151
第九章　一段黑暗中的車程　174
第十章　刑事組探長普里斯　200
第十一章　索恩的祕密任務　222

第十二章　沙漠裡的電車　240
第十三章　伽律先生目睹的一幕　258
第十四章　第三者　278
第十五章　威爾·何利的理論　293
第十六章　「拍電影的來囉！」　307
第十七章　追蹤麥當的足跡　327
第十八章　開往巴斯托的火車　347
第十九章　空中之聲　363
第二十章　佩蒂寇礦區　379
第二十一章　郵差旅程的終點　393
第二十二章　到厄爾多拉多的路上　407

【第一章】菲力摩爾珍珠

米克伊登公司的營業廳是間高大的大理石柱建築，陳列著燦爛奪目的奇珍異寶、金銀首飾，當亞歷山大·伊登從滿街濃霧走入營業大廳時，四十位出色的店員立刻從展示櫃後面起立致敬。他們的外套制服上連一絲皺紋也沒有，左邊翻領上都戴著一朵粉色康乃馨，鮮潔美好得就像原本就長在翻領上。

伊登和藹的向兩旁的店員點點頭，腳步在纖塵不染的磁磚地板上輕快踏過。他的個子不高、灰髮、衣冠楚楚，個人的身分地位十足展現在那精明的眼神和傲岸的容止上。昔日富甲一方的米克家族已將這份資產讓渡出來，退居一旁，亞歷山大·伊登因而成為洛磯山脈以東最富盛名的珠寶店之唯一擁有人。

他進到營業廳後面，登上幾級台階，走向豪華的辦公套房，平常他的上班時間便是在這個樓中樓裡度過。他在辦公室的接待室遇到他的祕書。

「喔，早啊，雀斯小姐。」他打招呼道。

雀斯小姐報以嫣然一笑。伊登多年珠寶買賣生涯所培養出的美女鑑識能力，使他在挑選雀斯小姐時並沒有看走眼。雀斯小姐有著一頭偏向灰色的金髮，淡紫色的眼睛，儀態優雅，衣著亦然。據說不太願意繼承父業的鮑伯·伊登曾經表示，走進父親的辦公室宛如是到了某個豪交社交場合喝下午茶。

亞歷山大·伊登看了一下手錶。「再過十分鐘左右，」他吩咐道：「我會有一位客人來訪，她是來自檀香山的喬登夫人，我多年的老朋友。當她來到時，請立刻帶領她進來。」

「是的，伊登先生。」雀斯小姐答道。

他走進自己的辦公室，將帽子、大衣、手杖掛好。那張寬大、光可鑑人的辦公桌上擺著早上剛到的郵件，他漠不經心的看著，心思卻飄向了別處。未幾他走向窗邊，佇立凝視著對面街上建築物的身影。

白日遲遲，前一天晚上裹住舊金山的濃霧仍在街道上留連不去，伊登望著那灰濛濛一片，眼前出現了一幅畫面，一幅年代錯雜、光影繽紛的畫面。思緒穿越時光的長廊溯源而上，當年的他，一個十七歲的瘦削男孩，黑色的形影在窗外的虛擬舞台中挪移著。四十年前檀香山的一個夜晚，卡拉卡華王朝統治下歡樂喜氣的檀香山，菲力摩爾家的大廳裡，柏格樂團在角落羊齒植物的後面演奏著，年輕的亞歷·伊登和莎莉·菲力摩爾共舞於光潔的地板之上。男孩的腳步不時會踉蹌一下，因為他們跳的是最新式的二步舞，最近才由尼伯西克號軍艦的一名年輕軍官引介到夏威夷來。也許困擾他的並不全是舞步的生澀，而是他知道他懷裡正擁著全夏威夷最美貌的女子。

總之有極少數的人就是得天獨厚，而莎莉·菲力摩爾正是其中之一，光是美貌本身就已輕夠優越了，更過分的是，在檀香山這麼單純的社會裡，她似乎還匯集了三千寵愛於一身。當時菲力摩爾家族正值財富的頂峰，他們的船隊航行於世界七大洋，數千英畝甘蔗田正迎向甜美、豐收的一年。亞歷·伊登低頭看著美人兒粉頸上的那串著名的珍珠項鍊，伊人身分與財富的象徵，那是馬克·菲力摩爾從倫敦買來的，當時所出的價錢令全檀香山的人都為之驚歎。

伊登繼續凝視著戶外的濃霧。夏威夷的那個夜晚重溫起來是美好的，那是個充滿了神奇與異國花香的夜晚，宴會裡縱情的歡笑、遠處浪濤的呼吼、島上軟款的音樂旋律彷彿又重回耳際。他彷彿看到莎莉那雙藍眼睛正盈盈的仰視著他。記憶何其清晰，雖然此刻他年近六十，也早已是一名生意人了，可他還是能再次看見伊人胸前那串晶瑩的珍珠，反射著燈光，發出溫暖的色澤……

唉，算了——他聳了聳肩膀。這都是四十年前的往事了，時移事往，幾度滄桑，即以伊人為例，若干年後她嫁給弗列德．喬登，生下了獨子維克多。伊登苦笑起來，她將她那任性愚蠢的兒子取這樣的名字，何其不智。（譯註：維克多 Victor 有「勝利者」的意思。）

他回到辦公桌前坐下，想著等一下會在他這郵電街的辦公室上演的戲碼，維克多對此應負起相當大的責任是無庸置疑的。是啊，可不是麼，維克多，這個潛伏在舞台側面的演員，即將要為菲力摩爾珍珠的舞台劇降下最後一幕了。

他埋首桌上的郵件，不久，祕書小姐開門說道：「喬登夫人前來拜訪。」

伊登站起來。莎莉．喬登走過中國地毯來到他的面前，愉悅爽朗的性情一如往昔，在歲月的催迫之下，她依然健朗！「亞歷，我的老朋友！」

他握住喬登夫人纖弱的手。「莎莉！見到妳真是太好了，來，這裡坐。」他將一張大皮椅拉近了辦公桌。「跟以前一樣，妳是這裡的貴賓。」

喬登夫人含笑就座。伊登回到辦公桌後面的主位，拿起一支裁信刀，在手上玩起平衡槓桿來，以他的身分而言，這樣顯得不太自然。「唔——呃，妳來到舊金山多久了？」

「兩個禮拜了吧，我想——對的，我是上上禮拜一來的。」

「這妳就不講信用了，莎莉，妳居然不讓我曉得。」

「可是我這趟來一直受到招待實在忙不過來，」她辯解道：「維克多總是對我那麼有心。」

「噢，對啊，維克多，他近來不錯吧，我想。」伊登移開視線，看向窗戶外面。「霧散掉了，是不是？天氣終於變晴了。」

「好了吧，老兄弟，」喬登夫人搖搖頭：「咱們別拐彎抹角、言不及義了，言歸正傳吧——我的作風向來如此。就如我前兩天在電話上告訴你的，我決定要賣掉菲力摩爾珍珠了。」

他點點頭。「是啊，有何不可呢？那串項鍊的好處又在哪裡呢，說實在的？」

「噢，不是這個意思，」喬登夫人解釋道：「我說它留在我這裡沒有益處，這是真的，一點都不假。我一直相信什麼樣的東西就該跟什麼樣的人搭配，那些漂亮的珍珠本來就是為了年輕的女孩子而存在的，不過話又說回來，我要賣掉它們的理由倒不是因為這個。可以的話我倒希望繼續保有，但是卻沒辦法，亞歷，我——我破產了。」

他又把目光移到窗戶外面。

「聽起來很奇怪，是不是？」她接著說：「菲力摩爾家的船隊，所有的土地，全都成了過眼雲煙，連海邊的那幢大房子，也用來抵債抵掉了。你知道的，維克多投資的幾項事業，運氣都很不好。」

「我了解。」他體貼的說。

「噢，我知道你是怎麼想的，亞歷。維克多是個非常糟糕的孩子，腦筋不靈光，又粗枝大葉的，可能還更糟吧。可是自從弗列德走了之後，他是我僅有的一切，我總是站在他這一邊的。」

「妳還是跟從前一樣心軟，」他微笑道：「沒有啦，我並沒有把維克多當成壞人，莎莉，我自己也有個兒子。」

「真是抱歉，」喬登夫人說：「我應該先問起的，鮑伯他好嗎？」

「噢，應該還不錯吧，我想。在妳離開之前他說不定會過來，假如今天他正好早起的話。」

「他跟你一道做生意嗎？」

伊登聳聳肩。「才沒有。鮑伯從大學畢業已經三年了，第一年他人在南太平洋，第二年他到了歐洲，現在是第三個年頭，據我所知，他都泡在俱樂部裡跟人打橋牌吧。總之，未來的路該怎麼走，他一點也不操心，上回我還聽說他考慮去跑新聞咧。他在新聞界有一些朋友。」這位珠寶商伸手向自己的辦公室一攤：「像這個圈子裡的事，莎莉，我一輩子投入的這個事業，對鮑伯來說無聊透了。」

「你好可憐，」莎莉，喬登柔聲說道：「我們的下一代實在太難理解了，但是，我到這裡所要談的卻是我本身的麻煩，就如我剛才講的，我破產了，那些珍珠是我在這個世界上所剩的全部財產。」

「唔，它們身價不低。」伊登告訴她。

「足夠用來把維克多從現在身陷的坑洞裡救出來，也足夠讓我多過幾年的溫飽吧，我想。我父親花了九萬美元買下它們，這在當時是好大一筆錢，不過如今……」

「如今，」伊登重複了一遍：「看來妳並不知情是吧，莎莉。就和別的東西一樣，珍珠自一八八〇年代以來就受到高度重視，妳那串珍珠項鍊即使當初沒那個價值，今天也值三十萬了。」

她倒吸了一口氣。「嗄，不會吧！你這話當真？那串項鍊你並不曾看過。」

「噢，我正在想妳還記得起來嗎，看來是記不得了。當妳進來之前，我正在回憶過去，回憶四十年前的一個夜晚，當時我到夏威夷探望我的叔叔，十七歲吧，我那時才那麼大，我去參加了妳的舞會，妳教我怎樣跳二步舞，那串珍珠項鍊當時就戴在妳脖子上，我一輩子都忘不了那天晚上。」

「我也是，」她頷首道：「現在我想起來，當時我爸爸才剛從倫敦把項鍊買回來，那回也是第一次戴。噢，亞歷，我們還是趕快回到眼前吧，過去的事，有時候回憶起來挺傷感的。」她沈默了半晌。「你說現在值三十萬美元，是嗎？」

「我無法擔保能夠賣那麼多，」伊登對她說：「我說項鍊值那麼多錢，但是能符合妳那個條件的買主卻未必容易找，我正在考慮的對象——」

「噢，你已經物色到了？」

「唔，是的，我是物色到了。可是他出的價錢不肯超過二十二萬。當然啦，如果妳需錢孔急的話……」

「我的確需錢孔急，」她答道：「這位大富翁是什麼來歷？」

「是麥當，」他說道：「全名P．J．麥當。」

「他不是華爾街的投機大戶嗎？」

「是啊，妳認識他？」

「只是在報紙上看過。他當然名氣不小，不過我從未見過他。」

伊登皺起眉來。「那就有意思了，」他說：「他似乎認識妳。先前我聽說他人在城裡，前兩天妳一打電話給我，我就立刻到他下榻的飯店。他承認自己在物色一串項鍊，好送給女兒當生日禮物。一開始他表現得相當冷漠，不過，當我提到菲力摩爾珍珠時，他笑了起來，說：『是莎莉．菲力摩爾的珍珠項鍊吧，我買。』我說：『那得花三十萬美元。』他回答說：「二十二萬美元，一毛不多一毛不少。』然後他用那雙眼睛注視著我，好像我是跟眼前的這尊東西談交易似的。」伊登指著辦公桌上那尊青銅小佛像。

莎莉・喬登有些不解。「可是亞歷，他不可能認識我啊，這我就不明白了。但不管怎麼說，他肯出一大筆錢，而我需要那筆錢，而且很急。我要麻煩你盡快跟他聯絡上，在他離開這裡以前。」

辦公室的門再一次在祕書小姐的輕叩後打開，「有一位紐約來的麥當先生來訪。」

「好的，請他立刻進來，」他回頭告訴老友說：「我請他今天早上來我這裡跟妳見個面，現在妳聽我的勸，不要表現得太迫切，我們可以把價碼抬高一點，雖然我擔心會行不通。他這個人很不好對付，報紙上有關他的描述只會真不會假。」

伊登忽然閉上嘴巴，因為他口中那位不好對付的人已經站在辦公室門口的地毯上了。正是P・J・本人，不可一世的麥當先生，華爾街身經百戰的梟雄，身高六呎，穿著人所習見的灰色西服，有如花崗岩城堡似的站在那裡。那雙冷冷的藍眼睛，有如極地飆風般的掃射著房間。

「喔，麥當先生，快請進！」伊登站起身來說道。麥當走入房間來，後頭跟著一位穿著昂貴皮草、表情不耐的高個子女孩，以及一位身穿藏青色西裝、態度拘謹的瘦削男子。

「喬登夫人，這位是剛才向妳提到的麥當先生。」伊登介紹。

「喬登夫人，」麥當重複了一遍，微微點個頭，他鋼鐵股股票操作久了，說話的聲音也變得有點硬。「隨我一起來的這位是我女兒伊芙琳，以及祕書馬丁・索恩。」

「真是貴客光臨。」伊登答道，他佇立端詳著侵入他靜謐辦公室的有趣組合——一位是著名的資本家，冷酷，精明，自知大權在握；另一位則是身材苗條、神情高傲的少女，據報上說，近幾年來麥當盡情肆意的在她身上揮霍著大筆錢財；至於那位瘦瘦的祕書則站在最後面，奉命唯謹的應承著，儘管如此，此人似乎不可小覷。「三位都請坐吧，」珠寶商示意眾人就座。麥當把座椅拉近伊登的辦公桌，他一個人的氣勢似乎充滿了整個房間，其他人無不被比了下去。

「前面的客套話都不必講了，」這位大亨說：「我們是來看那條珍珠項鍊的。」

伊登愣了一下。「親愛的先生，我恐怕給了你錯誤的印象了，那串珍珠項鍊現在並不在舊金山。」

麥當瞪視著他。「可是你叫我來這裡和項鍊的所有人見一面……」

「很抱歉，我的意思只是彼此先見個面而已。」

莎莉．喬登打圓場道：「真的很不好意思，麥當先生，本來我從檀香山出發來這裡時，並沒有打算要賣那串珍珠項鍊的，結果來到之後碰到了一些事情，我才決定要賣。話雖如此，我已經差人送來這裡了。」

年輕的女孩說話了，她將圍住頸項的貂皮放下來，人倒是頗有幾分姿色，但是態度卻跟她老爸一樣，冷酷不好對付。此時此刻的她，很明顯的表現出極不耐煩的樣子。

「我以為項鍊就在這裡，」她說道：「否則我才不會過來。」

「得了吧，這樣妳又不會少掉一塊肉，」她父親嘖道：「喬登夫人，妳說妳已經叫人送那條項鍊過來了？」

「是的，那東西今晚就會離開檀島，沒有意外的話，六天之內就會送來這裡。」

「這不成，」麥當說：「我女兒今晚就要啟程到丹佛去，明天早晨我也要南下，一星期後和她在科羅拉多碰頭，再一起到東部去。妳看，這樣真的不行。」

「我可以把那串項鍊送到你指定的地點。」伊登提議道。

「是啊，我想你辦得到。」麥當盤算起來，接著轉向喬登夫人。「這串項鍊跟妳一八八九年在老宮廷飯店裡戴的是同一件？」他問。

喬登夫人驚訝的望著他。「是同一件。」她回答道。

「甚至會比當年的樣子還要好看，我敢打賭，」伊登笑道。「你曉得嗎，麥當先生，我們珠寶買賣這一行有個古老的迷信說，珍珠會因為佩戴者個人的特質而變得更加明亮或暗淡，其中的關鍵就在於佩戴者的性情。假如這樣的說法是真的，這串珍珠項鍊在那麼多年後一定變得更加晶瑩，更加有光澤了。」

「鬼扯！」麥當粗魯的說。「噢，抱歉，我不是說這位女士沒有魅力，只是我根本就不相信你這一行，或者任何一行的古老迷信。喔，好吧，我是個大忙人，這條項鍊我買了，就依我開的價錢。」

伊登搖搖頭。「那串珍珠項鍊至少值三十萬美元，我先前已經說過了。」

「對我行不通。二十二萬美元，現在馬上付兩萬訂金，尾款在項鍊送到三十天內補上。要就成交，不要拉倒。」

麥當站起來低頭看著這位珠寶商。伊登向來對討價還價很有一套，可是面對這位直布羅陀巨石也似的男人，所有的機變狡詐盡失。伊登無助的看著他的老友。

「還好啦，亞歷，」喬登夫人說道：「我接受。」

「好吧！」伊登歎息道。「麥當先生，你得到了一筆好價錢。」

「我一向能獲得最好的價錢，否則我就不買。」麥當回答，隨即取出支票本來。「現在是我同意的訂金二萬。」

麥當的祕書首度發言了，他的聲音單薄而冷酷，彬彬有禮得令人受不了。「您說那串珍珠項鍊會在六天之內送到？」

「六天左右吧。」喬登夫人回答道。

「噢，是的，」聲音加了一點逢迎諂媚的味道：「送東西來的是位……」

「由專人送到，」伊登斬釘截鐵的說，他把這位馬丁．索恩看了一遍，蒼白的高額頭，淡綠巴的眼睛時而窘迫的看著自己修長交握的手指。不像是那種待在身邊會令人快樂的玩伴，他想道。「我們會有專人送到。」他態度堅定的重複了一次。

「那再好不過了。」索恩說道。麥當已經開好支票，放在伊登的辦公桌上。「老闆，依我看——我這只是個建議，」索恩接著說：「如果伊芙琳小姐要回到帕薩迪納，而且今年冬天都住在那裡的話，她會想在那裡也能戴上那串珍珠項鍊。從現在起未來六天我們都還會在那個地方附近，因此我想——」

「到底是誰在買這條項鍊？」麥當打斷他的話：「我才不想帶著那玩意兒各地跑，現在到處都有惡棍小偷，那樣子太不保險。」

「可是爸爸，」女孩開口道：「今年冬天我真的要戴它——」

她咽下其他的話，麥當原本紅潤的臉已經轉為紫色，偌大的腦袋瓜子還發起顫來，這是他一旦遭到拂逆時的怪異習慣，報上如是說。「那條項鍊要送到紐約給我，」他對伊登說道，不去理會女兒和索恩。「我人會在南方一陣子——我在帕薩迪納有寓所，沙漠地區還有個農莊，那地方離厄爾多拉多四英哩，已經有好一陣子沒去。那些替你管理產業的人，你若不偶爾去盯一下，他們就會打馬虎眼。我一回紐約就立刻打電報給你，你再把那條項鍊送到我辦公室。三十天之內你會接到尾款的支票。」

「沒問題，」伊登說道。「現在你請等一下，我去弄一下契約，把剛才講的那些條款都列進去。公事公辦，這點你一定很清楚。」

「那當然！」麥當點點頭。珠寶商走出辦公室。

伊芙琳．麥當站了起來。「爸，我到樓下等你，我想看一下他們展售的玉。」她轉向喬登夫人：「妳也知道，舊金山比任何地方更能找到上好的玉。」

「嗯，的確是如此，」年長的女人笑道，她起身執握女孩的手。「親愛的，妳的脖子真是好看，剛才你們還沒進來前我正在說呢，菲力摩爾珍珠需要由年輕人來佩戴，這下項鍊終於有了新主人了。我預祝妳能戴著它歡度多年快樂時光。」

「噢，謝謝妳！」女孩道過謝，隨即走了。

麥當瞟了他的祕書一眼，吩咐道：「你到外面車上等我。」剩下自己和喬登夫人獨處時，他露出冷酷的表情看著她。「妳以前從沒見過我，是吧？」

「噢，很抱歉，我見過你嗎？」

「喔，我想沒有見過。不過我卻見過妳。嗯，我們現在都不年輕了，把這些事扯出來談也不會有什麼妨害。我想讓妳了解，能擁有那條項鍊，對我是無量的滿足，一道又老又深的傷口在今天終於癒合了。」

喬登夫人睜大眼睛望著他。「你這話我不懂。」

「噢，這妳當然不懂。在一八八〇年代，妳經常跟妳的家人從夏威夷來到舊金山，住宿在宮廷飯店裡。我當時是飯店裡的服務生，總能見到妳。有一次我看到妳時，妳頸上正戴著那條有名的珍珠項鍊，當時我認為妳就是這個世界上最美的女人了。呃，我這樣講有何不可呢，我們現在，呃……」

「我們現在都已經老了！」她輕聲說道。

「對，我的意思就是這樣。那時候我很仰慕妳，可是我只是個服務生，妳的視線從我身上穿過去，根本沒看到我，對於妳來說，我只不過是件家具罷了。噢，讓我告訴妳吧，當時那個情況傷了我的自尊心，就像我剛才講的，留下一道很深的傷口。我發誓我要發達起來，我知道我會成功，即使是那個時候，然後我會娶妳……現在我們都可以對那樣的想法一笑置之了。那個想法並沒有實現，甚至我的一些計畫也從來沒有實現過。但是今天妳那條珍珠項鍊落入我的手裡了，它會戴在我女兒的脖子上，這還算差強人意。妳最心愛的東西被我用錢奪走了，那東西在我的自尊心留下很深的傷口，但最後終於癒合了。」

喬登夫人凝視著他，然後搖起頭來，以前她也許會憎惡這樣的事，但現在不會了。

「你真是一個奇特的人！」她說道。

「我得告訴妳，我這個人生性就是如此。」他回答道：「要不然我就不可能成功。」

伊登走進辦公室來。「契約已經擬妥了，麥當先生，請在這裡簽個名——謝謝你。」

「你會接到電報的，」麥當說道：「記住，要送來紐約，別的地方不行。再見。」

他轉向喬登夫人，伸出手來。

她與他握了手，臉上帶著微笑。「一路順風。現在我的視線不會從你身上穿過，我最後終於看見你了。」

「你看我是怎樣的人？」

「相當自負，但也滿可愛的人。」

「謝謝妳，我會記住的，再見。」

他離開後，伊登疲憊的癱坐在椅子上。「好啦，就這麼搞定了。他真的會把人累死，我本來想把價碼抬高一點，但就是沒辦法。我知道他總是能成為贏家。」

「你說得對，」喬登夫人說：「他總是能成為贏家。」

「對了，莎莉，我不想讓那個祕書知道送那串項鍊的人是誰，不過妳最好告訴我。」

「噢，當然可以，查禮會把東西送來這裡。」

「他叫做查禮？」

「檀香山警察局的警官陳查禮。很久以前，當我們還住在海邊那幢大房子時，他是幫傭的孩子裡最機伶的一位。」

「他姓陳，是中國人？」

「是啊。查禮後來去警界服務，績效相當良好。他一直想來美國本土走走，所以我都幫他安排好了——請假事由，以平民的身分等。他會把那串珍珠項鍊帶來，除了他以外，我哪能找到更適合的人選？噢，我會用我的生命來信任查禮。唔，我這條命現在已經不那麼寶貴了，我甘心以這個世界上我最鍾愛之人的生命來信任查禮。」

「妳說他今晚就會離開夏威夷？」

「是的，他搭皮爾斯總統號，至遲下星期四下午會抵達這裡。」

辦公室的門打開了，一位相貌英俊的年輕人站在門口，他的臉龐削瘦、皮膚黝黑、神態從容自信，臉上的笑意才剛惹得外頭的雀斯小姐做起白日夢來。「噢，真抱歉，爸，如果你正忙的話——哇，瞧瞧是誰來了！」

「鮑伯，」喬登夫人驚呼道：「你這個壞東西，我正想要見你呢，你近來怎樣？」

「正在迎向燦爛的人生哩，」他說道：「妳也好嗎？還有妳那一大票年輕夥伴們也都好嗎？」

「好得很呢，謝謝你。我說啊，你吃個早餐也未免混太久了，錯過了剛在這裡的漂亮女孩。」

「喔，我可沒有，如果妳指的是伊芙琳．麥當的話。我來的時候，她正走下台階，跟我們雇來接待外賓的少爺講話哩。我可沒有停下來看她，現在看到她已經不稀罕了，這一個禮拜我走到哪裡都會碰到她。」

「我認為她長得很迷人。」喬登夫人說。

「但是卻冷若冰霜，」鮑伯不以為然的說：「呼——呼——不知怎的她四周老是颳起冰冷的風，我猜她本性就是如此。我走上台階的時候，麥當本人和我擦肩而過。」

「你胡說，你有沒有向她施展你的笑容啊？」

「算是有吧，不過也沒什麼特別，我只是擺出那種老式的接待客人的笑。喔，我懂了，妳想要讓我掉進老掉牙的婚姻制度裡吧。」

「那才是你所需要的，你們這些年輕的小夥子都需要如此。」

「為什麼？」

「這樣生活之中才會有誘因，鞭策你們在生命中達到最高的成就。」

鮑伯．伊登大笑起來。「妳聽我說吧，當雲霧從金門那端飄過來，歐法羅街上的燈光開始迷濛閃爍的時候，我可不需要任何誘因套住我。更何況，當你心碎的時候，女孩子就變得跟原來不一樣了。」

「胡說，」喬登夫人答道：「她們比你形容的要好多了。你們這些少年郎真是越變越愚蠢了。亞歷，我要走了。」

「下禮拜四我再跟妳聯絡，」老伊登說：「唉，說真的，我很遺憾那個價錢沒有再提高一點。」

「那已經非常多了，我真是太高興了，」她眼眶中充滿了淚水。「我爸爸他……直到今天還在照顧我。」她說了這句話，然後快步的走了。

伊登轉向他兒子。「我看你還沒弄到報社的工作吧？」

「是還沒有，」他兒子點了根菸。「當然啦，那些編輯都很想用我，不過我把他們都應付過去了。」

「喔，你再應付他們一段時間吧，接下來的兩個禮拜我要你把時間空出來，我有一點工作交待你辦。」

「喔，那當然啦，爸。」他把熄掉的火柴棒扔進一只貴重的康熙瓷瓶中。「是什麼樣的工作？我要做些什麼？」

「首先，下禮拜四下午你去碼頭，等皮爾斯總統號靠岸後接個人。」

「聽起來很令人期待。我猜是個年輕的女人，黑紗罩面的從船上下來……」

「你錯了，上岸的是個中國人。」

「什麼？」

「一個從檀香山來的華裔警探，他口袋裡帶著一串價值二十幾萬美元的珍珠項鍊。」

鮑伯．伊登點點頭。「噢，好的，人接到之後——」

「人接到之後，」亞歷山大．伊登若有所思的說：「誰說得準呢？事情搞不好才剛揭開序幕而已。」

【第二章】來自夏威夷的警探

亞歷山大．伊登於隔週週四傍晚六點趨車至史都華飯店，市中心區一整天嘩啦嘩啦落著二月的季節雨，暮色提早籠罩下來。伊登佇立在飯店門口，觀望著熙來攘往的雨傘陣。吉爾利街華燈初上，在細雨中發出暈黃的亮光。人在舊金山，年齡是無關緊要的，至少不那麼重要。當他搭電梯前往莎莉．喬登的房間時，感覺自己又回到了少年時代。

她正在住房的門口等候著，身上穿的灰色晚宴服輕軟合身，可愛宛如少女。一個人的社會背景是騙不了人的，特別是到了六十多歲的年紀！伊登執起她的手時如是想著。

「噢，亞歷你來了，」她微笑道：「請進，我兒子維克多你還記得吧。」

維克多殷勤上前，伊登饒富興味望著他。莎莉．喬登的這個兒子他有多年未見，三十五歲的年紀，人在紅塵中幾經打滾的樣子已經看得出來了，棕色的眼睛有些疲憊，彷彿是對強光注視得太久的結果，臉孔有些膨鬆，腰圍也太粗了些，倒是身上穿的衣服完美得無懈可擊，多半裁縫師那邊尚未耳聞菲力摩爾家族財產一落千丈的消息吧！

「請進，請進！」維克多愉快的說，他的心情輕鬆，因為好大一筆錢財即將落袋。「如果我沒記錯的話，今晚東西就會送到。」

「就是啊，」莎莉．喬登附和道：「我也很樂意將那串項鍊從我心裡頭拿掉，對我這樣的年紀來說，這個負擔太沈重了。」

伊登在椅子坐下。「鮑伯已經去碼頭迎接皮爾斯總統號了，」他表示道：「我要他立刻帶你們那個中國朋友一起來這裡。」

「噢，那太好了。」莎莉．喬登說。

「喝杯雞尾酒吧！」維克多招呼道。

「謝謝你，我不用。」伊登回答。忽然他站起來，在房間裡踱起步來。

喬登夫人關注的望著他。「發生了什麼事嗎？」她問。

珠寶商回到椅子坐下。「唔，是的，是發生了一件事情，」他坦承說：「一件，呃，一件相當奇怪的事。」

「你是說，跟那串項鍊有關？」維克多關心的問。

「是啊，」伊登說，他轉向莎莉．喬登：「莎莉，你還記得麥當先生是怎麼講的嗎？在他走之前講的，『送來紐約，別的地方不行』。」

「噢，對呀，我還記得。」她回答道。

「唔，他改變心意了，」珠寶商皺起眉頭：「總之，這不太像是麥當的作風。他今天早上打電話給我，要我把項鍊送去他的農莊，那地方在沙漠地區。」

「在沙漠地區？」她一臉愕然。

「完全正確。當然啦，我也嚇了一跳，可是他的口氣相當堅定，妳也知道他的為人，誰都不能向他異議，我聽過他的解釋，只好同意了。問題是他掛斷電話之後，我就忍不住思索起來，妳也知道那天早上他在我辦公室說了些什麼，我問自己說，這真的是麥當嗎？聲音是一模一樣沒錯，但就算如此，我決定還是別冒險的好。」

「你的反應很對！」莎莉．喬登同意道。

「所以我打個電話回去給他。他的電話我查了好久，最後總算向他在這地方的一位商場朋友問到，厄爾多拉多七十六號，我說要找一位P．J．麥當先生，也找到了，是他本人沒錯。」

「他怎麼說？」

「他對我的機警表示讚許，不過態度還是同樣篤定。他說他聽到了一些事情，認為在這時候把項鍊送去紐約有些危險。到底是聽到什麼事，他並沒有解釋，不過他補充說，他的結論是把這樣的買賣移到沙漠完成最為理想。任誰都不會想到去這種地方偷一串價值二十幾萬美元的珍珠項鍊，當然啦，他在電話上並沒有把這些統統講出來，不過我猜多半如此。」

「他的想法非常正確。」維克多說。

「唔，是的，就某方面而言。我自己就曾經在沙漠區住了好一段日子，除了一些小說作家編出來的故事之外，那地方是美國今天最守法的地方，大家連自己家的門都不關，小偷是什麼樣子更是想都沒想過。你隨便問一個當地人需不需要警力的保護，他會露出一臉愕然的表情，語焉不詳的說警長遠在數百哩之外。但是儘管如此……」

伊登再度站了起來，心緒不寧的在房間裡走來走去。「或者更進一步說，就算有那些理由，我還是一點都不喜歡現在這個情況。假如有人真的設下騙局，你們想，那是多麼好的場景，一望無際的沙丘，除了約書亞樹之外一無所見！假如硬要鮑伯送項鍊去，他就一腳踏進陷阱裡面去了。麥當也許並不在那個孤立的農莊裡頭，他說不定到東部去了，甚至，當鮑伯抵達那裡時，他就像戰時人家講的那樣，上西天去了，人躺在沙漠裡，體內有一顆子彈。」

維克多不禁大笑起來。「嘿，你別胡思亂想了吧！」他嚷道。

伊登露出笑容來。「也許是吧，」他坦承道：「我開始變得像是上了年紀的人了，是吧，莎莉？」他掏出錶來。「鮑伯人呢？他現在應該來到這裡了。不介意的話，我想借用一下妳的電話。」

他打電話到港務局問，掛上電話後表情卻更加憂慮起來。「皮爾斯總統號在整四十五分鐘之前入港，」他說道：「他們只需要半個小時就可以來到這裡。」

「這個時刻交通很壅塞。」維克多提醒他。

「噢，你說得對，」伊登同意道。「莎莉，我已經把狀況告訴妳了，妳的看法呢？」

「我媽需要有什麼看法？」維克多打岔道：「麥當買下那串項鍊，而他要我們把東西送進沙漠那裡，買主這樣的指示還輪不到我們質疑，假如我們在這一點上挑剔，說不定他懊惱起來，取消這個交易咧。不行的，我們的工作就是把珍珠項鍊送到，拿到收據，然後等他將支票寄來。」他那白胖的雙手急切的搖著。

伊登轉向他的老朋友：「妳的看法也一樣嗎，莎莉？」

「嗄？是啊，亞歷，」她說：「我想維克多是對的。」她自豪的望著兒子。伊登也望著同一個人，表情卻大不相同。

「那非常好，」他應道：「這樣一來我們就別浪費時間了，麥當的行色匆匆，很快就要啟程到紐約去了。今晚十一點我就打發鮑伯帶著項鍊前去，不過我絕不肯讓他獨自一個人去。」

「我跟他一起去。」維克多發言道。

伊登搖起頭來。「不行，」他反對道：「我寧可讓一個警察陪他同去，儘管那個警察是遠從檀香山來的。這個陳查禮，莎莉，妳想妳能勸他陪著鮑伯走這一趟嗎？」

她點頭。「這我有把握，查禮肯為我做任何事。」

「那好，就這麼敲定了。但是他們究竟跑哪裡去了？說真的，我好擔心——」

電話鈴聲打斷了他的話，喬登夫人前去接聽。「噢，哈囉，是你，查禮，」她說道：「趕快上來吧，我們在四樓，第四八二號房。對。嗄，你自己一個人來的？」她掛斷電話，回到客廳。「他說他是自己一個人來的，沒有人陪他。」她表示道。

「只他一個人？」伊登說：「怎麼會，我不懂？」他無力的朝一張椅子靠坐下去。

隔不多久，女主人和兒子歡喜的在門口迎接那位矮胖男子。伊登抬起頭來，饒富興味的看著這位從檀香山來的警探進入房間，他身上穿西裝，外表並不出眾，圓臉豐頰，膚色白晰，但是引起伊登注意的則是他那精光外射的眼睛，看起來就像黃色光線照射下的黑鈕扣。

「亞歷，」莎莉．喬登說：「這是我的老朋友陳查禮。查禮，這位是伊登先生。」

陳查禮俯身鞠躬。「來到美國本土使人倍感榮幸，」他說道：「我一下子成了莎莉小姐的老朋友，接著又結識了伊登先生。」

伊登站了起來。「幸會，幸會。」他說道。

「一路上還順利吧，查禮？」維克多問。

陳查禮聳一聳肩。「太平洋無論在任何時候，顛簸起來都是很夠人受的，也許是出於共鳴吧，我也同樣狼狽得很。」

伊登走上前去。「請恕我打岔一下，我兒子他應該會在碼頭接你才對？」

「非常抱歉，」陳查禮注視他說：「這一定是我的錯，請原諒我的疏失，不過我在碼頭並沒有遇到來接我的人。」

「這我就不了解了！」伊登再度抱怨起來。

「我在下船處附近逗留了一陣，」陳查禮接著說：「不過在這下著雨的晚上，並沒有人試著向我挨過來，後來我才招了一輛計程車趕來這裡。」

「項鍊你帶來了嗎？」維克多問道。

「安啦，」陳查禮回答道：「我已經在這家飯店開了房間，卸除身上的一部分武裝，這才把繫在腰袋裡的東西解下來。」他把那串珍珠項鍊取出，放在桌上。「看到菲力摩爾珍珠抵達了終點站，」他笑道：「我總算如釋重負了。」

伊登走近前來，將項鍊拿在手上。「美，真的好美！」他喃喃說道：「莎莉，我們不應該讓麥當用這個價錢得到它的，真是巧奪天工，我不知道自己是否看過這麼……」他凝視著那串晶瑩玉潤的珍珠好一陣子，然後放回桌上。「怪了，鮑伯他人呢？」

「噢，應該一會兒就到了，」維克多說，他拿起項鍊。「只不過是他們兩個彼此錯過，沒遇上罷了。」

「也許吧，」伊登說：「唔，莎莉，既然東西已經到手了，我來講另一件事吧。我可不是要增加你們的疑慮，今天下午四點有人打電話給我，那人自稱是麥當，他又打來了。但是他的聲音有點——總之引起了我的注意。那串珍珠項鍊是不是已經在皮爾斯總統號上面了？是的，送東西的人叫什麼名字？我當時說，為什麼要告訴他這個，噢，他剛才得到內部消息，認為那串項鍊不太保險，他不願發生任何意外，想要從旁協助。在他的堅持下，最後我說：『那好，麥當先生，請你掛上電話，十分鐘後我再打電話給你，告訴你你想要知道的。』然後電話那頭出現了短暫的停頓，之後才聽到他掛上了電話。不過我並沒有打電話到沙漠那裡去，而是追查這通電話的來源，結果發現是從蘇特街和基爾尼街交叉口轉角一家香菸舖的公共電話打來的。」

伊登停了下來，他看到陳查禮正聚精會神的望著他。

「因此你們想我會不擔心鮑伯嗎？」這位珠寶商繼續說道。「這裡頭有一些奇怪的名堂在進行著，說真的我很不喜歡——」

有人敲門，伊登親自去應門。這回是他兒子走進來，整個人神采奕奕的，還帶著笑容。一見到這個光景，就像常見的劇碼那樣，憂愁的父親立刻將牽掛轉為憤怒。

「你可真是個大忙人喔！」他大聲說道。

「好啦，老爸，別稱讚我了，」鮑伯．伊登笑道：「為了你交代的事，我可是整個舊金山都跑遍了哩。」

「我想也是，該你去碼頭接陳先生的時候，你卻在市區裡到處逛。」

「請稍等一下，老爸，」鮑伯．伊登脫下濕淋淋的風衣。「嗨，維克多，還有喬登夫人。這位，我想就是陳先生了。」

「真抱歉在碼頭和你錯過，」陳查禮喃喃的說：「這都怪我不好——」

「沒有的事！」珠寶商大聲說道：「全要怪他，他老是這樣。看老天爺的份上，你什麼時候才會表現出一點責任感？」

「好啦，老爸。我現在表現出來的，除了責任感之外，沒有別的。」

「我的老天，你們看他講的是什麼話？你並沒有遇上陳先生，是吧？」

「這個嘛，就某個角度來說，我是沒有。」

「某個角度?某個角度!」

「講老實話,這件事說來話長,你要是停止對我個人人格不當的攻擊,我就把這件事講出來。我可以坐下來吧?我跑了一些路,是有點累了。」

他點燃一根香菸。「我是五點左右離開俱樂部到碼頭去的,當時街上啥也沒有,只有一輛又老又破的計程車,所以我就跳了上去。在碼頭下車的時候,我發覺司機的長相十分兇惡,臉頰上有一條刀疤,一隻耳朵因受過傷而變形。他說他會等我,他這麼說的時候,人顯得有些興奮。後來我到了碼頭的候客處,皮爾斯總統號已經進港了,正慢吞吞的移動著船身,以便靠上岸來。過沒多久,我發現有個人站到我附近來,他人很瘦,表情很冷,身上穿著大衣、衣領豎到耳邊,還戴著一副墨鏡。我猜我有心靈感應吧,他似乎不是善類。我也說不上來,但總覺得他正隔著那兩片凝著霧氣的鏡片猛盯著我。我走到候客處另一邊,他也跟了過來。我走到街上,他照跟,好吧,我又逛回下船處,那位酷哥又跟了過來。」

鮑伯・伊登頓了一下,臉上掛著開心的笑。「當下我做了個果敢的決定,這一點我很行的。那串珍珠項鍊不在我身上,而是在陳先生身上,既然如此,何必讓陳先生知情呢？所以我只是站在那裡，滿懷希望的看著從皮爾斯總統號上走下的旅客，很快我就看到想必是陳先生的人走下扶梯來，但是我紋風不動。我看到陳先生四下張望，之後走到街上去了。這時那位戴著墨鏡的神祕客仍陰魂不散的靠得很近。等到每一位旅客都上了岸，我這才回到計程車那裡，把車錢付了。那個司機說：『你不是來碼頭接人的嗎？』我說：『是啊，我是來接中國的皇太后的，可是人家告訴我說她死了。』他聽了很不爽的樣子。等我走開後，那個戴墨鏡的傢伙走了上來，耳朵變了形的司機招呼說：『坐車嗎，先生？』那位酷哥坐進車去。接下來我就在雨中漫步，直走到海巡隊才叫到計程車，計程車才剛上路，耳朵變形的那傢伙就開車跟上來了，他一直跟著我那輛計程車沿著第三街開上市場街，轉跑華街，最後抵達聖法蘭西斯飯店。我從飯店正門進去，從側門出來到郵電街，那位耳朵變形的司機和他的夥伴還在我們的珠寶店附近轉。於是我從正門走進我那家俱樂部，再從廚房溜走，直奔這裡。我猜想他們還在俱樂部門口晃吧，真是像哥們似的瞧得起我。」他頓住一下。「我為什麼沒有跟陳先生遇上，老爸，這就是整個曲折離奇的過程。」

伊登露出了笑容。「不得了，你腦筋比我想像中的好哩，處理得非常好。莎莉，我更不喜歡這件事了。妳那件珍珠項鍊並不是什麼有名的珠寶，它待在檀香山好多年了，萬一弄丟的話，歹徒很容易將它脫手。妳若是肯聽我的勸，就不要把它送去沙漠。」

「為什麼？」維克多打岔道：「送去沙漠是最理想了，舊金山這裡看來不太保險。」

「亞歷，」莎莉・喬登說：「我們需要那筆錢，假如麥當先生人在厄爾多拉多，並且要我們送過去，那我們就立刻送去給他，向他索取收據。至於在那之後，嗯，就由他自己去擔心了。這串項鍊當然是越早脫手越好。」

伊登歎了一口氣。「好吧，決定權在妳，鮑伯將依照計畫於十一點出發，只要——唔，只要妳像先前允諾的那樣安排，只要他不是一個人去的話。」他眼睛看向陳查禮，陳查禮正忘情的站在窗邊觀看著飯店底下吉爾利街的市井聲喧。

「查禮！」莎莉・喬登喚道。

「是的，莎莉小姐！」陳查禮轉過頭，微笑的看著她。

「你剛才說什麼你如釋重負了？」

「現在假期要開始了，」他說：「長久以來我一直非常渴望來美國本土尋幽探勝，現在這樣的時刻已經來臨了，快樂而且自在，跟坐船橫渡大洋不一樣。在這之前，那件珍珠項鍊一天到晚沈甸甸的貼住我的肚子，飲食都不消化，像菜飯酸掉了似的，現在已經不會這樣了。」

喬登夫人搖起頭來。「我很抱歉，查禮，」她說道：「我想要你再吃一碗酸掉的菜飯，為了我——看在多年交情的份上。」

「我不太明白妳的意思。」陳查禮說。

喬登夫人將計畫大致描述了一下，要他和鮑伯．伊登到沙漠地區走一趟。陳查禮聽了，表情維持不變。

「我去。」他慨允道。

「謝謝你，查禮。」莎莉．喬登柔聲說。

「我小時候在菲力摩爾家幫傭，」他接著說：「在我內心之中，從前所受的大恩大德永遠都報答不了。」他看到莎莉．喬登眼眶中閃耀著淚水。「生命之中若是少了忠誠，」他結論道：「那將是荒漠一片。」

真是舌燦蓮花，亞歷山大．伊登想道。他提出比較務實的意見：「當然啦，這一趟你所有的花費都由我們來支付，至於你的假期，只是多延誤了幾天而已。珍珠項鍊最好由你帶著，這個你最在行，而且沒人知道你跟這件事情的關聯，多虧老天爺保祐。」

「東西我來帶，」陳查禮同意道，他從桌上拿起項鍊。「莎莉小姐，請妳不必擔心。當我跟這位年輕人找到該找的人，就會把項鍊交給他，在此之前我會妥善保管的。」

「我信任你！」喬登夫人笑道。

「很好，就這麼說定，」伊登說道：「陳先生，麻煩你和我兒子坐十一點開的渡輪到李奇蒙，再由那裡換搭火車到巴斯托，再轉另一列火車前往厄爾多拉多，明天晚上你們必須抵達麥當的農莊，若是麥當人在那裡，而且情況沒有什麼異樣——」

「為什麼還要情況沒什麼異樣？」維克多打岔道：「只要麥當人在那裡就夠了。」

「喔，當然啦，我們並不想碰到任何突如其來的危險，」伊登繼續說：「不過等你們到達那裡，自然會知道該怎麼做。要是麥當人在農莊，你們就把項鍊交給他，向他索取收據，那任務就算完成了。陳先生，我們十點半來接你，在此之前你可以自由活動。」

「此時此刻，」陳查禮笑道：「我當然是去泡一下熱騰騰的熱水澡了。十點三十分我會在飯店的大廳等你們，跟先前一樣，珍珠項鍊就裹在我肚子上。我先走了，回頭見。」他向在場的人一一點頭行禮，走了出去。

「我這一行飯吃了三十五年，」伊登說：「從來沒有雇過像他這樣的人跑腿。」

「查禮是個好人，」莎莉．喬登說：「他會用性命來保護那件珍珠項鍊的。」

鮑伯．伊登大笑起來。「我希望還是別弄到那個地步比較好，」他說：「我自己也是小命一條，還想保住項上人頭哩。」

「你們父子倆要不要留下來吃晚飯？」莎莉．喬登提議道。

「謝謝妳，改天吧，」亞歷答道：「我想我們今晚聚在一起並不恰當，我得跟鮑伯回家去，我想他該有一些行李要打包吧。在上火車之前，我不想讓他離開我的視線。」

「我有個最後的建議，」維克多說：「你們到達那座農莊時，不要過分疑神疑鬼。麥當有什麼麻煩那也不干我們的事，只要把項鍊放在他手上，拿到收據，就行了。」

伊登搖一搖頭。「我不喜歡現在的狀況，莎莉，我真的一點都不喜歡。」

「不用擔心，」喬登夫人笑道：「我對查禮，還有鮑伯，充滿了信心。」

「小弟既然這麼受人倚重，總要不負所託吧，」鮑伯．伊登說：「我保證會全力以赴的。我只希望那個穿大衣的傢伙不要也跑到沙漠那邊，而且已經熱身好了。要是他有備而來的話，我總覺得不是他的對手。」

【第三章】在陳麒麟的家

一小時後陳查禮乘電梯下到飯店大廳，大廳裡燈火熒煌，一股身負重任的感覺再度向他壓下來，他的腰部鼓鼓的藏著那條珍珠項鍊——菲力摩爾僅餘的財產。匆匆向飯店大廳瞥了一眼，他走到外面的吉爾利街。

雨已經不下了，他在人行道旁佇立半晌，一個矮個子的外來客睜大眼睛，急於觀看這個新鮮而陌生的世界，彷彿一覺醒來發現自己人在火星上。人行道上滿是趕著去看戲劇表演的人潮，計程車在狹窄的街道上猛按著喇叭，每隔一陣子就會傳來電車匆匆示警的鈴聲，如此的樂章也只有在舊金山這座聲音與表情獨具一格的城市裡才能聽到。

這就是美國本土，陳查禮不曾探訪的國度，眼前歡樂的景象令他大為震動，彷彿觸電一般。老一輩的人會告訴他，他所看到的景象只是往日時光夜生活的模糊影子罷了，然而他並沒有過去的記憶，因此也沒有什麼好憑弔的。他挑了一家小餐館，坐在餐飲櫃的高腳椅上吃晚餐——就一個從來沒聽過比利．波根的羅浮咖啡館（該地點現在已經被義大利銀行所取代了），對奧法羅街上的德爾摩尼可，或者歐迪昂、小狗、黑貓等業已消失的的店家未曾留下快樂回憶的人而言，這般的體驗已經很充分了。他盡情品嘗了白種人的廚藝，還一連喝了三杯熱茶。

一位店員模樣的年輕人在陳查禮身旁吃著經濟套餐，陳查禮向他借用他面前的砂糖瓶子之後，進一步與他攀談。

「我初到本地，請原諒我的鹵莽，」他說：「我有三個小時的時間可以在這個城市到處走走，雖然剛下過雨，街上的景物卻很有趣，能不能請你介紹我應該去參觀哪些地方？」

「嗄，這我就不知道了，」那年輕人吃了一驚道：「舊金山今非昔比，已經沒啥好逛了！」

「巴巴利海岸區也許還不錯吧？」陳查禮探詢。

年輕人露出不屑的表情。「那已經是昨日黃花了。薩里亞、艾爾柯、中途島等酒家……噯，往事只能回憶了。我講的都是真的，先生，以前那些跳舞場現在都成了汽車保養廠，要不就是住一晚美金十分的廉價旅館。喔，對了，中國城那裡今天是農曆除夕，不過……」他笑了起來：「看來我用不著告訴你這個。」

陳查禮點點頭。「噢，對，今天是新曆二月十二日，大年除夕。」

未幾他回到人行道上，眼睛洋溢著興奮之情。他想到檀香山夜晚沉睡的街道，在那裡，人們一到傍晚六點便回到家裡，杜門不出。比較起來，美國本土的城市多麼不同啊！一輛觀光巴士駛近了他，司機一樣講起了今晚的中國城，「我帶你去看老鴉片館和番攤賭場。」他信口說道，再靠近一點看清楚陳查禮的樣子後，不再滿口胡誇，逕自把車開走了。

八點剛過，來自夏威夷的偵探離開聯合廣場的歡樂喧嘩，漫步向郵電街較為幽暗的深處，不久來到了都板街，一名路人告訴他他要去的地方該向左轉，他依言而行。不久他來到一排商店前面，店裡陳列的廉價東方貨品是專門給觀光客看的。陳查禮加快腳步，行經山丘頂端的教堂，走向山坡下真正的唐人街。

這裡的空氣中充滿了年節歡樂的氣氛，每一幢中式建築的正面都綴以數以百計的燈泡，在夜晚的霧氣中發出黃色光輝。熙來攘往的人潮在狹窄的人行道上簇擁著，行人當中有一些是白種觀光客，華人部分則是鳳眼、綁麻花辮、盛妝打扮的小姑娘，身穿大學服的小伙子在一旁伴隨，以及足登毛氈鞋襪步履緩慢的老人家，每個老傢伙無不信誓旦旦的向人保證自己宿債業已清償，門庭掃除淨盡，期望一年復始，萬象更新。

行至華盛頓街，陳查禮拐了個彎，向半山腰走去，對街出現一幢醒目的建築，樓高四層，外觀俗麗，燈火熒煌，歡鬧聲喧，大門上金字匾額題著「陳氏宗親會」。這位偵探佇立了好一陣子，宗族的榮耀一時之間充滿了胸臆。

片刻後他沿著天后廟街的石板路走下去，這裡燈光黯淡，路上幾乎沒什麼人，一個明眸的華人小男孩遞給他一份《中國每日時報》，他付過錢，繼續前進，眼睛留意著每戶人家昏暗的門牌號碼。

不久他看到自己要找的門牌號碼，摸黑朝樓梯走上去，到達一處貼有紅底金字門聯的樓梯口他停下來，敲響該戶人家的門。門打開了，裡面背光站著一位高個子的中國人，臉上斑白的鬍子稀稀疏疏，身上穿著寬鬆刺繡的黑色緞袍。

有片刻的工夫兩人不發一語，隨後陳查禮露出笑容。「晚安，大名鼎鼎的陳麒麟，」他用標準的廣東話說道：「你不認得從夏威夷來的窮親戚了嗎？」

陳麒麟細小的眼睛發出亮光。「真是一下子想不起來，」他答道：「歡迎歡迎，請進來吧，我這房子有點簡陋。你穿得跟洋鬼子一樣，敲起門來又跟他們一樣粗魯，我哪能立刻就認得。」

矮個子偵探滿臉笑的走進屋內，他立刻發現屋內可一點都不簡陋，牆壁上掛著多幅杭州刺繡，家具還是柚木做的，雕工頗為精緻。祖先牌位前面供著鮮花，廳堂四處擺著盛開的白色水仙，象徵新年的到來。壁爐架上有一尊小型的寧波木刻佛像，旁邊則是一個美國製的鬧鐘，正滴滴答答響著。

「我這椅子破破的，請別嫌棄，坐吧。」陳麒麟說：「你跟八月天的雨一樣，要來之前毫無徵兆，不過你能來真是太好了。」他雙手拍了一下，一個女人進客廳來。「這是我太太，人家叫她陳嫂，」做主人的解釋道。「妳去弄點年糕，還有我那罈花雕酒也端來。」他吩咐道。

他坐在陳查禮對面，隔著柚木桌端視著他，桌上插著一瓶新鮮的杏花。「你這一趟來，該不會有什麼特別緣故吧。」他說道。

陳查禮聳一聳肩。「沒有，這樣比較好吧。我來這裡幫人家做一件事，有要務在身。」他說道，擺出他最在行的扶輪社社員的樣子。

陳麒麟眼睛半瞇起來。「喔，你做的那些事我聽人家講起過。」他說。當偵探的有點不安。「你不贊成我做那件工作？」他問道。

「說不贊成是過分了點，」陳麒麟答道：「只是我不太明白，在洋鬼子的警察局工作，你一個中國人跟他們有哪一點相同。」

陳查禮笑了起來。「堂兄你說得對，」他坦承道：「有些時候我也不明白自己在幹什麼。」

廳堂後方的蘆葦簾子「嘩」的一聲分開，一位女孩走入客廳來。女孩有雙烏黑明亮的眼睛，臉蛋漂亮得像個洋娃娃，今晚跟平常假日不同，她穿著中國傳統的繡花棉襖和絲質長褲，不過頭髮剪短了，走路的樣子、手勢儀態顯然跟一般美國女孩子沒啥兩樣。她雙手端著盤子，上頭裝滿新年的小點心。

「這是我女兒月季，」陳麒麟介紹道。「丫頭，這位妳要叫他叔叔，從夏威夷來的。」他轉向陳查禮：「她以後也會變成一個美國人，跟那些蠢白種人的女兒一樣沒大沒小。」

女孩笑了起來。「那有什麼關係？我出生在這裡，念的是美國文法學校，現在工作起來當然是美國人這一套。」

「妳在工作？」陳查禮好奇的問。

「女孩子的規矩統統忘了。」陳麒麟解釋道，「她現在一整天坐在中國城電話交換所裡面，面對著閃來閃去的紅黃燈號說話，一點也不覺得害臊。」

「有那麼嚴重嗎？」女孩一面問，一面笑望著堂叔。

「妳那工作想必很有意思！」陳查禮猜道。

「那當然囉！」女孩用英語回答，接著走了開去。不久她拿著一個老酒瓶回來，在兩個汕頭酒杯裡倒入燙好的花雕酒，然後在客廳的角落坐下，好奇的瞅著這位漂洋過海而來的貴客，以前她曾經在舊金山的報紙上看到過陳查禮破案的事蹟。

陳查禮和堂兄聊起兩人還在中國時的童年往事，這樣坐了一個多小時，最後他看了一眼壁爐架上的鬧鐘。「你那個鬧鐘準時嗎？」他問道。

陳麒麟聳一聳肩。「洋鬼子的玩意兒，」他說：「當不得真的。」

陳查禮看自己的錶。「堂兄，真的很抱歉，」他說道：「我想我得告辭了，因為工作的關係，今晚我必須離開這裡，到加州南邊的沙漠。我想我內人可能會寫信到你這裡來跟我聯絡，萬一我還沒回來，麻煩你暫時幫我收著，頂多再過幾天我就可以回來，在此之前大家不可能跟我聯絡得上。」

月季起身走上前來。「就算是南部沙漠那裡，」她說：「也還是有電話好打啊。」

陳查禮突然饒富興趣的注視著她，「沙漠那裡也有電話好打？」

「一點都沒錯，兩天前我就轉接了一通要打到厄爾多拉多附近一座農莊的長途電話，那座農莊叫做……呃，名字我想不起來了。」

「是不是叫做麥當農莊？」陳查禮語帶著期盼的問。

她點點頭。「對，就是這個名字，那通電話很不尋常。」

「電話是從中國城打出去的？」

「那當然啊，打電話的人叫王晶，在傑克森街開店賣碗盤，他要找的人是個叫做王路易的親戚，人在麥當的農莊當管家，電話是厄爾多拉多七十六號。」

陳查禮強忍住一探究竟的渴望，心跳卻加速起來。他又恢復了洋鬼子警察的身份。

「他們講什麼妳聽了嗎？」

「他叫王路易一定要立刻到舊金山來，這裡有個錢多的好差事在等著他。」

「嘿！」陳麒麟打斷道：「妳不可以把在洋鬼子工作上聽到的祕密講出來，即使是跟自家人講也不可以。」

「堂兄說的話很對，」陳查禮附和，他轉向姪女：「乖孩子，我還會再來看你們的，沙漠那邊雖然有電話可打，我還是聯絡不上的。真的很抱歉，我現在必須走了。」

陳麒麟送他到家門口，雙腳踩在草編的踏腳墊上，手摸著鬍鬚笑道：「慢走啊，老弟，祝你一路順風。」

「再見囉，」陳查禮回答道：「祝你們新春如意。」突然間他發現自己說起英語來了。「咱們過幾天見！」他揚聲說道，隨後快步走下樓梯。

來到外面街道上後，陳查禮倒真的遵從堂兄臨別的囑咐，慢慢的走了起來。月季是個接線生，從她那聽來的消息還真教人驚訝。有人要王路易到舊金山來，打電話的還是他的親戚王晶，那個賣碗盤的。為什麼呢？

路口轉角一位中國老頭告訴他傑克森街的走法，於是他沿人行道爬上一段陡坡，來到王晶的店。這家店的櫥窗展示著許多汕頭來的碗碟杯盤，在明亮的燈光照射下顯得美輪美奐，但顯然春節這段期間並不開張營業，連店門口的帘子也收了起來。整整一分鐘，陳查禮將門鎖敲得嘎嘎作響，但卻無人應門。

他走到對街，挑了一戶人家的門口，在晦暗柱旁躲了起來，他剛才弄出來的聲響遲早總會得到回應。附近一戶人家陽台上有中國國樂在演奏，琴笛悠揚，鐃鈸叮叮，鼓聲咚咚，夜晚充滿了鬧哄哄的歡樂氣氛。不久樂工們停止演奏，宮商乍歇，陳查禮聽到皮鞋的咯咯聲和拖鞋的沙沙聲從他藏身的地點經過。

大約十分鐘後，王晶那家店的門打開，一名男子走出來，小心翼翼的對著這條晦暗的街道四下張望著。此人是個瘦子，身穿大衣，衣服上每一個鈕扣都扣得緊緊的，外表看起來相當冷漠。他的帽緣在眼睛上方壓得很低，甚至還戴著墨鏡，顯得格外狡詐。陳查禮那張胖臉上掠過一絲好奇。

那名冷漠的男子快步走出店門，精神抖擻的下坡去，陳查禮隔著相當的距離在背後跟著。兩人來到了都板街上，戴墨鏡的向右轉。陳查禮仍繼續跟著，跟蹤對他而言是個小把戲。越過了一條街，兩條街，三條街，來到一家名叫基拉尼的廉價旅館，位於都板街的轉角，穿大衣的那名男子走了進去。

陳查禮看了一下手錶，決定讓獵物逃脫，於是轉往聯合廣場的方向走去，心中頗為困擾。「這情況就連傻瓜也猜得出來，」他心想：「我們正朝著一個陷阱前進，而且是眼睜睜的走進去。」

回到飯店的小房間裡，他把先前從身上卸除的若干物件又從手提箱裡找出來佩上。回到飯店櫃台，他發現行李已送到了，只是尚未送到樓上的房間。他將行李交給飯店寄存，直到他回來為止，付過帳後，在大廳找張大皮椅坐下，手提箱擱在腳邊，耐心的等著。

不多不少十點三十分的時候，鮑伯．伊登從飯店大門走進來，向陳查禮招呼。陳查禮跟著年輕人走到街上，看到一輛豪華轎車靠邊停過來。

「請上車，陳先生，」鮑伯說道，他手上拿著一個袋子。陳查禮進到車內，亞歷山大．伊登在昏暗中向他問好。「叫麥可車開慢點，我要跟陳先生講幾句話，」父親向兒子吩咐道。鮑伯．伊登向司機交代過後，鑽入車內，轎車隨後駛入吉爾利街。

「陳先生，」珠寶商低聲說：「我感到非常困擾。」

「又發生新狀況了？」陳查禮探問道。

「一點都沒錯，」伊登答道：「今天下午我提過我接到一通從蘇特街與基爾尼街路口的電話亭打來的電話，」他把那通電話的內容詳述一次。「今天傍晚我打電話給艾爾·德瑞考特，他是蓋爾偵探社的負責人，平常我們有業務的聯繫，我請他幫忙調查這件事，可能對話，也查查鮑伯在碼頭邊看到的那名身穿大衣的男子。一個小時前，德瑞考特回報說他查到了那個人，過程不困難。他發現那個人——」

「住在都板街上的基拉尼旅社，是吧？」陳查禮強掩住心中的得意。

「老天！」伊登吃了一驚：「你也發現他了？怎麼會？那太令人驚訝了……」

「的確是運氣好得令人驚訝，」陳查禮說：「很抱歉我插嘴了，請繼續說，我絕不再犯。」

「嗯，德瑞考特發現了他的落腳處，告訴我說他叫做『病鬼』菲耳·梅度夫，梅度夫兄弟是一對騙子，因為健康的緣故離開紐約，仍然跟從前一樣狡猾。我猜患有瘧疾的人是菲耳，不過看來他精神好得很，對我們這件事非常感興趣。陳先生你是怎麼發現他的，這究竟怎麼回事？」

陳查禮聳一聳肩。「成功的偵探跟一般人沒什麼兩樣，只是運氣當頭而已，像今天晚上幸運女神就特別眷顧我。」他談到他去造訪陳麒麟，得知王氏商店曾打電話到南部沙漠區的麥當農莊，而他自己則親眼見到那名身穿大衣的男子從那家店走出來。「然後，我就輕而易舉的尾隨他到那家旅社。」他一口氣說完。

「唔，我更擔心了，」伊登說：「他們叫那個管家離開麥當農場，為什麼？說真的我很不喜歡這個狀況。」

「才不是咧，老爸，」鮑伯・伊登不以為然道：「這件事情很有意思。」

「對我而言不然，我才不願意讓梅度夫兄弟盯上，喔，對了，另外一個人在哪裡？他們兩個跟時下的騙子不同，現在那些呆瓜只相信一管槍，梅氏兄弟卻是動腦筋的人，完全是那種和警察周旋多年的老式歹徒，連警察也對他們敬畏有加。我打電話給莎莉・喬登，勸她把這樁買賣放棄掉，可是問題就卡在她那寶貝兒子頭上，維克多滿心渴望得到那筆錢，不斷慫恿她繼續下去，所以我又能怎樣？如果是別人的話，我鐵定就此退出，但是莎莉・喬登是我多年的老朋友。誠如你今天下午所說的，陳先生，這個世界上的確還有忠誠這麼回事，可是我得告訴你，我真的很不願意讓你們兩個跑這一趟。」

「你別擔心啦，老爸。這件事一定很好玩，我敢保證。我從小到大就一直很想參與偵辦一件精彩刺激的謀殺案，如果能當一名旁觀者的話，那當然好。」

「你這話什麼意思？」他老爸問。

「咦，陳先生不是警察局的警探嗎？現在警探正在度假，你要是讀過推理小說，就會知道度假的警探工作得最辛苦。他現在就像郵差一樣，在不上班的時候走一條長長的路。有我們出馬，一切搞定。而且我們還有最亮最炫的目標，全美知名的金融鉅子——百萬富翁P．J．麥當先生。我告訴你吧，麥當死定了，等我和陳先生到了那座農莊時，十之八九麥當已經倒在那幢房子門口的地毯上死了。」

「我不准你開這種玩笑！」伊登叱責道。「陳先生，我覺得你的辦案能力似乎不錯，你對這件事有什麼看法？」

陳查禮在晦暗的車內笑了起來。「俗話說諛詞悅耳，確實如此，」他說道：「我倒是有個淺見。」

「無論如何，儘管說吧！」伊登道。

「我們先這樣想像一下好了，令郎和我若是手牽著手，像對兄弟似的一起去到農莊，你想一旁看到的人會怎麼想？啊哈，送珍珠項鍊的來了。否則，幹嘛結伴而行呢？」

「一點都沒錯。」伊登同意道。

「那我們何必結伴同行呢？」陳查禮接下去說：「依我之見，鮑伯．伊登先生應獨自一人前往農莊，人家問他什麼，他都說沒有，他身上沒有帶著項鍊。這件事疑雲重重，父親大人只不過差他來看看有沒有異狀而已，要是他看到一切無恙，就會打電報讓項鍊立刻送來。」

「好主意！」伊登說道：「而在這同時……」

「就在同時，」陳查禮接著說：「農莊來了一個無精打采的老中，想找個幫傭的工作，這中國佬必須穿得破破爛爛，跋涉過無垠的沙地，看起來就像你們說的沙漠之鼠。在這情形下，誰會想到菲力摩爾珍珠就藏在這個人的腰部？」

「哇，這招太棒了！」鮑伯．伊登興奮的大叫。

「也許吧，」陳查禮同意道。「你和老中都必須提高警覺，如果一切良好，就一起去找麥當，把項鍊交給他，但即使到了那個時候，也不可讓其他人知情。」

「好，」鮑伯說道：「我們一上火車就各自行動，你一有疑慮，只要看我一眼，我就知道。我們預計明天下午一點十五分抵達巴斯托，從那裡搭三點二十的火車到厄爾多拉多，到達的時刻是傍晚六點左右。我會搭那班車，你最好也一樣。我在這裡有一位跑新聞的朋友，他要我帶一封信去給一份小報，我會去邀他吃頓晚飯，然後坐車到麥當那裡。而你呢，當然走另一條路。既然有人會盯住我們，旅程中我們就不要相互交談，儘管我們是朋友，但從現在開始得變成陌生人，全部的計畫就是如此，對吧？」

「完全正確。」陳查禮同意道。

轎車已經在渡輪管理大樓前面停住。「你們的票我已經買了，」亞歷山大．伊登拿出兩個信封說：「你們睡的是下舖，同一車廂，可是是不同的兩端。陳先生，信封袋裡有一些錢供你使用，我也許該這麼說，我覺得你這個計畫非常好，但是看在老天爺的份上，你們兩個一定要小心才好。鮑伯你聽好，我就你這個兒子，先前我也許罵過你，可是我……我真的很擔心你。」

「別擔心啦，老爸，」鮑伯．伊登說。「雖然你到現在都不相信，但是我真的已經成年了，而且這次跟我同行的還是位高手。」

「陳先生，」伊登說：「祝你好運，還有真的非常謝謝你。」

「請別這麼說，」陳查禮笑道：「郵差一輩子走路走得最快樂的時候，是在他休假的當下，你儘管放心好了，再見。」

陳查禮跟隨鮑伯．伊登穿過柵門，登上渡輪，不久，船已經滑進港口幽暗的水域。雨已經不下了，夜空繁星點點，但是有一絲寒風從金門那端吹過來。陳查禮獨自佇立在欄杆邊，他這輩子的夢想終於實現了，他終於見識到了偉大的美國本土。渡輪管理大樓頂的燈光漸漸遠去，市區的黃色燈光隨著山丘起伏而上上下下。他想起他住的那座小島，他的妻小正在潘趣盂山上的家中耐心等他歸去。他突然為自己離家的距離感到震驚。

昏暗之中鮑伯．伊登來到他的身邊，向著都板街上空的火花揮了揮手。「今晚中國城好熱鬧啊！」伊登說。

「熱鬧極了！」陳查禮同意道：「是得好好慶祝慶祝，明天是新年的頭一天嘛，黃帝紀元第四千八百六十九年。」

「真不得了，」伊登笑道：「時間過得好快，祝你新年快樂。」

「新年快樂！」陳查禮說。

渡輪破浪前進。每隔一會，冷冽的探照燈就會從囚禁受刑人的邀卡崔茲島上掃射過來，照在漆黑的海水上。風勢吹得更凜烈了。

「我到船艙裡去，」鮑伯・伊登發起抖來，說：「咱們就在這裡暫別了，是吧？」

「這樣比較好，」陳查禮同意道。「等你到達麥當農莊時，留意一下沙漠之鼠。」

剩下自己一個人了，陳查禮仍繼續望著舊金山的燈火，燈火現在已經變得遙遠而冷清，跟天上的星星一樣。

「我是個沙漠之鼠，」他輕聲說道：「對陷阱毫無好感。」

【第四章】綠洲特餐

星期五傍晚，沙漠小鎮厄爾多拉多暮色已降，鮑伯．伊登下了火車，車站小小的，看起來像一幢破敗的紅色校舍。從舊金山到巴斯托的一路上風平浪靜，但是到了巴斯托卻起了一些波紋——陳查禮不見了。

他最後看到那位夏威夷警探是在巴斯托車站餐廳，陳查禮正喝著一杯熱茶。往厄爾多拉多的車三點二十分開，火車尚未進站，他於是在巴斯托鎮上逛了一下。三點整回到車站，他就沒看到那位矮個子中國警探了。他獨自一人登上車，現在看到月台下火車軌道荒涼的光景，才發現自己是在這個鳥不拉屎的地方下車的唯一旅客。

想到那一大筆財富所繫的珍珠項鍊就在那名警探身上，他隱約感到不安起來。陳查禮會不會遇上了什麼意外呢？還是老兄他——誰料得到呢？陳查禮真正的底細是什麼，他們知道嗎？據說任何人都有一定的價碼，對一個檀香山的窮警察而言，橫在眼前的誘惑就很難抵擋。可是不對——鮑伯．伊登想起陳查禮向莎莉．喬登承諾妥善保護珍珠項鍊時的眼神。那對母子想必有很好的理由如此信任一位老朋友。不過，「病鬼」菲耳．梅度夫搞不好已經不在舊金山了……

鮑伯．伊登定下心將這些念頭擺在腦後，繞過車站，走入一座窄得可憐的公園。二月天展現出最凌厲的一面，更糟的是，寒冷的晚風從沙漠那邊颳來，吹襲著木棉和白楊樹。穿越過幾乎被枯葉掩蓋住的碎石子路，他佇立在厄爾多拉多唯一一條柏柚路路邊。

整個小鎮以寸草不生的褐色山丘為背景，幾乎一眼就可看盡，馬路對面橫列著一排高高低低的建築，占據了這個小鎮的主要街道，它們分別是一家銀行、一家戲院、平價商店、報社辦事處和郵局，另有一幢鶴立雞群的兩層樓建築物，招牌寫著「沙漠邊緣旅館」。伊登走過街朝旅館走去，他穿過停在路邊的車子，每一輛車身上都是塵土。當他要走進旅館時，兩名牧場工人懶散的坐在擦鞋匠的雙人椅上，愛理不理的看著他。

旅館櫃台上點著一盞幾燭光的電燈，一名相貌和藹的老頭就著微明的燈光閱讀一份洛杉磯的報紙。

「晚安！」鮑伯·伊登開口道。

「晚安！」老頭回答。

「我這個手提箱可不可以在你們店裡寄放一下？」年輕人問。

「喔，衣帽寄放處在那裡，」老頭回答道：「你隨便擺就可以了，不要房間嗎？我算你便宜點。」

「抱歉，」伊登說道：「我不住宿。」

「沒關係，」旅館主人答道：「反正平常來這裡住的人也不多。」

「《厄爾多拉多時報》辦事處在哪裡？」伊登問。

「出去第一個轉角。」老頭含糊說道，回頭埋首在他那份報紙。

鮑伯·伊登走到街角，才一轉彎，兩腳立刻離開了厄爾多拉多的人行道，踏在鬆軟的沙土上。他走過幾間比先前那條街上更為寒酸的建築，又經過一家水電行，一家雜貨店，然後看到一間黃色小木板屋，外頭的玻璃窗有幾個褪色的字：「厄爾多拉多時報，印刷精美」。屋裡沒有燈光，穿過破舊的窄門廊，他看到門口掛著一張牌子。昏暗中他揉了一下雙眼，看到上頭寫的是：

一個小時內回來——天曉得為什麼

威爾・何利

伊登笑了笑，折返沙漠邊緣旅社。「晚飯有供應吧？」他問。

「我自己也在傷腦筋咧，」老頭招認道。「本店不供應餐點，即使供應也賺不了幾個錢。」

「這裡總有餐廳吧？」

「那倒有，我們這兒也算新式的城鎮，」他下巴往肩後一挪；「銀行再過去那裡有家綠洲餐廳。」

鮑伯・伊登謝過老頭，離開了旅館。隔著髒兮兮的玻璃窗，他看到這家綠洲餐廳散發著特殊的情趣，酒保面前長長的高餐飲枱配上背後長度相同的髒污鏡子，說明過去這確實是塊綠洲。（譯註：oasis除了「綠洲」之外，也有「舒適的地方」的含意。）

年輕人坐上顫危危的高腳椅，緊鄰他右手邊坐著一名男子，身穿一件式工作服，一張瘦臉表情冷峻，鬍鬚恐怕一個禮拜沒刮了。左邊緊鄰的一位是名端莊的女子，穿著卡其馬褲和寬上衣。

一位酷似電影帥哥打扮的年輕人問他點些什麼，他在髒兮兮的菜單上點了道綠洲特餐——「洋蔥牛排、薯條、奶油麵包，附贈咖啡，特價美金八角」。帥哥不太起勁的走了開去。

在等待的時刻裡，鮑伯．伊登透過朦朧的鏡子打量身邊那名女子的容貌。長得不賴，儘管鏡子挺髒，反射得很模糊。牛仔帽帽緣下露出黍黃色的捲髮，脂粉未施。他把左手肘朝內縮一點，以便讓佳人有更多的空間可資利用。

特餐來了，量很豐盛，卻沒有額外的盤子。他朝左右鄰座瞄了一眼，顯然綠洲餐廳是不作興供給客人額外的盤子。他用失去光澤的刀叉把洋葱撥開一邊，全心對付那塊牛排。

第一印象十分重要，鮑伯．伊登立刻發現眼前的對手不太好對付，那塊牛排用一種輕蔑的態度回望著他，接下來的情況亦充分證明此點。奮鬥片刻卻不見成功後，他向那位帥哥求助。「你們有沒有牛排專用刀？」他問。

「我們一共有三隻，但三隻都在使用中。」服務生回答道。

鮑伯．伊登重新投入戰鬥，雙肘再往內縮，手上筋肉越發突起。他面容扭曲、咬牙切齒切下去，餐盤被刀子刮得軋軋響，忽然，牛排竟然從盤底湯汁和洋蔥之間一躍而起，在髒污的餐飲枱上空飛行了一秒鐘，掉到左邊女孩子的膝部，翻落在地板上。

伊登轉頭看到她那雙笑不可抑的藍眼睛。「啊，真對不起，」他說道：「我本以為這只是塊牛排，卻沒想到它跟小狗一樣會舔人。」

「我可沒被舔到，」她笑道，低頭看著她的馬褲。「你能原諒我嗎？我本來可以幫你留住它的，結果卻跟普通女人一樣沒幫上忙。」

「這哪能怪妳，」鮑伯．伊登很殷勤的回答。他轉向帥哥服務生，「你給我不那麼難對付的吧！」他另外點菜。

「燉肉怎麼樣？」服務生問。

「噢，怎麼樣？」伊登學他講道，「弄過來後我又要奮戰另一回合，剛剛那一局我嚴重犯規。嗯，你給這位小姐一條餐巾吧。」

「什麼，餐巾？我們這裡沒有餐巾，我給她一條毛巾好了。」

「噢，不用了，拜託不要給我，」女孩嚷道。「我沒關係啦，真的。」

帥哥服務生走開了去。

「說真的，」她對伊登說：「我想還是別把綠洲餐廳的毛巾扯進來比較好。」

「可能是吧，」他點點頭：「妳的損失由我負責。」

她還在笑。「沒有的事。我應該賠你那塊牛排才對，你並沒有錯，要在這麼擠的地方吃牛排可真的得花一段時間練習呢。」

伊登看著她，好感越來越濃厚。「妳花過時間練習？」他問。

「是啊，工作使然。」

「妳……妳的工作？」

「對。既然我們因為剛才那塊牛排而認識，那我自我介紹好了，我是跟人家到各地拍電影的。」

原來如此，伊登想道，這一陣子有好多人跑來這裡拍電影。「呃，我不知道是否看過妳演的電影？」

她聳聳肩。「那肯定是沒有，而且以後也不可能看到。我不是演員，可是工作內容卻比較有趣，我是負責找拍攝的場景。」

鮑伯・伊登的燉肉來了，這回廚房大發慈悲，用有點鈍的刀子將肉切成一小塊一小塊的。「負責找拍攝的場景？看來我需要更多的說明。」

「那當然。顧名思義，我得天南地北到處跑，物色拍片地點，上天下地只不過為了發現有什麼新的地點，好讓觀眾大爺誤以為那地方是阿爾及利亞、阿拉伯或者南太平洋。」

「聽起來挺好玩的。」

「的確如此，特別是像我這麼熱愛這個地方的人。」

「妳是本地人吧？」

「噢，不是。我好多年前跟我父親來到惠肯大夫的家，那裡距離這兒五英哩，就在麥當農莊附近。後來……後來我父親離開了我，我必須找工作養活自己，因此——喔，我居然向你說起我私人的事。」

「那有何不可？」伊登問道，「女性和孩童總喜歡向我傾吐心事，大概是因我長得很安全的樣子吧。唔，這杯咖啡好爛！」

「的確是不好喝，」她同意道。「你要點什麼飯後點心？這裡有兩種派，一種是蘋果派，另一種賣完了。你點吧。」

「我決定了，」他答道，「我點那種賣完了的。」他向服務生買單。「好了，假如妳肯讓我代為付帳的話。」（譯註：the other that's out 除「賣完了」之外，還有「咱們走吧」的含意。）

「沒這道理。」她不表贊同。

「可是剛才妳遭到牛排的襲擊。」

「別提了。你知道嗎，我可以在這裡簽帳哩。你再多說的話，連你的帳單也算我的。」

付帳時收納員很慷慨遞上裝牙籤的小筒子，鮑伯．伊登未予理會，隨著佳人走到外面街上。夜色業已籠罩下來，人行道上沒什麼人。一間由波浪錫板圍成的長方形矮屋，最前面的假門上有一條細長的裝飾燈幽幽的發出微光，告訴外人屋裡正在進行一場歡樂的聚會。

「挺像那部電影〈Whither Away〉的，是吧？」

「喔，才不是，那部片子我記得，我小時候迷那部片子迷了整整十年。告訴我，你來這裡幹嘛？我也很能夠讓別人向我傾吐喔。你是從外地來的，不是本地人。」

「噢，恐怕我無法奉告，」伊登坦然道，「這件事一言難盡，改天吧，我會盡情以告的。此時此刻我正在找《厄爾多拉多時報》的編輯人，我口袋裡有一封信要交給他。」

「你找威爾·何利？」

「對，妳認得他？」

「在這裡誰不認識他？你跟我來吧，他現在應該已經回辦公室了。」

他們回頭朝第一街走去。有這麼一位苗條婉約的女孩同行，鮑伯·伊登不覺心曠神怡起來，他從未遇到過如此謙虛而又自信，如此洞悉生命內涵而又無所畏懼的女子。由此看來，沙漠城鎮實在是可愛。

報社裡頭開了一盞燈，燈光下一個孱弱的身影正俯身操作著一台打字機。他們一進屋內，威爾·何利便站起來，取下護目鏡，他看來三十五歲左右，身體瘦高，未老先衰的長了些白頭髮，眼神有些憂鬱。

「哈囉，寶拉！」他開口道。

「哈囉，威爾，看我在綠洲餐廳發現了誰。」

何利露出笑容。「唔，妳當然能發現啦，」他說：「在厄爾多拉多還能發現有東西值得一顧的，妳是唯一的一個。老弟，你是幹什麼的我不知道，但是你最好在受困於沙漠之前趕快離開。」

「何利先生，我這裡有封給你的信。」伊登從口袋拿出信來，「委託我的是你一位老朋友，哈瑞・弗拉格特。」

「哈瑞・弗拉格特？」何利沈吟道。他把信看了一遍。

「都好多年了，」他說：「我跟他年輕的時候在紐約老《太陽報》一起工作過，嘿，那才算是真正的報紙！」他沈默了半晌，眼睛看向外頭沙漠的夜色。「哈瑞說你是來這裡辦一件事的？」他又追加了一句。

「噢，是的，」伊登回答道：「這我以後會據實以告，我現在必須租輛車到麥當農莊。」

「你想去見P・J・麥當本人？」

「是的，越快越好。他人在農莊那裡，是吧？」

何利點點頭。「嗯，我想他人是在那裡。不過我卻沒看到他。聽說他前天坐車從巴斯托來到此地，關於這點，旁邊這位小姐所能告訴你的比我還多。噢，對了，你們倆是已經認識了呢，還是只在月光下走了一段路？」

「噢，事情是這樣的，」伊登笑道。「這位小姐……呃，剛才在綠洲餐廳沒接住我那塊牛排，我該記她一次內野失誤，不過她已經做得很不錯了。至於芳名和這整件事情呢……」

「我懂了，」何利說：「寶拉．溫岱兒小姐，容我介紹一下，這位是鮑伯．伊登先生。咱們這裡雖是窮鄉僻壤，禮節卻不可少。」

「謝謝你，老兄，」伊登說道：「從來沒有人對我那麼好。溫岱兒小姐，現在我們既然已經正式認識了，我終於能跟妳講話了，妳能否告訴我，麥當先生妳認識嗎？」

「不算真的認識，」她回答道：「我們身分這麼卑微的鄉下佬，哪裡高攀得起偉大的麥當？不過幾年前，我那家公司在他的農莊拍攝了幾幕場景，他那幢房子真的好氣派，還有個相當可愛的庭院。前幾天我們看到一份劇本，場景分明是為麥當農莊的庭院而寫的，為此我寫信請他允許我們借用場地，他人在舊金山，答覆說他正要到農莊這裡住，並且相當樂意接受我們的請求。他的回信真的非常客氣。」

女孩在何利的打字機桌上一坐。「我前天晚上抵達厄爾多拉多，立刻就開車到麥當先生的農莊。然後……呃，那裡相當奇怪，好像發生了什麼事。這些你想要聽嗎？」

「當然想聽！」鮑伯．伊登說。

「農莊外頭的柵門大開，因此我直接把車開進前面院子，車燈照在穀倉的門上，我看到一留著黑鬍子的駝背老人，背著一口袋子，樣子很像是以前的探礦工人，即便是今天，沙漠這裡也還是偶爾看得到。但是那個人的神情使我愣了一下，他呆立在那裡，好像兔子被車燈照到嚇得不知所措，接著立刻快步走開。我敲了幾下農莊別墅的門，等了好久，總算有個男人來應門，他的臉色很蒼白，神情有點興奮，他說他叫索恩，是麥當先生的祕書，他一面講一面渾身抖個不停，我不騙你，我也向威爾敘述過了。我把我跟麥當的事告訴那個索恩，沒想到他很沒禮貌的說我現在絕不可能見到那位偉大的麥當，只一再的說『他一個禮拜之內會回來』。我申辯不成繼之以懇求，結果他當著我的面把門『砰』的關上。」

「除了見不到麥當之外，」鮑伯．伊登沈吟道：「還發生別的事嗎？」

「只有一件。我開車回鎮上，沒走多少車燈又照到那個矮矮的老探礦工人，可是當我到了他的所在位置，他人卻不見了。我沒有一探究竟，而是猛踩油門，把車開走。入夜之後，沙漠對我來說就不那麼可愛了。」

鮑伯・伊登取出一支香菸。「我有要務在身，」他說：「何利先生，我得立刻到麥當的農莊去，方便的話，請告訴我租車處在哪裡？」

「這可不是我的待人風格，」何利答道：「我正好有輛跑新聞用的老爺車，我載你去。」

「把你從工作中拉開，不太好吧。」

「噢，開什麼玩笑，你是故意要我傷心是吧？工作中！我現在正想把一天工作由片刻串成永恆，而你卻闖進來，開始挖苦我！」

「對不起，」伊登說：「我只是想到你先前掛在門口的那塊牌子。」

何利聳了聳肩。「我認為那只是小小的嘲諷罷了，一直試著讓別人不要對那塊牌子有任何聯想，可是有時候……」

他們一起走出報社，何利把門鎖上。這條行人殊少的小街兩端沒完沒了的延伸出去，何利對這幅沈睡的圖畫揮了揮手。

「你會發現我們這裡的人全是遭世界放逐而來的，」他說：「當然啦，我們都很愛這片廣大的沙漠，可是哪天要是有個醫生說『你們可以走了』，你會發現除了塵土之外我們走得一個不剩。這裡的白天炎熱而友善，夜晚寒冷而孤獨，白天我倒不那麼在意，但是夜晚……」

「噢，沒那麼糟啦，威爾。」女孩柔聲說。

「喔，是啊，是沒那麼糟，」他同意道。「在收音機以及電影出現之前是沒那麼糟。我每個晚上都坐在電影院裡，有時某段新聞影片或電影畫面會再一次讓我看到第五大道，四十二街和第五大道的路口，好多的車，圖書館前面的獅子像，穿皮草的女人，但卻從來沒看到划船公園的畫面。」三個人默默的走在沙地上。「假如妳喜歡我的感覺的話，寶拉，」威爾，何利輕聲的說：「那妳會發現一個很好的場景。一則跟划船公園有關的故事，故事裡有高架鐵道下的人群，倒車進郵局後門的汽車，還有培里的藥房，世界大樓的金色圓頂。妳給我那樣的影片，我準能坐在河濱大道上一看再看，一直看到雙眼瞎掉為止。」

「我是很想，」女孩說：「可是高架鐵道下的人群卻不這麼想，他們想看的是沙漠，遠離都市喧囂的開闊天地。」

何利點點頭。「我知道。那種感覺這幾年像瘟疫似的蔓延到全美國，我必須針對這點寫一篇社論。法國有句諺語說：『身不得臨其境，心則嚮往之』。」

女孩伸出手來。「伊登先生，我在這裡跟你分手，回沙漠邊緣旅館做個好夢囉。」

「我很想再見到妳，」鮑伯．伊登立刻說道，「我必須再見到妳。」

「你肯定會見到我的，明天我要到麥當農莊去，我手上有他寫給我的回信，這次我一定要見到他。你看著了，只要他人在那裡的話。」

「只要他人在那裡的話，」鮑伯．伊登若有所思的重複了一遍。「祝妳晚安。等等，在妳走之前我問一下，妳喜歡吃幾分熟的牛排？」

「八分熟的。」她笑道。

「很好，我猜一塊就夠了。但話說回來，我非常感謝先前的那塊。」

「那塊牛排非常可愛，」她說道，「祝你晚安。」

威爾．何利帶伊登走到旅館前面他那輛老爺車的停放處。「坐上來吧，」他說：「路不很遠。」

「稍等一下，我去拿個行李，」伊登回答道。他走進旅館，隨即提著一個手提箱出來，丟入車後座。「老傢伙發動好囉，」何利說：「進來吧，老弟。」

伊登鑽了進去，汽車沿小鎮的主要街道咯啦咯啦的開下去。「我真不知該如何謝你，」年輕人說。

「我走這趟有趣得很呢，」何利回答道：「你知道嗎，我剛才在想，麥當這個老傢伙從不接受採訪，但是誰知道呢，說不定我能夠說服他，這些知名人物到了這裡，有時候會變得比較鬆懈一點，那就成了我帽緣上的大羽毛。他們又會在划船公園聽到我的大名了。」

「我會盡量幫你。」鮑伯．伊登慨允道。

「謝了。」何利答道。車子後方，厄爾多拉多鎮上的黃色燈火變得更加黯淡了。他們正要爬上一條夾在兩座矮山間的粗糙道路，山上寸草不生，還布滿大小不一的石礫。

「唔，讓我試試看吧，」報紙編輯說道：「希望會比上一回來得幸運。」

「噢，這麼說你見過麥當？」伊登好奇的問。

「只見過一次，」何利回答：「那是十二年前，當時我在紐約當記者，花了一些功夫進入第四十四街的一家賭場，地點是德爾摩尼可往右再過去幾家。那家賭場名聲不太好，但偉大的麥當出入那裡，晚宴服盛裝打扮，賭得不亦樂乎。人家說他白天在華爾街賭了一整天，欲罷不能，每晚到那裡賭輪盤。」

「於是你試圖採訪他？」

「沒錯。我那時傻呼呼的，相當有膽量。他企圖併吞一家鐵路公司的傳聞喧騰一時，我打算問他這個。我在他賭到一半休息的時候走上前去，告訴他我是記者——結果我的努力只到此為止。他大聲吼說：『滾你媽的蛋！你知道我從不接受訪問的！』」何利笑了起來：「那就是我第一次見到麥當，也是唯一的一次。開頭雖然很不順利，但是那天晚上我在四十四街踏出了第一步，今天晚上我想在這個地方設法完成。」

他們把亂石崗拋在後面，登上山坡的高點，眼前是寬大的道路，再過去就是一個陌生的新天地。天上高高掛著一彎新月，由一群燦爛的星光環繞在中央，山坡下遠處發出微弱亮光的地方，就是灰濛濛的大沙漠，孤獨而且神祕。

【第五章】麥當的別墅農莊

威爾・何利小心將車子開下遍布石頭的陡坡。「慢慢來，老先生！」他喃喃道。不久他們降到平坦的沙地，所謂的路，不過是墨西哥三齒蒺藜、矮灌叢之間模糊的輪胎痕跡罷了，車燈一度照到一隻端坐在道路右邊的野兔，一眨眼牠就跑了。

鮑伯・伊登看到一道鐵絲網後面種了幾株棕櫚樹，樹和樹之間有條小徑，有燈光從一扇孤獨的玻璃窗裡照射出來。

「這是個種植苜蓿的牧場。」威爾・何利解釋道。

「天啊，真的有人住這裡嗎？」伊登問道。

「有些人別的地方就是住不下去，」編報紙的回答說：「而這裡嘛，唔，種起東西並不困難，蘋果啦、檸檬啦、梨子啦……」

「水怎麼辦？」

「之所以會成為荒地，只不過是肯花點工夫打井的人並不太多而已。你只要一直鑽下去，就會碰到水。有的人鑽了好幾百英呎，而麥當只鑽了三十多英呎，不過那是他運氣，他那裡很接近地下水的水位。」

他們又經過另一道籬笆，籬笆上面有彩繪的圖案和黃色的旗子在月光下飄揚著。

「可別告訴我這裡是個政府基層單位！」伊登說。

何利笑了起來。「這裡叫棗椰市，」他表示，「加州這裡的基層官員窮得很，始終跟我們站在一起。假如人家講的你都信的話，在棗椰市，每一毛錢都是可當作寶貝的一元。這裡還沒有人住，但是誰曉得呢？我們這地方是個成長中的社區，我上禮拜就寫了這麼一篇社論。」

車子繼續開下去，現在路有些顛簸，但是何利的手穩穩握住了方向盤。約書亞樹這裡一株那裡一株的長著，每一株無不伸出黑黑的手臂，狀似饑餓的想攫住兩個夜行人。在這片灰撲撲的荒地上，陰慘的風不時嘶吼著，寒氣噬人。鮑伯・伊登把外套的領子翻上，護住頸部。

「這教我忍不住想起那首老歌，」他說：「你知道吧，有個傢伙拍胸脯保證說會愛著某人『直到沙漠的沙涼了下來』。」

「那算不上什麼承諾，」何利回應道，「他要不是個大騙子，就是不曾在沙漠裡過夜。咦，對了，這地方你頭一次來嗎？你住加州哪裡？」

「金門那裡，」伊登笑道：「你猜得沒錯，我從來沒來過這裡，感覺上我好像錯過了很多東西。」

「確實如此，希望你不要來沒兩下就走了。順便問一下，你打算在這裡待多久？」

「不曉得！」伊登答道。他沉默了片刻。舊金山的朋友告訴他何利這個人可以信賴，其實那位朋友並不需如此言之鑿鑿，只要望一眼何利帶著善意的灰眼睛就夠了。「何利，我是可以告訴你我來此的目的，」他接說：「不過我必須信得過你，這件事絕不能成為訪問稿。」

「隨你的意，」何利答道：「如有必要，我會守口如瓶，不過要不要告訴我都隨你。」

「我認為告訴你比較好，」伊登說。他從麥當買下菲力摩爾珍珠講起，談到麥當原先要求他們送去紐約，之後又突然來個大轉變，交代要送來沙漠這裡。「那樣的要求相當令人困擾！」他又說道。

「的確很怪！」何利表示同感。

「但是事情還沒完。」鮑伯．伊登接著講下去，只除了陳查禮跟這件事的關聯之外，全部的事都告訴了何利——那通在舊金山一家香菸店打出的電話，戴墨鏡的那位仁兄於碼頭邊以及稍後對他本人的關愛，緊接著他們發現此人是「病鬼」菲耳．梅度夫，人住在基拉尼旅社，最後則是王路易由一位住中國城的親戚調離開麥當的農莊。當他把這些枝節全講出來時，寂寥的沙漠開始呈現一種不祥的新貌，前景逐漸黯淡起來，令人不寒而慄。這一夾在兩座山頭之間的大塊空地，說真的，會不會就是此後一連串冒險事件的入口呢？看起來顯然真的如此。「你有何看法？」末了他問。

「我？」何利說：「我想我還是別去採訪好了。」

「你不相信麥當人在農莊裡？」

「當然不信。你看看寶拉前兩天晚上的遭遇，為什麼她見不到麥當？麥當聽到她在門口，幹嘛不出來看看究竟怎麼回事？因為他人根本不在那裡。我說老弟，幸好你不是一個人跑來這裡，尤其你身上正帶著那串珍珠項鍊——我想你應該帶著吧？」

「唔，以某個角度而言我是帶著。那個叫王路易的，我想你認識他吧？」

「認識，前幾天還在火車站看到他。你明天早上看《厄爾多拉多時報》將可以看到人事欄的一則新聞：『深受本鎮居民尊敬的王路易先生，於上周三因要事前往舊金山。』」

「哦，是禮拜三？他老兄是個怎樣的人？」

「噢，他只是個中國佬罷了，在這一帶住了很多年。過去五年他常年在麥當的農莊，身分是管家。我對他所知不多，他也沒跟這一帶的人深談過，只除了那隻鸚鵡。」

「鸚鵡？什麼鸚鵡？」

「他在農莊裡唯一的伴，一個商船的船長幾年前送來給麥當的，是隻灰色的澳洲小鳥。麥當買下那隻鳥——牠叫東尼，給老管家作伴。東尼是隻很粗魯的小畜牲，以前在澳洲船上被掛在酒吧間，剛來這裡時講的有些話真是不文雅。不過牠們很聰明，這些澳洲鸚鵡。你知道嗎，和路易為伍之後，這隻鳥也學會了中國話。」

「真厲害！」鮑伯．伊登說。

「喔，並不像表面上那麼厲害，這種鳥只要一聽到什麼就會模仿再講一遍，所以東尼會呱啦呱啦講兩種語言，一隻有板有眼的語言學家。附近這一帶的人都叫他中國鸚鵡。」他們來到由許多木棉樹與胡椒樹遮蔽著的一幢豪宅——一處沙漠中的綠洲。「麥當農莊到了，」何利說：「對了，你身上帶槍嗎？」

「嗄，沒有，」鮑伯·伊登回答道：「我沒帶槍，我猜老陳他……」

「你說什麼？」

「沒有。我沒帶槍。」

「我也沒帶。走路輕一點，老弟。那個園門麻煩你去把它打開。」

鮑伯·伊登鑽出車外，拉開門鎖，將園門打開，等何利將車駛入後，又將門關上。何利將車開到前面二十英呎處停住，人下了車。

這座豪宅是一幢一層樓建築，式樣是愛荷華風引進加州前最盛行的舊式西班牙風格，房子正面搭蓋了長長一條台基不高的涼廊，遮蔽在屋簷下的四扇窗戶燈火輝煌，使風寒料峭中現出一絲暖意。兩人穿過鋪了瓷磚的門廊，走到屋子正門之前，好大的一座門，堅固而且森嚴。

伊登用力敲響大門，經過長長的等待，最後門稍稍打開一條縫，一張蒼白的臉露了出來。「什麼事？你要幹什麼？」他老大不高興的問。屋內傳來一連串輕快的狐步舞曲。

「我找麥當先生，」鮑伯．伊登說道：「P．J．麥當先生。」

「你是誰？」

「這你別管，我會告訴麥當先生我的身分，他人在嗎？」

門闔上了數英吋。「他在這裡，但是他誰都不見。」

「他會見我的，索恩，」伊登提聲說道：「你就是索恩吧，我想。你去告訴麥當說，有一個人從舊金山郵電街送東西來這裡，正在等著。」

門立刻全開，馬丁．索恩那張瘦瘦的面容堆滿微笑。

「噢，真對不起，快請進來，我們正在等你呢。請進，噢，呃，是兩位……先生，」當他看到何利時，臉上蒙了一層陰影。「請稍等一會兒。」

麥當的祕書走進後面的門，留下兩名訪客站在偌大的客廳裡。任誰都想像不到，從外面沙漠竟然會進入到這樣一間屋子裡來，牆壁是鑲花橡木拼成的，上面掛了多幅珍貴的銅蝕版畫，光線柔和的罩燈立在桌邊，桌面上放著好幾本當期的雜誌，甚至還有最近一期的紐約周日版報紙。另一端是座大壁爐，裡頭一堆木材正熊熊燃燒著，距離稍遠的角落放著一台收音機，某個樂團演奏的舞曲正源源不絕流瀉出來。

「唔，這才真的是家，甜密的家，」鮑伯・伊登說道。他的頭向著壁爐對面的牆壁一點。「剛才才講到我有沒有帶槍……」

「那些槍都是麥當收藏的，」何利解釋道：「老王有一回展示給我看，每一枝槍的彈膛內都裝了子彈。假如你被迫退走，得朝著那個方向。」他心存疑慮的四下看著。「你知道嗎，剛才那傢伙並沒有說他要去請麥當過來。」

「他是沒那麼說！」伊登回答道。他若有所思的研究著客廳裡的陳設，內心被一個大問題困擾著——陳查禮哪裡去了？

兩個人佇立等候著，客廳後方一座高腳時鐘從容不迫的敲了九下。爐火劈哩啪啦的燒著，滿屋子都是銅管清脆的爵士樂曲。

在他們背後索恩方才離去的門倏的打開，兩人急忙轉身。不錯，門口一身灰色西服的慣常穿著，像花崗岩巨石般站著的，正是上次在他父親公司門口走下台階時，鮑伯・

伊登所看到的股市大戶，P．J．麥當本人。

鮑伯．伊登頭一個反應是鬆了一口氣，宛如肩膀上一塊大石頭落下，但一種失望的感覺卻幾乎隨即湧上。他還年輕，渴望的是刺激，而在這裡，整齣沙漠的大懸案就在他耳邊迸成碎片，麥當此刻人明明好端端的，先前他們所有的疑懼掛慮，原來一點根據都沒有。事情變得只是把珍珠項鍊交給對方——等陳查禮來到的時候——一點曲折也沒有，然後生活又要回到一成不變的常規。他看到威爾．何利露出微笑。

「晚安，兩位，」麥當說道：「非常高興見到你們。馬丁，」他向隨後跟來的祕書吩咐道：「去把那討厭的聲音關掉。那樂團，兩位，是丹佛一家飯店舞廳的樂團，誰說充滿奇蹟的年代已經過去了？」索恩把收音機關掉，聲音在嘈雜的抗議之後止息。「好啦，」麥當問道：「你們兩個誰是從郵電街來的？」

年輕人站上前。「麥當先生，我是鮑伯．伊登，亞歷山大．伊登是我父親。這位是我的朋友，《厄爾多拉多時報》的威爾．何利，算是你的鄰居，他非常好心，開車載我來這裡。」

「噢，原來如此。」麥當的神情相當和藹，和兩人分別握手。「兩位一起到壁爐旁邊來吧。索恩，你拿雪茄來。」他親自勞動他那雙貴手搬椅子到壁爐旁邊。

「我坐一下就走，」何利說：「兩位有事要談，我不便打擾，不過在我走之前，麥當先生……」

「什麼事？」麥當高聲說道，他把雪茄尾端咬去一點點。

「呃，我想你不記得我了！」何利接著說。

火點著了，麥當拿著火柴的大手停在半空中。「我看過的人從來不會忘掉臉孔的。我以前看過你，是在厄爾多拉多嗎？」

何利搖搖頭。「不是，那是十二年前，在紐約第四十四街，地點是……」麥當迫近了一點看著他，「在德爾摩尼可往東過去幾家的一個賭場，一個冬天的晚上——」

「等一下，」大亨打岔道：「有人說我老了，你聽著吧。你那時是新聞記者，跑來說要訪問我，而我要你滾蛋！」

「果然有一套！」何利笑道。

「唔，從前的事回憶起來還不太壞吧，嗯？我的記憶好得很咧。很多個晚上我在那裡花下大筆銀子，直到我發現賭盤做假為止。沒錯，我是在那裡輸掉了不少零頭，你那時幹嘛不告訴我那間賭場耍詐？」

何利聳一聳肩。「唔，當時你的樣子並不能產生互信。不過我這次來，麥當先生，因為我還在跑新聞，所以想做個採訪。」

「我向來不接受採訪。」這位大亨嘖道。

「真對不起，」何利說：「我有個老朋友在紐約開了家通訊社，假如我能把有關你的事拍封新聞稿給他，那我可大大露臉了。譬如說有關未來金融走勢之類的議題，P．J．麥當首度接受了專訪。」

「想都別想！」麥當回答道。

「很遺憾聽到你那麼說，麥當先生，」鮑伯．伊登說：「這位何利先生幫了我很大的忙，我衷心希望你這次能夠破例。」

麥當背部往椅子一靠，仰頭朝天花板吐出一口菸圈。「好吧，」他說，語氣略微和緩了些，「伊登先生，你給我帶來不少麻煩，不過我願意送你一個人情。」他轉向何利，「你聽好，多一個也不行，懂吧？有關今年商業情勢的展望，幾句話就好。」

「感激不盡，麥當先生。」

「別客氣。我人遠在這裡，對報紙的感覺和在家裡有點不同。我會把看法講給索恩記下來，你明天中午再來這裡一趟吧。」

「我會的，」何利站起來。「你也許無法了解這對我的重要性，先生，現在我得趕回鎮上了。」他和這位百萬富翁握個手，然後和鮑伯．伊登也握了手，眼神似乎在說：「好啦，總算每一件事都很圓滿，這我就放心了。」他在門邊止住，復又說道：「咱們明天見。」索恩開了門讓他出去。

門一闔上，麥當就迫不及待傾向前來。他的態度大變，鮑伯．伊登感受到這位大人物迫近而來的壓力，好像突然遭受電擊似的。「好了，伊登先生，」他神情愉快的問：「你那條項鍊一定帶來了吧？」

伊登只覺得愚蠢透頂，他們的憂慮疑惑到了這個燈光明亮、有家的氣氛的屋子裡，顯得一點屁用也沒有。「唔，事實上呢……」他口齒不清起來。

客廳後面一扇玻璃門打了開來，有人走進來。伊登沒有轉頭，耐心等著。未幾這人走到他和壁爐之間，他看到一名矮胖的中國僕人，穿著破舊的長褲，腳上踩著軟拖鞋，身上一件寬鬆的廣東綢紗上衣，雙手捧著一堆木材。「老闆，要添點柴火吧？」傭人語音平板的說。他的臉幾乎沒什麼表情，將手上的木材逐一丟入火中，轉過身時迅速看了鮑伯·伊登一眼，眼神陡的精光一閃——彷彿是黃色燈光底下的黑鈕扣。陳查禮的眼睛。

矮僕不聲不響的走了。「那條珍珠項鍊，」麥當立刻追問：「到底怎麼樣了？」馬丁·索恩也走近了些。

「我沒有帶來。」鮑伯·伊登緩緩說道。

「什麼！你沒帶來？」

「沒帶來。」

麥當那張紅潤的大臉迅速漲得發紫，接著把頭一揚——他發脾氣時的常見架勢，報紙上面如是說。「老天爺，你們這些傢伙究竟是怎麼回事？」他大聲說道：「那條珍珠項鍊是我的，我已經買下來了，不對嗎？我叫你們送來這裡，我要那條項鍊。」

「去叫你那個傭人來！」這句話到了鮑伯·伊登的舌尖，但是一想起陳查禮剛才的表情，他又遲疑起來。不行，他必須先跟那位矮個子警探談一下話。

「你最後對我父親的指示，是那串項鍊必須送到紐約。」他提醒麥當。

「那又怎麼樣？我可以改變主意，是不是？」

「雖然是那樣，我父親覺得整件事很值得留意，而且又發生了一兩件事……」

伊登沉默下來。何必把那些事全講出來呢？那說不定會讓對方聽了覺得很蠢。總之，這個人那麼冷酷無情，他看你都已經夠討厭了，而你還向他交心，這樣做聰明嗎？

「我想這麼說好了，麥當先生，我父親認為這地方說不定已經設好了陷阱，因此不肯把東西送來。」

「你父親是個笨蛋！」麥當大聲說道。

鮑伯．伊登站了起來，整張臉漲得通紅。「那好，如果你要取消這個交易的話……」

「噢，不是，對不起，我話講得太快了，我向你道歉，坐吧。」年輕人坐了回去。

「不過我真的非常困擾，這麼說來，你父親是派你來偵察虛實的？」

「沒錯，他覺得你可能出事了。」

「我沒有出事，除非我讓我自己出事。」麥當回答道，這倒是事實。「好啦，現在你人來了，也看到這裡情況好得很，你打算怎麼辦？」

「我明天早上跟我父親通電話，請他立刻把項鍊送來。不麻煩的話，我可不可以在這裡待到項鍊送來為止？」

麥當再度把頭一揚。「又要延後，討厭死了。我必須盡快回到東部，本來我明早要到帕薩迪納，把項鍊寄在那邊的保險庫，然後坐火車到紐約的。」

「噢，」伊登說：「原來你根本不想接受何利的採訪。」

麥當的眼睛半瞇起來。「不接受又怎樣？他又不是什麼重要人物，對吧？」他粗魯的站起來。「好吧，你沒有帶來就算了，當然你可以住在這裡，不過你明天一早就打電話給你父親。我警告你，我可不准再有什麼拖延了！」

「我答應，」伊登回答道：「好了，假如你不介意的話，我已經趕了一整天的路。」

麥當走到門邊叫了一聲，陳查禮走了進來。

「阿金，」麥當說：「這個客人你幫他安排到左手邊最後面那個房間裡住。這是他的行李，」他指道：「你幫他提。」

「是的，老闆。」這位剛改名叫「阿金」的傢伙說道，他提起伊登的行李。

「晚安，」麥當說道：「你假如有任何需要的話，這個傭人會照料你。他新到這裡，不過我想他什麼都辦得了，你可以穿過庭院到你住的房間去，相信你會睡得很舒服才對。」

「那當然，」伊登說道：「非常謝謝你，晚安。」

他跟在那個走得慢吞吞的中國人背後，穿過屋子後面的庭院。夜空中繁星高掛，發出森冷的清輝，寒風吹得更加凜烈了。當他走進客房時，欣喜的發現壁爐的火已經燃燒著了。他俯身將火撥亮了些。

「很抱歉，」陳查禮說：「那是我的工作哩。」

伊登看了一下闔上的門。「我在巴斯托發現你不見了，你是到哪裡去了？」

「我幾經思考之後，決定不等那班火車了，」陳查禮輕聲說：「我看到一位中國同鄉開了一輛貨車，上面載滿蔬菜，就搭他的車離開巴斯托，好在抵達這裡時天還沒黑，也不會冷，還不至惹人懷疑。現在我是這裡的廚子阿金，幸虧年輕的時候對做菜還挺拿手的。」

「你還真他媽有一套。」伊登笑道。

陳查禮聳聳肩。「我學了一輩子英語，為的是談吐起來優雅些，」他不滿道：「現在卻得憋著喉嚨講話，以免別人起疑，這樣的處境可一點都不快樂。」

「好啦，這種情形不會太久的，」伊登回答道：「目前情況顯然很正常。」

陳查禮又聳了聳肩，不置可否。

「應該沒問題吧？」伊登突然發生興趣，問道。

「依我的拙見，」陳查禮說：「情形並不像我所樂見的那麼正常。」

伊登詫異的看著他。「怎麼，你發現了什麼？」

「那倒還沒。」

「噢，那樣的話……」

「很抱歉，」陳查禮突然說道：「你也許知道，我們中國人是個心靈感應非常靈敏的民族，這個地方究竟是哪裡不對，我也說不上來，不過我心裡頭……」

「噢，算了吧，」伊登插嘴道：「靠直覺行不通的，我們來這裡的目的是要把項鍊交給麥當，一旦證實他人在這裡，那就把東西交出去，要他開收據給我們。現在他人既然在這裡，我們要做的事就很簡單了。以我的立場，我才不願冒任何險，現在就去把項鍊交給他。」

陳查禮一臉苦惱。「噢，那不行，拜託！依我的淺見……」

「你聽我說，查禮，我這樣稱呼，你不介意吧？」

「那是我的榮幸。」

「咱們千里迢迢跑來沙漠這裡，別再自尋煩惱了。中國人或許如你所說，是個心靈感應超強的民族，可是我怎麼能拿這個去向維克多·喬登，還有我老爸解釋呢？我們必須弄清楚的，就是到底麥當在不在這裡，而他在呀，請你現在立刻去找麥當，就說我二十分鐘內要去他臥房見他。我進去之後你守在房門外面，等我叫你時，你就進去，到時我們便可以交差了。」

「那樣做就大錯特錯了！」陳查禮反對道。

「為什麼？你能給我一個明確的理由嗎？」

「這很難說得清楚，不過……」

「那真的很抱歉，我得有自己的判斷，全部的責任由我負責好了。唔，說真的，我想你現在最好去吧！」

陳查禮萬般無奈的走了，鮑伯·伊登點燃一根菸，在火爐前面坐下來抽著。可怕的寂靜逼人而來，宛如化不開的濃霧，鋪天蓋地籠罩在這幢豪宅，這片沙漠，以及這整個世界。

伊登陷入沈思，陳查禮剛才的話究竟是什麼意思呢？鬼扯蛋吧。這些中國人，老喜歡把事情弄得曲折離奇，把自己搞得神祕兮兮。老陳這傢伙跑來這裡換了個新角色，他所謂對自身境遇的不滿，根本言不由衷。他想要把這個角色演下去，到處刺探，幻想一些根本不存在的事情。嗯，那可不是美國人的作風，不是鮑伯·伊登的作風。

伊登看了一下手錶，陳查禮已經離開十分鐘了，再過十分鐘他就會去麥當的房間，把那串珍珠項鍊交出去。他站起來踱步，從對著庭院的窗戶看出去，視線越過灰黯的沙漠，直達遠方暗濛濛的群山。老天爺，這是個什麼所在！他是不屬於這裡的，他想。他喜歡的寧可是照在人行道上的街燈，呼嘯而過的電車，人群、都市中的人群，混亂而嘈雜。這樣的寂靜之中隱藏著某種恐怖，如此孤獨的寂靜——

一聲淒厲的尖叫劃破了寂靜的夜。鮑伯·伊登站了起來，呆若木雞。尖叫聲再度出現，之後是一陣怪異、透不過氣的吶喊：「救命啊！救命啊！有人要殺我！」尖叫聲。

「救命啊！把槍放下！救命啊！救命啊！」

鮑伯·伊登跑到外頭庭院，看到索恩和陳查禮從對面跑來。麥當，麥當哪裡去了？

可他的疑慮再度證明有誤，麥當從客廳跑出來，到了他們身邊。

尖叫聲又傳來了。這回鮑伯．伊登看到聲音的來源是十英呎外的鸚鵡架，上頭一隻灰色的澳洲鸚鵡正拼命的大叫著。

「是那隻爛鳥！」麥當怒斥道：「非常抱歉，伊登先生，我忘記告訴你那隻鳥的事了，只是東尼這傢伙在搞鬼，牠以前遇到過一些怪事，這你能想像吧！」

鸚鵡停止了喊叫，表情嚴肅的望著眼前的幾個人。「各位先生！」牠呱呱學語道。

麥當笑了起來。「牠又回到酒吧間的日子了，」他說：「牠這是向酒保學的，我想。」

「各位先生，請一次一位。」

「好了吧，東尼！」麥當接著說：「我們又不是來排隊喝酒，你給我閉嘴！伊登先生，希望你沒有忽然被嚇一跳，看來東尼以前被飼養的酒吧間似乎出過一兩件兇殺案。馬丁，」他轉身對他的祕書說，「你把牠帶去穀倉關起來。」

索恩走上前，鮑伯．伊登在月下看到他的臉，心想這位祕書臉色比平常更加慘白，看他伸手去擺布那隻鸚鵡，伊登不禁疑惑索恩的手是真在發抖，還是根本只是自己的想像。「來吧，東尼，」索恩說道：「乖鳥兒，你跟我走吧。」他小心翼翼的解開東尼腳上的鍊子。

「你說要見我，是嗎？」麥當對伊登說道。他帶路到自己的臥房，隨後把房門關上。「你找我什麼事？還是你其實已經把項鍊帶來了？」

房門忽然打開，中國人拖著步伐走進來。

「你進來幹什麼？」麥當大叫。

「你沒事吧，老闆？」

「我當然沒事，你給我出去！」

「明天吶，」扮演阿金的陳查禮說道，他從鮑伯．伊登身邊走過，意味深長的使眼色，「明天一定會是個好天氣，我可以保證。咱們明天見了，先生。」

陳查禮走了，門卻沒有隨手關上，伊登看到他默默走過庭院，竟然不在臥房門外守候。

「你找我什麼事？」麥當追問。

鮑伯．伊登快速動起腦筋。「我的確想找你私下談一談，你那個祕書索恩，他人靠得住吧？」

麥當「哼」的一聲，「你真讓我空歡喜一場，」他說：「誰都以為你要把倫敦銀行送來給我哩。索恩當然沒問題，他已經跟了我十五年了。」

「我只是想確認一下，」伊登回答：「等到了早上我就打電話給我老爸。晚安！」

他轉身往庭院走去，只見那位祕書才剛辦完討厭的差使回來。「晚安，索恩先生。」伊登說道。

「呃，晚安，伊登先生。」那傢伙回答道，隨即神祕兮兮的走了。

伊登回到房間，開始寬衣就寢。他心裡既迷惑又困擾，這一趟果真像表面上那麼平順無事嗎？那隻鸚鵡異常的尖叫聲依然在他耳際迴盪著，那麼淒厲的求救聲，真的是東尼從酒吧間學來的嗎？

【第六章】東尼，新年快樂

第二天早上鮑伯·伊登賴在床上貪眠不起，把他要早點起來打電話給父親的允諾都忘了。太陽在沙漠中燦爛升起，光輝照臨四野，來去自如無庸他人同意，一股隱約的熱氣向這片不毛之地擴開來。九點的時候，鮑伯睡飽了，從床上坐起。

他四下看著這個房間，逐漸弄清楚自己人在加州的那一點，昨晚發生的事一幕幕重回腦際。第一幕場景在綠洲餐廳——那塊狡猾的牛排，滑不溜丟的在他面前沖天飛起。再來是那個女孩，她的笑靨使得那家可怕的餐廳真的成了綠洲。然後搭乘威爾·何利的車在沙漠奔馳，農莊豪宅的客廳燈火輝煌，氣氛歡愉，收音機播放著丹佛樂團演奏的狐步舞曲。麥當，氣息濃重的向他迫近，問他要那串菲力摩爾珍珠項鍊。穿著平底拖鞋的陳查禮低聲說他心靈感應敏銳，覺得事情不大對勁，然後是靜夜中傳來那隻鸚鵡淒厲的尖叫聲。

然而，前一夜帶上床的驚擾不安，此刻已在早晨的陽光底下融解消失了。年輕的他開始猶豫著自己居然聽信那位矮個子警探的話，那豈不是無事自擾？陳查禮既是個東方人，又是一名警察，難免會帶著有色眼光去看待任何一種情況。但不管怎麼說，他鮑伯·伊登才是米克伊登珠寶公司的代表，他必須對自己認為適合的情況採取必要的行動。然而為整個行動全權負責的究竟是他，還是陳查禮？

房門打開了，門口站著假扮阿金的陳查禮。

「來喔，老闆，」伊登的同黨高聲道：「你再這麼睡懶覺下去，早餐都趕不上了。」一面說著，陳查禮走進房間，輕輕把門關上，好像對什麼事情很難忍受似的，臉上露出痛苦的表情。

「老講這些蠢話真是件苦差事，」他抱怨道：「中國人沒了體面，就像身上脫光沒穿衣服，丟臉透了。你這一覺睡得很舒服吧，我想。」

伊登打個哈欠。「跟我昨晚比起來，李伯那一覺根本沒啥了不起。」（譯註：李伯

Rip van Winkle是美國作家厄文W. Irving所著小說《見聞錄》中的主角，在山中一睡二十年，醒來後人事全非。）

「那太好了。我建議你現在就起床，咱們麥當大爺正在客廳裡發神經哩。」

伊登大笑起來。「他很不爽，是嗎？唔，咱們去阻止他吧。」他把棉被掀開。

陳查禮把窗帘拉開。「過來看一眼吧，」他說：「不管從哪扇窗戶往外看，沙漠都一望無際的延伸出去，遍地黃沙，無窮無盡。」

鮑伯·伊登眺望出去。「唔，這沙漠真的好大，到處都是沙。啊，對了，趁這個機會，我們該打個商量。昨天晚上你忽然更改了我們的計畫。」

「沒錯，你判斷得很正確。」

「為什麼要那樣？」

陳查禮注視著他。「為什麼不那樣？你也聽到那隻鸚鵡在深夜裡怪叫。『有人要殺我，救命呐，救命呐，快把槍放下。』」

伊登點點頭。「我知道。不過那也可能毫無意義。」

陳查禮聳聳肩。「你也知道鸚鵡只會模仿人講話，不會自我表達。」

「那當然，」伊登同意道。「東尼講的想必是在澳洲或者哪艘船上聽到的話，我現在明白麥當對那隻鸚鵡過往的交代都是對的。而且我想告訴你，查禮，現在在早晨明亮的光線下看事情，我覺得我們昨晚的舉動相當愚蠢，我打算吃早飯之前把那串項鍊交給麥當。」

陳查禮沈默了半晌。「假如我可以再多管閒事一次的話，我會偏袒忍耐的做法。人年輕的時候，請容我這麼講，做什麼都急躁了點。拜託你聽我的勸，再等一等。」

「等？要等什麼？」

「等到我再從東尼那裡獲得更多對話內容。東尼是隻很聰明的鳥兒，牠會講中國話。我雖然不那麼聰明，可是中國話我也懂。」

「你認為東尼會告訴你什麼？」

「牠有可能揭露這座農莊究竟是哪裡不對勁。」陳查禮打比方說。

「我不認為有哪裡不對勁。」伊登不以為然。

陳查禮搖搖頭。「你是個頭腦聰明的小伙子，」他說：「假如我非得跟你爭論的話，那會教我十分為難。」

「可是查禮你要知道，」伊登申辯說：「我已經答應今早要與我老爸通電話，麥當可不是個好對付的人。」

「呵．馬里馬里（Hoo malimali）。」陳查禮回應道。

「也許你說得對，」伊登說：「但是我聽不懂你講的中國話。」

「你搞錯了，」陳查禮回答道：「我更正你說的話請別介意。我剛才那句不是中國話，而是夏威夷的土話。『呵．馬里馬里』在夏威夷大家都聽得懂，意思是稍微掰一下把麥當穩住。這字眼我堂弟陳衛理——全中棒球隊隊長翻譯得稍微俗了點，就是用拐的把他矇過去。」

「說得倒容易！」伊登回答道。

「可是你那麼聰明，一定可以安全過關。只要幾個小時就好，讓我引誘那隻聰明的鳥兒把話講出來。」

伊登盤算起來。寶拉．溫岱兒今早要到這裡來，他若不再跟她見上一面就匆忙走了，豈不可惜？「我告訴你我的打算好了，」他說：「我會等到下午兩點，假如在時鐘敲兩下時並沒有任何事情發生，我們就把那串珍珠項鍊交給人家。這樣你了解吧？」

「也許吧！」陳查禮點點頭。

「你的意思是也許了解？」

「那倒不是，我的意思是我們也許可以把項鍊交給人家。」伊登看到這位中國人眼神如此頑固，感到有點無助。「不管怎樣，我還是非常感謝你，你真的很不錯。現在請你到飯廳去，粗茶淡飯隨便用一下。」

「請告訴麥當我很快就到。」

陳查禮做了個怪表情。「如蒙你恩准的話，我想更動一下你這句話，把『很』拿掉。記得從前，莎莉小姐的話我是無不照辦的。只想到自己的話，也許可以，但是為了不辱沒先人，我還是不要說那個『粉』。」

從伊登的窗戶望出去，東尼正在庭院的鸚鵡架上忙著吃自己的早餐，只見陳查禮走近那隻鳥兒旁邊停下來，大聲說道：「好啦嘛？」

東尼仰臉一看，把頭一歪。「好啦嘛？」牠尖銳嘶啞的回應道。

陳查禮走得更近了些，開始用中國話講了起來。他時而講了講停下來，而令人驚奇的是那隻鳥兒居然會用相同的語言作答。這宛如一場表演秀，鮑伯．伊登心想。

突然，庭院對面的另一道門出現了一個人，索恩，他臉色氣得發白。

「喂，」他大聲叫道：「你在搞什麼鬼？」

「抱歉，老闆，」那位老中說：「東尼這小傢伙很不錯，我也許可以把牠帶到廚房去吧。」

「你離牠遠一點，」索恩吩咐道：「你給我離那隻鳥遠一點。」

陳查禮踢踢踏踏的走了。索恩望著他離去的背影佇立良久，臉上的表情又是憤怒又是疑慮。鮑伯·伊登轉身走開，心中陷入沈思。老陳對此事會採取那樣的態度也許有緣故吧？

他趕緊去洗了個澡，浴室位於他的房間和另一個空著的客房之間。等到他終於和麥當碰面的時候，他覺得這位大亨臉上似乎餘怒未息。

「很抱歉我起晚了，」他道歉道：「不過沙漠這裡的空氣……」

「我知道，」麥當道：「遲一點沒有關係，我們的時間並沒有耽誤。我已經叫電話公司轉接你父親了。」

「好主意，」他毫不起勁的回答，「是打到我老爸的公司嗎？」

「那當然。」

伊登忽然想起現在是星期六早上，除非舊金山下雨，否則他老爸此刻正在前往柏陵坎高爾夫球場的途中，至少要在那裡待到晚上，搞不好星期天也都耗在那裡！喔，希望北邊的舊金山有個好天氣！

索恩進來，身上穿著藏青斜紋西裝，容止鎮靜，態度認真，眼神卻饑餓的看向火爐邊的餐桌。他們各就各位，吃起新來傭人阿金做的早餐，嗯，味道相當不錯，陳查禮並沒忘記早年在菲力摩爾家所受的訓練。吃了幾口之後，麥當的脾氣和緩了些。

「昨晚東尼那樣子怪叫，希望你沒被嚇到。」他說。

「喔，起初是嚇到了，」伊登坦承道，「當然啦，我一發現尖叫聲的來源後，感覺就好多了。」

麥當點點頭。「東尼這隻小畜牲本身是沒有什麼色彩，但卻擁有緋紅多彩的過去。」他說。

「跟我們之中的一些人一樣。」伊登話中藏話。

麥當凝視著他。「這隻小鳥是一個跑澳洲生意的船長送給我的，我把牠帶來這裡跟管家王路易作伴。」

「我還以為管家的名字叫阿金。」伊登假裝不知情說。

「噢，你說現在這位呀，他不姓王。路易前兩天忽然有人找他去舊金山。昨天阿金正好浪蕩到這邊，在路易回來之前，他只是填補一下空檔而已。」

「你們運氣不錯，」伊登說：「像阿金那麼好的廚子很少見。」

「唔，他是不錯，」麥當坦承道。「每次我來西部久住時，都會帶一夥人同行。我這次來得比較突然。」

「你在西部真正的總部是在帕薩迪納吧，我想？」伊登問。

「是，我在那裡有幢房子，就在橘苑大道上。這個地方我只是偶爾週末來一下——當我氣喘發作的時候。再說，每隔一陣子和人群分開一下也滿好的。」大亨往椅背一靠，眼看著手錶。「舊金山的長途電話應該隨時會接上線。」他滿懷希望說道。

伊登瞄了一眼客廳角落的電話。「你電話是轉接給我父親，還是他的辦公室？」他問。

「是辦公室，」麥當答道。「我想就算他不在的話，我們還是可以留話。」

索恩走上前。「老闆，何利要的採訪稿怎麼辦？」他問。

「噢，真他媽的！」麥當罵道：「我讓自己栽進去幹嘛？」

「我可以把打字機搬過來。」祕書開口道。

「不用了，我們去你房間，伊登先生，電話鈴響的話，麻煩你接一下。」

那一主一奴走了。阿金不聲不響的走了來，把餐桌上的東西收走。伊登點燃一根香菸，往火爐前的椅子一屁股坐下，爐火熊熊，倒顯得外頭燦爛的太陽頗為多餘。

二十分鐘之後，電話鈴響了。伊登一躍而起，但還沒走到放電話的桌前，麥當已聞聲來到他身邊，對此只能無奈的歎息。電話線那頭傳來冷靜、美妙的口音，他聽出是老爸精心挑選的女祕書，不禁鬆了口氣。

「哈囉，我是鮑伯·伊登，」他說：「我現在人在加州南部沙漠區麥當先生的農莊。今天早上天氣晴朗，陽光普照，妳好嗎？」

「你憑哪一點認為我這裡天氣晴朗，陽光普照？」那女孩問。

伊登一顆心沈了下去。「千萬別告訴我你那裡不是，否則我的心會碎掉。」

「為什麼？」

「為什麼！因為，妳無論何時都那麼漂亮，我要想像太陽光灑落在妳秀髮上的樣子啊……」

麥當一隻巨掌落在他肩上。「你在搞啥名堂，跟歌舞女郎約會嗎？言歸正傳吧！」

「噢，抱歉，」伊登說道。「雀斯小姐，我老爸在不在？」

「不在。你也知道今天是禮拜六，打高爾夫去了。」

「噢，對，我就說嘛，今天妳那裡天氣是不錯。唔，假如他回來的話，麻煩請他回電話給我，號碼是厄爾多拉多七十六號。」

「他去哪裡了？」麥當急切的問。

「出去打高爾夫球。」小伙子回答道。

「去哪裡打？哪個球場？」

鮑伯吁了一口氣。「我想是柏陵坎吧！」他湊著話筒說。

然後——哇，這女孩子帥呆了，鮑伯心裡想——那位女祕書說：「今天不是去那裡，他跟幾個朋友到別的球場了，也沒有說是哪裡。」

「非常謝謝妳，」伊登說：「把我的留言放在我老爸桌上就可以了，麻煩妳。」他掛上電話。

「太糟糕了，」他快活的說：「居然跑去打高爾夫球了，還沒半個人知道是哪個球場。」

「那個老白痴！」麥當咀咒道：「他為什麼不在工作上多用心……」

「欸，麥當先生！」伊登開口道。

「高爾夫球，高爾夫球，」麥當怫然道：「那玩意兒比威士忌害死更多人。告訴你，假如我老在高爾夫球場鬼混的話，今天休想會有這樣的成就。假如你老頭腦筋夠好的話——」

「我已經聽夠了！」伊登站起來說。

麥當的態度忽然改變。「我很抱歉，」他說：「可你必須承認，這讓人很困擾。我要那條項鍊今天就從那裡送過來。」

「時間還早得很，項鍊有可能來得及送出來。」

「但願如此，」麥當皺著眉說：「我要告訴你，我很不習慣這樣拖拖拉拉的。」

當他離開時，他那顆大腦袋憤怒的昂揚著。鮑伯・伊登納悶著，財產堆積如山的麥當竟然對一條小小的珍珠項鍊如此斤斤計較，似乎太不相稱了吧！更讓他迷惑不解的是，老爸年歲漸長，與紐約市珠寶市場相隔遙遠，他會不會對那串項鍊看走了眼，估出來的價錢錯得離譜呢？那項鍊會不會比開的價錢更多，而麥當急欲趁人發現有錯甚而取消交易之前，把東西弄到手呢？沒錯，亞歷山大．伊登已經承諾了，但就算那樣，麥當也許擔心會有閃失吧。

小伙子無所事事的向庭院踱去，夜晚的風寒業已消失無蹤，沙漠經艷陽的烘烤，多彩多姿的出現在他眼底。農莊後院有一片圍著鐵絲網的沙地，生趣盎然，毛絨絨的小雞和高傲的火雞走起路來都神氣得很。他在花圃前面佇足，仔細看著一顆顆紅艷誘人的草莓；花圃上方挺立著木棉，光禿禿的枝條已經冒出許多新芽來，為即將到來的滿樹華蓋放出無言的允諾。

如此的窮鄉僻壤，生命的樣態和成長竟那麼神奇！他四處走走看看，農莊的一角有個半滿的大蓄水池，這如果在炎熱八月的午后見到，肯定是棒透了。回到後院，他看到東尼正垂頭喪氣的擄在鸚鵡架上，於是停下來逗牠一下。

「好啦嘛？」他說。

東尼豎起頭耳。「桑凱啞啵！」那隻鸚鵡說。

「是啊，而且好可憐。」伊登假惺惺的說。

「奇方落霍！」東尼顯得有些虛弱。

「也許吧，不過我聽到的不一樣。」伊登漫應道，走了開去。他正在想陳查禮在做什麼。顯然那位警探認為索恩的命令最好服從，因此離那隻鸚鵡遠一點。這也難怪，從那位祕書的房間窗戶向外一望，鸚鵡棲息的地方就在眼裡。

回到客廳，伊登拿了一本書讀了起來。離十二點還差幾分鐘，前面院子傳來一輛老爺車氣喘吁吁的引擎聲，他起身前去開門。編報紙的威爾．何利來了，滿臉春風，精神抖擻。

「哈囉，」伊登說道：「麥當在另一個房間，跟索恩一起弄新聞稿，請坐。」他走近何利身邊。「我和麥當之間的事情還沒結束，請你記住我並沒有把那串項鍊帶來。」

何利感到好奇的注視著他。「我懂了。但是我本以為昨晚一切情況還不錯，你言下之意……」

「我稍後再告訴你，」伊登打斷何利的話，「下午我可能會上鎮裡一趟。」他提高聲音說：「你現在來太好了。你車子開進來時，我正在想，這個沙漠可能太平淡了些。」

何利露出來笑容來。「別洩氣，我帶了東西給你，一份如假包換的智慧寶藏。」他遞給伊登一份報紙。「這是本週的《厄爾多拉多時報》，才剛剛印好，墨痕未乾。你來看王路易舊金山之行的這一則，全部是最近的消息。」

伊登接過那份贈閱的報紙──八小張，新聞和廣告全在裡面，他整個人靠在椅背上。「嗯，看來上星期二婦女家庭版相當受到好評。」他說：「不僅如此，你還鼓吹女性持家辛勞一事應受正面肯定，這也獲得廣大迴響。」

「是沒錯，不過最興奮的還在裡頭，你翻到第三版，」何利說：「看到了吧，山谷地區野狼肆虐，迫使不少居民裝設捕獸陷阱。」

「在此情況下，」伊登唸道：「狄奇先生何其幸運，因為他遠赴洛杉磯的這段期間，有亨利．葛拉頓為他照顧飼養的雞群。」

何利站起來，對他自己編的這份小報端詳了半晌。「以前我還曾經和密契爾在紐約《太陽報》共事過，」他不勝感慨的說：「你不要讓哈瑞．弗拉格特看到這份報紙，好嗎？我希望在哈瑞的印象中，我還是一位新聞記者。」他踱到客廳另一頭。「對了，麥當有沒有讓你參觀他收藏的槍枝？」

鮑伯・伊登站起來，跟了過去。「噢，沒有欸！」

「這些槍很有意思，可是上頭都是灰，噢，我猜路易是不敢去摸它們。幾乎每一把槍都有來頭。你來看，每把槍上面都有一張打字卡——『提爾・泰勒贈予P・J・麥當』。泰勒是奧勒岡州有史以來最出色的警長。還有這把，你來看，很漂亮吧？這是比利・泰爾曼送給麥當的。那枝嘛，老弟，以前發生在堪薩斯老道奇城前街的那場槍戰，它可是見證過。」

「那這把上面都是刮痕的呢？」伊登問道。

「那是比利小子用過的，」何利說：「在新墨西哥州隨便問比利小子，任何人都知道。還有這把巴特・馬斯特森曾經揹過。但是呢，這些收藏當中的尤物，」何利在牆上四處搜尋著，「也是最出色的一把……」他轉向伊登，「不在上面了！」他說。

「槍不見了？」伊登緩緩的問。

「看起來是如此。柯爾特最早設計的一種手槍，是點四五口徑的，比爾・哈特送給麥當的禮物，以前比爾在這附近一帶演過好幾部電影。」他指著牆上空出來的部分。

「那把槍本來掛在那裡。」他補充說明，說完走開了去。

伊登抓住他外套的袖子。「等一等，」他壓低聲音說：「你讓我問清楚。那把槍不見了，展示說明的卡片也不見了。那幾個托住槍身的釘子你還是看得到吧。」

「哇，太不可思議了！」何利驚訝的說。

伊登用手指往牆上一摸。「卡片貼過的地方沒有灰塵，你知道這意味著什麼嗎？這意味著比爾．哈特送的槍幾天之前才被取走。」

「老天爺，」何利說：「你在說什麼啊……」

「噓，」伊登示警。門打開了，麥當和索恩一前一後進到客廳裡來。大亨雙眼注視了他們半晌。

「早安，何利先生，」他說：「你要的新聞稿在這裡。你昨晚說要把新聞稿發到紐約，是吧？」

「是的，我今天早上向朋友詢問過了，他要這樣的稿子。」

「唔，那並不意外。我希望你在傳遞過程裡頭把取得的地點交代一下，那會有助於安撫那些小伙子的情緒，他們在紐約老是遭到我拒絕。還有，我這份新聞稿的內容，你不會動手腳吧？」

「連個逗點都不移動，」何利笑道。「我現在得趕回鎮上去了，再次謝謝你，麥當先生。」

「那不算什麼，」麥當說：「我也樂得幫你一個大忙。」

伊登陪何利走到門外的院子，在屋內人聽不到他們講話的地方，何利停住腳步。

「那把槍似乎讓你有點興奮，出了什麼事？」

「噢，可能沒什麼吧，我想，」伊登說：「但是話說回來……」

「怎樣？」

「嗯，老兄，這件事讓我覺得有點古怪，說不定這座農莊不久之前發生了什麼事！」

何利吃了一驚。「不會吧，喂，你別吊我胃口。」

「那也沒辦法。這事情說來話長，而且不能讓麥當看到我們走得太近。下午我會到鎮上去。」

何利鑽進車裡。「好吧，」他說道：「我可以等，那就下午見囉。」

看著那輛老爺車在沙路上顛簸而去，伊登感到失落起來。好歹他老兄為農莊帶來了一份溫暖的人情味，那正是這裡所需要的。不過沒隔多久他的失落一掃而空，因為遠方出現的褐色小斑點慢慢變大，成為一輛輕巧的跑車，他看到坐在方向盤後面的是寶拉·溫岱兒，那個在綠洲餐廳遇到的女子。

他把農莊外面的園門推開，女孩經過時愉快的揮了揮手，把車駛入院子。

「哈囉，」女孩下車後，他打招呼道：「我正在擔心妳大概不來了。」

「我睡過頭了，」她解釋道：「在沙漠裡老是起不了床。你注意到這裡的空氣沒有?有個過來人說它聞起來簡直跟酒的味道一樣。」

「早餐吃得很開心吧？」

「那當然在綠洲吃的。」

「可憐的孩子，那裡咖啡那麼難喝。」

「我不在乎。威爾·何利說麥當人在這裡?」

「麥當?噢，對啊，妳非要見到麥當是吧?好吧，請跟我來。」

客廳裡頭只有索恩一個人，他滿臉狐疑的望著來訪的女孩，會用這種態度待人的並不多，但索恩就是與眾不同。

「索恩，」伊登說道：「這位小姐要見麥當先生！」

「我有一封他的回信，」女孩解釋道：「上頭答應我利用這座農莊拍攝幾幕電影的場景。你記得吧？我星期三晚上來過。」

「我記得，」索恩扳著臉的說：「我很抱歉，麥當先生不能見妳，而且他還告訴我，很遺憾的他必須把回信上面的承諾撤回。」

「那樣的話必須麥當先生親口說我才接受。」女孩回應道，眼中瞬間燃起頑固的神情。

「我再說一遍，他不見妳。」索恩堅持道。

女孩坐了下來。「請你去告訴麥當先生，說他的農莊非常漂亮，」她說：「還有請你去告訴他，我就在他客廳的椅子上坐著，而且在他親自跟我講話之前，我會一直坐下去。」

索恩猶豫了半晌，惡狠狠瞪了她一眼，隨即離開客廳。

「我說，妳可真有一套。」伊登笑道。

「我是故意的，」女孩答道：「我一個人獨立作業得夠久了，憑他一個祕書就想敷衍我，我才不吃這一套。」

麥當一路咆哮的走進來。「這到底是在搞什麼……」

「麥當先生，」女孩站起來，臉上的笑容甜得不得了，「我就知道你肯見我，這裡有一封信，是你在舊金山寫給我的，你一定記得吧。」

麥當接過信看了一下。「噢，是，當然記得。我很抱歉，溫岱兒小姐，只是自從我寫了這封信之後發生了一些事情，我有一筆生意是……」他看了一眼伊登。「簡單的講，現在如果讓拍電影的工作人員進駐農莊，對我來說非常不便，我無法告訴妳我有多遺憾。」

女孩臉上的笑容消失了。「那太好了，」她說：「不過那意味著我會在公司留下不良紀錄，我那些上司不接受藉口，他們只要成果，先前我已經報告說事情搞定了。」

「唔，妳有一點操之過急了，是吧？」

「我可不這麼認為，因為我有P・J・麥當的承諾。也許是我太笨了，居然會去相信那些老掉牙的傳聞，說什麼麥當講過的話就一定算話。」

這位大亨登時顯得侷促起來。「噢，我……呃，我當然說話算話。妳什麼時候要帶工作人員過來？」

「星期一，他們都準備好了。」女孩說。

「來是沒有問題，」麥當回答道：「不過妳如果能延後個幾天，譬如說，到星期四。」他又看了伊登一眼。「我那樁生意星期四之前應該就能搞定。」他補充道。

「那絕對沒問題。」伊登樂得幫襯，附和道。

「非常好，」麥當說道。他看著女孩，流露出善意的眼神，畢竟他不是索恩。「請安排禮拜四，這場地可以任憑妳們使用。那時候我將不在這裡，不過我會留話給管家，請他全力配合。」

「麥當先生，你真是個大好人，」女孩對他說：「我就知道我能信賴你。」

索恩厭惡的朝他老闆的背部瞪了一眼，離開了客廳。

「妳當然能信賴我囉，」麥當迅速溶解著，笑得很愉快，「而且P・J・麥當的良好信譽也保住了，他的話和他的股票同樣值得信賴，是不是？」

「有人懷疑的話，叫他來見我好了。」女孩回答道。

「快要吃午飯了，」麥當說：「妳肯留下來一起吃嗎？」

「喔，我……說真的，麥當先生……」

「她當然願意留下來囉，」鮑伯．伊登插嘴道：「她一向在厄爾多拉多鎮上的綠洲餐廳吃飯，假如她不留下來，只好到那裡吃，那她肯定是瘋了。」

女孩笑了起來。「你們都對我那麼好！」她說。

「有何不可呢？」麥當說：「那就這麼說定了，我們很需要像妳這樣的小姐來把氣氛弄得明朗一點。阿金，」那位中國人進來時，他喚道：「你再多弄一份午餐。再過十分鐘左右就好了，溫岱兒小姐。」

麥當走出客廳，女孩望著鮑伯．伊登。「好啦，都搞定了。我就知道準沒問題，只要他肯見我的話。」

「那當然囉，」伊登說：「這世界任何一件事都不會有問題，只要負責該件事的男人見到妳的話。」

「這話聽起來像是恭維。」她笑道。

「我是真心的，」小伙子回答，「可是為何我的話聽起來總讓人覺得討厭？看來我得好好溫習一下社交術。」

「噢，原來只是閒扯而已。」

「拜託，不要對我的話那麼吹毛求疵好不好。告訴妳，剛才我真是開了眼界，我試著想成為一名生意人，看來可得費些勁。」

「這麼說來，你並不是個生意人？」

「什麼都談不上，只是在混而已。妳知道嗎，妳昨晚讓我想了很多事。」

「我深感榮幸。」

「好了，別再逗我了。我不得不想，妳人在這裡，自力更生，有能力好好吃一頓綠洲餐廳的肉以及其他的種種，而我只是我老爸的毛頭小子。如果說是妳點醒我認識新的一頁，一點都不算過分。」

「原來我並沒有白活。」她朝對面牆壁頷了個首。「那裡為什麼掛那麼多槍？」

「喔，那是麥當先生收藏的槍，他有此雅好。來吧，我一一向妳介紹它們的來頭。」

沒多久麥當和索恩回到客廳，阿金也準備好了一頓豐盛的午餐。索恩用餐時一言不發，倒是他的雇主在女孩美目盼兮的魔咒下，講得有聲有色，不亦樂乎。喝完咖啡時，鮑伯・伊登突然察覺靠庭院窗戶的那座大鐘，指針差五分就要指在兩點的位置了。兩點了！兩點一到他和陳查禮的約定便要實現，那該如何是好？那位東方人面無表情的收著餐盤，態度高深莫測。

麥當長篇大論講起自己發家致富的經過，講到一半的時候，那位老中忽的走進客廳裡來，雖然只是不發一語的站著，神情卻宛如一聲槍響令大亨的談興為之中斷。

「嗯亨，又怎麼啦？」麥當問道。

「死了，」阿金的語音激揚，一本正經的說：「死是無可避免的結束，沒有牽掛，沒有遺憾。」

「你到底在講些什麼啊？」麥當問道。索恩淺綠色的眼珠子彷彿要跳出來似的。

「可憐的小東尼！」阿金接著說。

「東尼怎麼了？」

「可憐的東尼要在天國裡新年快樂了！」阿金說。

麥當倏的站起來，率先向庭院走去。只見中國鸚鵡一動也不動的躺在庭院地上，就在原來的鸚鵡架底下。

大亨蹲下身子拾起鳥屍。「怎麼會這樣，可憐的老東尼，」他說道：「牠到西天去了，死了。」

伊登看著索恩，打從認識這位老兄以來，頭一次看到這位祕書蒼白的臉上露出邪惡的微笑。

「算了，東尼也老了，」麥當接著說：「真的很老了，就像阿金講的，死是無可避免——」他停頓下來，審視著中國人一無表情的面孔。「我早預料到會有這一天，」他又說道：「東尼這幾天似乎不太好。喏，阿金，」他把鳥屍交給對方，「你去找個地方把牠埋了。」

「我會的！」阿金接過東尼的屍體。

時鐘在偌大的客廳裡敲了兩下，清晰入耳。化身為阿金的陳查禮手上拿著鳥屍，緩緩走開，一面用中國話喃喃的唸著。突然他別過頭來。

「呵．馬里馬里！」他朗聲說道。

鮑伯．伊登想起了那句夏威夷土話。

【第七章】郵差展開行動

原班人馬又回到客廳，但是麥當的細數當年陷入停頓，同桌的人亦失去了談興。

「可憐的東尼，」當他們坐下來時，大亨說道：「牠五年前來到這裡，感覺起來就像老朋友死了一樣。」他眼睛望向虛空，沉默良久。

不久女孩站了起來。「我真的必須回鎮上去了，」她說道：「麥當先生，謝謝你好意留我下來吃午餐，我好感激。接下來就看禮拜四囉。」

「對，假如沒出現新狀況的話。若是真的有事，我怎樣聯絡到妳？」

「我住沙漠邊緣旅社，但是可絕對不能有事，我仰賴的可是P・J・麥當的承諾喔。」

「不會有事啦，我敢肯定。很可惜妳要走了。」

鮑伯・伊登走上前去。「我想去領略一下本地居民的生活風情，」他說：「不介意的話，我想搭妳的便車到厄爾多拉多。」

「樂意之至，」她笑道：「但是我恐怕無法送你回來。」

「噢，不必，我也不要妳送，我自己會走回來。」

「你不必用走的，」麥當說：「阿金好像會開車，唔，他的確很能幹，」他一語不發的想了半晌。「下午稍遲一點我會叫他去補充些吃的東西回來，農莊這裡剩下的不多了。他到了鎮上再把你載回來。」正好那位中國人進來收拾餐具。「阿金，傍晚你到鎮上時，把伊登先生載回來。」

「好吧，我會載他。」阿金不太感興趣的說。

「你說個時間，我在旅社的門口等。」伊登提議道。

阿金臭著臉望著他，「大約五點好了。」他說。

「好，那就五點。」

「你晚了，我可不等你。」中國佬警告道。

「我會準時的。」小伙子允諾。他回房間拿了頂帽子，回客廳時，麥當正等著。

「你父親下午若是打電話來，我會告訴他你要那東西立刻送來。」他說。

伊登一顆心沉了下來，他沒有想到這件事，說不定他老爸會出人意料的回辦公室——噢，不，那不太可能。這時候若亂了方寸破壞原訂計畫，可就不妙了。

「那很好啊，」他滿不在乎的說：「要是他因為沒有找到我而感到不滿的話，就請他六點的時候再打來一次好了。」

他走到前面院子時，女孩很有技巧的把車掉過頭來，他把園門打開、關好之後，車開到黃沙路上，他鑽入車內。

車子上路之後，伊登首度視野無阻的細看這個怪異的世界，何利所謂惡魔的花園。「遍地黃沙，無窮無盡。」陳查禮曾如是說，說得大致不差。遠處有幅美景——白雪皚皚的群山之上是蔚藍的穹蒼。然而除此之外他看見的只有沙漠，一張廣闊無邊的灰色地毯，上頭遍布著墨西哥三齒蒺藜。所有的樹木和矮叢都長有尖刺，相貌兇惡——一株仙人掌宛如意存侮辱的手指朝天豎起，一叢凌亂的假紫荊和樹齡古老的約書亞樹，像是燻黑的殘株挺立在野火燒過的路徑上。而在這片浩瀚的荒地上，火辣辣的艷陽懸在高空玩著奇特的光影的遊戲，殘酷，無可名狀的純淨，而又有點恐怖。

「嘿，你對這裡有什麼觀感？」女孩問他。

伊登聳一聳肩。「地獄遭烈火燒個精光，留下了餘燼。」他說。

女孩笑了笑。「品嚐沙漠的滋味要靠後天學習，」她解釋說：「沒有人從一開始就喜歡上它。我還記得很久以前的那個晚上，我跟著我爸爸在厄爾多拉多下了火車，當時我只是個小女孩，來自費城郊區，一個古老、人煙稠密和受過文明洗禮的地方，我站在蠻荒的世界當中，心都碎了。」

「可憐的小孩，」伊登說：「可是妳現在卻喜歡上這裡了？」

「是的，經過一陣子之後，這麼說吧，在這個陽光普照的地方有一種不可思議的美，隨著時序推移你就會了解這點。尤其是春天的雨後，我真想到時候帶你到棕櫚泉去，那裡的馬鞭草就像玫瑰花編成的地毯似的，連長相最醜陋的樹也開出最嬌媚可愛的花，而且一年到頭每個夜晚都像在沙漠一樣，頭頂上星空燦爛，空氣中瀰漫著安詳和寧靜，萬物都在沉睡。」

「喔，難怪這裡是睡大覺的好地方，」伊登同意道。「不過那是湊巧吧，因為昨晚我並不是很累。」

「誰曉得呢?」她說:「不過在我們分手前,我說不定可以帶你加入『太古沙漠愛好者同志會』,入會條件非常嚴格,本身必須富於感性,對於美的事物一眼就能辨別——喔,真是一群愛挑剔的人,你或許會這麼認定,我們不許無業遊民加入哩。」

他們前面出現一個醒目的招牌。「停車!棗椰市的土地你們買了嗎?」一位衣著不甚體面的年輕人從一間小小的房地產事務所沿台階三步兩步跳下,擋在路中央,高舉著手。女孩順從的把車停下。

「你們好嗎,老鄉?」年輕人說:「這是你們生命中的大好機會,不要隨便錯過了。讓我帶你們參觀一下棗椰市的土地,這裡將來會成為沙漠裡的大都會。」

鮑伯·伊登朝那片景色荒涼的規畫區看了一眼。「我沒興趣。」他說道。

「是啊。你回想一下洛杉磯春泉街和第六街的一角,當初那些可憐的窮鬼是怎麼說的——『我沒興趣』,當時他們本來可以花個幾毛錢就買下來的。眼光看長遠一點吧,你能想像這條街十年之後的光景嗎?」

「我想可以,」伊登回答道:「跟今天看到的一模一樣。」

「瞎了!」年輕人叱道:「你眼睛瞎了!這地方才不會永遠只是個沙漠,你看!」

他指著一個鉛管，外圍用石頭圈住，弄得好像是噴水池的樣子，鉛管的頂端淌出一條細細的水流。「你看那是啥！水耶，老兄，是水耶，那麼純淨、滋潤萬物生長的靈泉，就這樣拼命的從沙地裡湧出來，這代表什麼意義？我看到這裡將會發展為一座大城市，有摩天大樓和電影院，你眼前的地段動輒起價五千美元，而現在購買卻只要區區的兩塊錢。」

「我看只值一塊錢。」伊登說。

「我來跟小姐講好了，」這位賣房地產的繼續說：「假如她左手中指戴的戒指意味著什麼的話，那就是婚姻吧。」鮑伯·伊登愣了一下，睜眼看去，只見那白金指環上鑲了個大翡翠。「小姐，妳最有眼光，也許你們兩位今天會買下一塊土地，留給……呃……給子子孫孫。這是財富啊，龐大的財富！我講的沒錯，對不對？」

女孩看向別處。「也許你是對的，」她說：「可是有一點你搞錯了，這位先生並不是我的未婚夫。」

年輕人「噢」了一聲，被打敗了。

「我只是外地來的訪客，路經此地而已。」伊登告訴他。

業務員振作起來，發動新的攻勢。「那就對了，你是個外來客。你並不了解，不了解洛杉磯以前看起來就是這個樣子。」

「它到現在也還是，對某些人來說。」鮑伯．伊登含蓄的說。

年輕人露出不悅的表情。「喔，我懂了。」他說：「你是從舊金山來的。」他轉向那位女孩，「這位並不是妳的未婚夫囉，是吧，小姐？好吧，我由衷的祝福妳。」

伊登笑了起來。「我很抱歉！」他說。

「我也很抱歉，」年輕人回敬道：「為你感到抱歉，尤其當我想到你錯過了些什麼的時候。但是，你終究會恍然大悟的，到那個時候，請別忘了我。我每個星期六和星期天都在這裡，此外在厄爾多拉多也有個事務所。機會正在敲門，當然即使你是從舊金山來的，也一樣要把握良機。不管怎樣，我還是很高興遇見你。」

他們留下他陪伴著那個細流如病的噴水池，一個頗不得志但充滿希望的傢伙。

「真是個可憐的傢伙，」女孩往油門踩了一腳，說：「先驅者總是要歷經艱難的。」

伊登不吭聲了片刻。「我這傢伙觀察力很完蛋，是不是？」末了他說。

「你這話什麼意思？」

「妳手上戴了戒指，我卻渾然不覺。妳訂婚了，是吧？」

「看起來是，對吧？」

「可別告訴我妳要嫁給哪個演員，無論走到哪裡都提著化妝箱。」

「你應該知道我沒那麼差。」

「那當然。不過請妳描述一下那位幸運的傢伙好嗎？他是個怎樣的人（What's he like）？」

「他喜歡我（He likes me）。」

「那當然囉。」伊登陷入沉默。

「你不會在生氣吧？」女孩問。

「我沒生氣，」他笑道：「但是深深、深深的受到傷害。看來妳不想多談。」

「唔，我有些事情想保個密，再說我們才剛認識。」

「悉聽尊便，」伊登同意道。車子開得更快了些。「小姐，」不久之後他說：「以我的了解，沙漠這個地方，男人，不管老的小的，一天二十四小時這裡忙那裡忙，憑良心講，我覺得這地方真的真的好悲慘。」

他們爬上夾在兩座山崗之間的坡道，山崗由褐色岩石構成，山下的厄爾多拉多出現在眼前，亂糟糟的房子簇擁著紅色的車站。整個鎮看起來好小，孤立無援。他們在沙漠邊緣旅社下了車，伊登說：

「我什麼時候還能見到妳？」

「大概星期四吧？」

「那怎麼行，我說不定在那之前就走了。我必須很快見到妳。」

「明天早上我還會經過你那裡，願意的話我去載你。」

「那太好了，只是現在離明天早上未免太久了，」他說：「我只好想像一下，妳今晚在綠州吃飯的樣子。妳要是看到那塊牛排的話，請替我致上敬意。那就這麼說囉，明天早上——唔，我可不可以買個鬧鐘送妳？」

「噢，我不會睡太晚的啦，」她大笑道：「再見。」

「再見，」伊登回答道：「謝謝妳載我一程。」

他走過馬路到車站，那裡同時也是電報局。辦事員坐在小小的窗口後面，威爾．何利拿著一張打好字的紙佔住了窗前。

「嗨，」他說道：「我正要把那份採訪稿拍出去，你找我嗎？」

「是啊，」伊登答道：「不過在那之前，我也要拍份電報。」

辦事員是位年輕的壯漢，沙色的頭髮，仰頭看著伊登說：「嘿，先生，現在還不行。何利先生這份東西還得花些時間。」

何利笑了起來。「那沒關係。你先讓伊登先生插隊，回頭再拍我的。」

伊登皺起眉頭，思索著這封內容不太簡單的電報該如何措辭。他該如何讓父親曉得目前的情況，而不會讓全世界知情呢？想到後來，他寫道：

此刻人在買主處，因狀況特殊，對買主「呵·馬里馬里」比較明智。喬登夫人明瞭其意。若電話中約定立刻送出貴重物品，置之可也。欲祕密聯繫，逕洽厄爾多拉多時報之威爾·何利。沙漠主人待客甚殷，然而對率直無隱之年輕生意人令郎而言，此中疑雲重重。鮑伯。

他把黃色的電報稿交給一臉苦惱的電報員，囑咐拍送去他父親的公司，副本則拍送到父親的住處。「一共是多少錢？」

電報員在一本冊子裡查個半天，唸出費用，伊登如數付給。他另外給了點小費，卻把那位年輕人惹惱了。

「嘿，你以後來這裡給這個或許行得通，」電報員鄭重說道。「我總想在生活上遇上點興奮的事，但現在碰上了卻沒有心理準備。是的，先生，我會拍兩次，我懂……我曉得你的意思。」

何利就麥當的新聞稿向電報員交代了幾個注意事項，然後和鮑伯．伊登一起走回主要街道。

「到我的報社一趟吧，」報社編輯說：「報社現在沒人，我很想知道麥當那裡發生了什麼事。」

《厄爾多拉多時報》辦事處裡沒什麼家具，伊登找了張堆了許多份交換刊物的椅子，放在主編的辦公桌旁。何利脫掉帽子，戴上護目鏡，然後在打字機旁坐下。

「那篇報導我紐約的朋友搶著要，」他說：「這得感謝麥當讓我得到那篇稿子。我也知道他們願意讓我在撰稿者的地方署名，威爾．何利這個名字再度出現在重要報紙的版面上了。可是老弟，早上在農莊那裡，你話中隱隱約約的意思讓我很吃驚，在我看來，昨天晚上一切還滿好的，你並沒有說你是否把那串項鍊帶來了，不過我猜你有……」

「我沒有！」伊登斷然道。

「哦，那項鍊在舊金山囉？」

「不是。在我的同夥身上。」

「在你的什麼？」

「何利，我知道假如哈瑞・弗拉格特說你這個人沒問題，那你就沒問題。既然信任你，我就把全部事情講出來好了。」

「你太恭維我了，不過要不要說出來，你得自行斟酌，不勉強。」

「我有個感覺，我們將需要你的協助。」伊登說道。他看了一下沒有第三者的辦公室，然後說明麥當農莊裡新管家阿金的真實身分。

何利露出笑容。「唔，那就有趣了，不是嗎?請繼續講吧，你昨晚抵達農莊發現麥當在那裡時，表面上雖然很沉著，可我的印象卻非如此。發生了什麼事呢?」

「首先是老陳認為事情不太對勁，他感受到了。你知道嗎，中國人是個心靈感應非常敏銳的民族。」

何利大笑起來。「真的嗎?你當然不會聽他胡扯吧，噢，請原諒我這麼說。我猜你會延遲交出項鍊總有某些理由吧?」

「我同意那對我而言是胡扯——在一開始。我嘲笑老陳，並且打算立即把項鍊交出去，可是黑夜之中忽然傳來極為怪異的呼救聲，把我嚇了一跳。」

「什麼!有這種事?誰在呼救?」

「呼救的是你的朋友，那隻叫東尼的中國鸚鵡。」

「喔，當然囉，」何利說:「我幾乎把牠給忘了。嗯，東尼的呼救聲也許不具任何意義。」

「可是鸚鵡並不會自我表達，」伊登提醒他道:「牠只會重複自己聽到的聲音，也許我這麼做像個傻瓜，可是我就是猶豫不決，因此沒有提起項鍊的事。」他進而言及早上自己同意等到下午兩點，讓陳查禮更進一步把東尼的話套出來，結果是才剛吃過午飯那隻鳥就掛了，「因此問題還沒有完。」

「你是要我表示意見嗎?」何利說:「我想是吧，我也的確想告訴你我的想法。」

「請說。」

何利擺出一副父親看著兒子的笑容。「我不必想也知道麥當農莊正在上演精彩絕倫的戲碼，上帝知道我們這裡幾乎不會有什麼事情發生，因此那應該是一種上帝的恩賜吧。可是依我所見呢，老弟，你已經被一個神經兮兮的中國人帶到岔路去了，因此自己也變得神經緊張起來。」

「老陳這個人是很忠實的。」伊登辯解道。

「那倒無庸置疑，」何利同意道。「可是他是個東方人，而且是位警探，他就是看到什麼就想調查。麥當農莊裡面並沒有什麼問題，沒錯，東尼是在夜裡頭發出奇怪的叫聲，可是牠一向如此。」

「哦，你聽過？」

「噢，我倒是沒聽過牠叫什麼救命或謀殺之類的，可是牠最初來這裡時，我人住在惠肯大夫那裡，有事沒事會到麥當農莊晃晃。東尼的小腦袋瓜裡裝了些奇怪的話，牠曾經生活在暴力和犯罪當中，所以牠昨天夜裡的怪叫並沒有什麼好驚訝的。把沙漠、黑夜、陳查禮所謂的心靈感應攪和起來，鼴鼠丘就變成一座山了，實在是小題大做。」

「那，東尼中午忽然死了，又怎麼說？」

「那就如麥當講的，東尼已經很老了，即使是鸚鵡，也沒有長命百歲的。對，就是巧合，不過我擔心令尊對你可不會滿意哩，老弟。首先一點你要知道，P．J．麥當這個人性如烈火，惹毛了他，他會把你踢走，取消這筆交易。接下來可以想見的是，你回到家解釋之所以沒有完成交易，原因是那隻鸚鵡無端掉到地上死了。老弟呀老弟，我相信令尊一定是個個性溫和的人，否則他一定會把氣統統出在你身上。」

伊登思考起來。「那，那把失蹤的槍又怎麼說？」

何利聳聳肩。「假如你有心找的話，幾乎任何地方都可以發現有哪裡不對勁。對，那把槍是不見了，那又怎樣？說不定麥當把它賣了，送給別人，或是拿到房間去了。」

鮑伯．伊登往椅背一靠。「唔，我想你是對的。沒錯，我越去想這件事情，在現在明亮的陽光底下，我就越覺得自己是個笨蛋。」他透過玻璃窗，看到隔壁雜貨店門口有部小汽車掉過頭來，陳查禮走下車。他趕緊走到門廊。

「阿金！」他喚道。

那位矮胖的中國人走過來，不發一語的進了報社。

「查禮，」鮑伯．伊登說：「這位是我的朋友威爾．何利先生。何利，見過檀香山警察局陳查禮警官。」

一聽自己的名字被說出來，陳查禮的眼睛立刻半瞇起來。「幸會！」他冷冷的說。

「請別擔心，」伊登告訴他：「何利先生絕對信得過，我把所有的事都告訴他了。」

「我離鄉背井來到陌生的土地上，」陳查禮回答道：「因此態度上不相信任何人，不過這無疑只是我這個外邦人的偏執吧。何利先生想必會原諒我這一點。」

「別擔心，」何利說：「我向你保證不告訴任何人。」

陳查禮沒有回答，也許他想起其他白人也曾如此保證過吧。

「總之，現在已經無所謂了，」伊登說：「查禮，我認定我們只是在捕風捉影。剛才我和何利先生討論過這整件事情，他的看法使我了解農莊那裡並沒有什麼不對勁，等傍晚回去那裡時，我們就把項鍊交給人家，回舊金山吧。」陳查禮臉色沉了下來。「看開點吧，」年輕人又說道：「你必須承認，我們的舉止就像一對老女人似的。」

陳查禮那張圓臉露出自尊心嚴重受到侵犯的表情。「稍等一下，請讓我這個老女人再放肆的講一兩句吧。幾個小時之前，那隻鸚鵡從鸚鵡架上掉下來，進入無窮無盡的永恆，就像凱撒一樣，死了。」

「那又怎樣？」伊登有氣無力的說：「牠因為衰老而死，咱們別再爭論了，查禮。」

「是誰在爭論？」陳查禮問道。「我自己可不喜歡拿那個當消遣。雖然我是個老女人，但我現在處理的卻是事實，不容懷疑的事實。」他把一張白紙攤在何利桌上，從口袋拿出一個信封，再把信封裡的東西全倒在白紙上。「注意看，」他指著：「這些是東尼棲息處的飼料盒裡的一部分東西，請告訴我這是什麼？」

「大麻種籽，」伊登說：「鸚鵡通常吃的。」

「哈，沒錯，是大麻的種籽，」陳查禮同意道：「但是其他的，你看看，灰白色的粉末撒了那麼多。」

「我的天吶！」何利叫道。

「這沒什麼好爭辯的，」陳查禮接下去說：「還沒來雜貨店之前，我先去街角的藥房待了一下，那位對藥物很在行的店員很仔細的化驗，你知道他說什麼嗎？」

「是砷化物。」何利道。

「沒錯，就是砷化物。這東西常常賣給附近的農場當老鼠藥用，鸚鵡吃了也一樣會完蛋。」

伊登和何利大吃一驚，面面相覷。

「可憐的東尼，牠要上西天之前被折磨得很慘。」陳查禮繼續說：「痛得要死卻出不了聲。我過去偵辦過很多殺人案，而這次來到這個怪異的地方，卻必須偵辦一樁鸚鵡謀殺案。嗯，好吧，我這輩子老是聽說美國本土有許多光怪陸離的事。」

「他們把牠毒死了，」鮑伯．伊登嚷道：「為什麼要那樣？」

「為什麼不那樣？」陳查禮聳聳肩，「有句俗話說：『死無對證』，一點都沒錯！這在鸚鵡身上也同樣適用。東尼會說我聽得懂的中國話，現在牠跟我再也無法對話了。」

伊登雙手掩住了臉。「噢，我都快昏倒了，」他說道：「看在老天的份上，這究竟是為了什麼？」

「好好回想一下吧，」陳查禮敦促道：「就像我之前講的，鸚鵡沒有能力自創言語表達，牠只是重複別人講過的話。當東尼昨晚上大喊『救命』『殺人』『把槍放下』時，即使老女人也會認為牠喊的是最近才剛發生的事。牠重複喊出那些話，是因為牠對那些話的記憶被什麼喚醒了，知道那是什麼嗎？」

「說下去吧，查禮。」伊登說。

「牠被某個場景喚醒了，因此不斷的喊叫。至於是什麼場景呢？我不斷的想，為什麼會如此呢？噢，牠也許是被臥房裡突然點亮的燈光喚起了記憶，也就是麥當的祕書馬丁·索恩的臥房。」

「那你還知道些什麼呢，查禮？」伊登問。

「今天早上我去做老女人分內的工作，整理索恩的房間。我看到牆上有一塊有方形的污痕輪廓，尺寸剛好和旁邊的沙漠風景圖片一樣大，再仔細一看，圖片移動過，而且就在不久之前。圖片為什麼要移動呢？我把這張風景圖掀起來，看到底下的牆壁有個小孔，其形成的唯一原因是射出的子彈。」

伊登倒吸了一口氣。「子彈？」

「一點都沒錯，子彈深深的嵌進牆壁裡頭。東尼前幾天晚上聽到被害人的呼救聲，而這顆子彈打歪了，沒有射進被害人體內。」

伊登和何利再度面面相覷。「嗯，」報紙編輯說：「你知道嗎，還有那把槍也是問題。比爾·哈特的槍，那把在客廳牆上失去蹤影的槍，我們必須把那件事告訴陳先生。」

陳查禮聳一聳肩。「不用麻煩了，」他說：「昨晚我已經注意到那把槍的位置空了出來。我還在垃圾桶內發現了這個。」他從口袋裡拿出一張揉皺的小卡片，上頭有打上去的鉛字：「比爾．哈特送給P．J．麥當之禮，一九二三年九月二十九日。」威爾．何利點點頭，把卡片交還陳查禮。「我一整天都在找這把上過電影銀幕的手槍，」陳查禮接著說：「到目前為止一無所獲。」

威爾．何利站起身來，熱切的握著陳查禮的手。「陳先生，」他說：「請容我在此鄭重表示，你的的確確是對的。」他轉向鮑伯．伊登：「你不要再要我表示意見了，聽陳先生的準沒錯。」

伊登點點頭。「我想我會的。」他說。

「請再考慮考慮吧，」陳查禮說道：「聽一個老女人的話，多沒面子啊？」

伊登笑了起來。「噢，別那麼計較嘛，查禮。我誠心誠意向你道歉。」

陳查禮露出笑容。「非常感謝。那，是不是就這樣說定了？今晚我們暫且不把項鍊交出去？」

「噢，當然不交，」伊登同意道：「我們正在循線追查，天曉得那是什麼事情。從現在起都看你的了，查禮，我唯你馬首是瞻。」

「其實，你才是頭號預言專家，」陳查禮說：「我這個休假的郵差居然還得走那麼長的路，人來到這片大沙漠，工作卻丟不掉。我們得回到麥當的農莊，查出應該查的，有人或許會說，麥當既然人在那裡，項鍊就給他吧！我們的任務是偉大的美國公民不會允許的。假如我們交出項鍊告辭而去，事實的真相就會遭到扼殺，犯罪者將逍遙法外。從現在起項鍊的交易將降格為次要的工作。」他把東尼死亡的證據收拾好，放入口袋。「可憐的東尼，早上牠還告訴我我話太多了，而後來呢，牠的話卻像回力棒似的，飛回來打中自己。現在我的當務之急是去買食物，十五分鐘後在旅館門口等我。」

他走出報社之後，何利和伊登沉默了片刻。「嗯。」編輯說：「我錯了，整個錯了。麥當農莊是有問題。」

伊登點點頭。「的確是有問題，但是究竟是什麼問題呢？」

「我一整天都在想著麥當給我的新聞稿，」何利繼續說：「麥當也沒什麼特殊的原因，就破壞了他這輩子最堅持的一個原則，為什麼？」

「如果你在問我，那就省省吧。」伊登說。

「我並不是問你，我已經有答案了。套句老陳的話，我對這件事深入的想，怎麼會如此呢？麥當知道隨時都可能有某件事情敗露，發生在農莊的這件事將傳遍所有的報紙，往前看，他知道說不定需要新聞界裡有他的朋友，所以最後放下身段接受我的採訪邀約。我說得對不對？」

「嗯，聽起來很合理，」伊登同意道：「你知道嗎，我很樂於見到這裡出了事情，還沒離開舊金山的時候，我對老爸說我會很熱中的投入一件殺人懸案的偵查之中。可是這件……這件超出了我的預料。沒有被害人屍體，沒有兇器，沒有犯案動機，沒有殺人兇手，什麼都沒有。天吶，我們甚至無法證明有人被殺。」他站起來。「好了，我現在最好回農莊去了。農莊跟……？我將何去何從？」

「你跟緊一點那位中國夥伴吧，」何利建議道：「那傢伙很不錯。我有預感，他將會幫上你的大忙。」

「但願如此。」伊登回答道。

「招子放亮一點，」何利又說：「不要冒險。假如你需要援助，別忘了威爾・何利。」

「我會記住的，」鮑伯．伊登說：「再見囉，說不定咱們明天還可以碰面。」

他走出報社，站在沙漠邊緣旅社前的人行道上。由於是周末夜，鎮上到處是附近湧來的牧場工人，他們多半又瘦又黑，一身工作後的髒污，穿的是卡其布馬褲以及顏色俗麗的短上衣——對如此單純的人來說，這裡便是城市了。透過一間理髮與賭博二合一的小店玻璃窗往裡看，裡頭有一夥工人正在擲骰子。另有一些傢伙閒倚在木棉樹的樹幹上，聊些修築馬路、農作物收成以及政治等的話題。鮑伯．伊登覺得自己彷彿是從火星來的訪客。

沒過多久陳查禮開車過來，在馬路上迴轉一圈，停在他面前。伊登鑽進車內時，發覺那位警探正目光如炬的注視著旅社門口，就座之後，他順著陳查禮的視線看去。

一名男子才剛從沙漠邊緣旅社走出來，四周都是衣著隨便的牧場工人，而他卻身穿大衣，最上面的鈕扣緊緊扣住，頭上戴的軟呢帽壓得很低，眼睛還戴著墨鏡，人站在那邊便顯得格格不入。

「瞧瞧是誰來了。」伊登說道。

「可不是嘛！」他們沿街開下去，「看來基拉尼旅社失去了一位重要的客人，他們跟我們也許是一失一得吧。」

他們離開柏油路面短極了的主要街道，一種滿意的表情緩緩在陳查禮臉上化開。「我們還有好多工作要做，」他說：「重重的謎團有待解開，雖然離開家那麼遠，有老朋友作伴的舒適感覺真是太好了。」

鮑伯·伊登吃了一驚，注視著他，「有老朋友作伴？」

陳查禮露出笑容。「我在潘趣盃山家中的車庫裡，有一輛跟這同樣的車正孤伶伶的等我回去。這輛車底下顛簸的感覺，讓我又似乎回到檀香山熟悉的大街上。」

他們爬上兩山之間的夾道，眼前出現溫暖的沙漠落日。無視於顛簸的路面，陳查禮車速全開。

「啊，查禮！」伊登大叫道，他的頭幾乎撞到車頂。「怎麼回事？」

「噢，對不起。」陳查禮說道，把車速減慢了一點。「看來還是不行。一時之間我還以為這輛小汽車可以跳呀跳的，把我心中想家的念頭跳掉。」

【第八章】一場聯絡友誼的小小牌局

有一段時間，那位警探和鮑伯．伊登都陷入沈寂之中，潘趣孟山那輛車的小老弟在路上飛馳著。黃色的落日餘暉冷冷的照在灰撲撲的沙漠上，偶爾出現的零星樹木，樹影逐漸在拉長。遙遠的群山變成紫色，風勢慢慢轉強。

「查禮。」鮑伯．伊登問：「你對這個地方有什麼觀感？」

「你是說沙漠這裡？」陳查禮問道。

伊登點點頭。

「我很高興能看到這片沙漠。長久以來我一直渴望能見識到不一樣的事物，來到這裡當然是見識到了。」

「嗯，我想也是。這裡和夏威夷不太一樣，是吧？」

「的確如此。夏威夷就像菲力摩爾珍珠項鍊撒在大洋起伏的胸膛上，在檀島附近還有歐胡島等幾個島嶼，一年到頭空氣中的濕度都很高，雨水使得太陽光，大海的氣息飽含著水分。現在我越過山，看到另一頭的景色，這裡的空氣乾燥得像是去年的舊報紙。」

「這裡的人告訴我說，只要你肯，你也會愛上這個地方。」

陳查禮聳一聳肩。「如果是我的話，我會把這樣的努力保留給另一個地方。這片沙漠給我的印象是很深刻，但是謝了，只要時機一到，我會第一個離開。」

「我也一樣，」伊登大笑道。「夜晚來臨的時候，我就巴不得置身在歐法羅街的小餐館，四周都是明亮的燈光，跟幾個好朋友聚在一起，桌上放著一瓶礦泉水。我需要有人作伴，如果那不算奢求的話。」

「你有那樣的感受很自然，」陳查禮同意道：「在你的心中，青春就像一首歌。就因為你，我也希望我們很快就能離開麥當農莊。」

「嗯，那你有什麼打算？我們現在該做些什麼？」

「觀察和等待。我想年輕人不喜歡這麼做，可是現在卻必須如此。就拿我個人來說，我目前情況也不怎麼好啊，每天煮這個煮那個可不是我心目中愉快的度假方式咧。」

「好吧，查禮，只要你撐得下去，我也奉陪。」伊登說。

「你真是個好相處的人，」陳查禮回答道：「這樣一來，我們碰到的問題就不會毫無趣味可言了。現在的情況真是怪異！在夏威夷那裡我去偵辦的犯罪案件，多半像神像般的眉目清晰。案件也許是有人身亡，線索多得很，我會把車駛進其中一條路徑，繞上一圈，然後再換另一條路。而這裡可行不通。每次要著手解決一樁重大懸案之前，我都得問問自己我現在要去解決的懸案到底是什麼？」

「這可是你說的喔。」伊登笑道。

「但是有個事實很明顯，就像遠處山頭上的白雪，看得一清二楚。那就是不久前的某個晚上，在麥當農莊有個不知名的人被殺了。那個不知名的人是誰？為什麼被殺？是誰動手殺的？這些簡單的問題都有待查明。」

「那我們該怎麼做？」伊登無助的問。

「鸚鵡在黑夜中的求救聲。那隻不幸的鳥遭到辣手除掉。一張移動不久的風景圖底下有一個彈孔。布滿灰塵的牆壁上少了一把頗有來頭的手槍。假如我們揭開這些微不足道的線索，就會有更清楚的事實出現。」

「我有件事情不明白。」伊登說：「麥當他如何呢？他知情嗎？還是那個鬼頭鬼腦的祕書索恩單獨把事情處理掉的？」

「你這個問題很重要，」陳查禮同意道。「我們早晚會得到答案。不過，你最好別跟麥當太過交心。我想你沒告訴麥當在舊金山發生的事吧，我說的是『病鬼』菲耳·梅度夫以及他那異常的舉動。」

「說也奇怪，我沒有告訴他。我想還是別講出來比較好，既然梅度夫已經在厄爾多拉多出現了。」

「為什麼要講呢？這樣項鍊才不會有危險呀。剛才你在報社不是很給面子的說，要唯我馬首是瞻嗎？」

「是啊。」

「那樣的話，你就多對麥當『呵．馬里馬里』吧。否則我們在其他管道尚一無所獲之時，說不定已失去了很多東西。要是你把梅度夫的事情告訴他，他說不定會回答說，這裡的交易作罷，項鍊送去紐約。結果呢？你走了，他走了，而我也走了，那麼最近在農莊發生的疑案永遠也無法水落石出。」

「你說得很對，」伊登說。車子加快速度，穿過漸濃的暮色，通過現在已經沒人的棗椰市築夢者的小事務所。「對了，」年輕人說道：「農莊裡發生的這件事，也許是發生在上周三晚上吧？」

「你對星期三晚上有好感？」陳查禮問：「為什麼？」

鮑伯．伊登概略描述了寶拉．溫岱兒那天晚上見到的事——索恩在門口見到她時，神情非常興奮，又堅持說麥當不能見她；更重要的是，寶拉在前院看到那位身材矮小、留著黑鬍子的探礦工人。陳查禮注意聽著，頗表興趣。

「聽你這麼一說，」他說：「我們又多了一條不錯的線索。那個留黑鬍子的可能非常重要，他就是所謂的沙漠之鼠吧，我猜。你講的那位小姐跑遍了這一帶，對嗎？」

「你說得沒錯。」

「她也許能保守祕密吧？」

「那當然，她可以的。」

「你別相信她。我們要是到處亂講的話，不久就會自食惡果。不過呢，你不妨使出渾身解數，要求她將那雙美麗的眼睛放亮一點，找尋那黑鬍子老鼠的蹤跡。誰曉得呢，說不定他是我們眾多線索中最重要的一環。」他們來到了麥當在灰塵沙漠地表上建立的小綠州。「你現在進去的時候，」陳查禮接著說：「要表現得像小寶寶似的什麼都不懂。當你和令尊通電話時，你會發現他已經有了心理準備。我剛才拍了封電報給他。」

「真的嗎？」伊登說：「我也是，而且我拍了兩份。」

「那他一定準備好了。我特別提醒當他在講電話時，他的聲音除了聽電話的人之外，客廳其他的人也聽得到。」

「嘿，那真是好主意。我猜你每件事情都考慮到了，查禮。」

農莊外的園門打開，陳查禮把車子駛入宅邸前院。「但願我都想到了，」他嘆息道：「現在，我再怎麼不情願也得去操心晚餐的事了。你要記住，我們只是觀察和等待。當我們私下碰面時更要當心，我的身分絕對不能暴露。但話說回來，今天中午我自己就該打屁股，『無可避免』這樣的詞彙對可憐的老阿金來說太文雅了些，以後我只能選擇像蒿苣沙拉這樣的字眼來用。再見囉，祝你好運。」

客廳裡的大壁爐已經升起了熊熊烈火，麥當坐在一張寬大的書桌後面，正在簽署文件。鮑伯·伊登走進客廳時，他抬起頭來。

「哈囉，」他說：「下午過得還愉快吧？」

「滿不錯的，」小伙子答道：「相信你也一樣吧。」

「那可不，」麥當說道：「我人雖來到這裡，生意上的事卻免除不了。我這裡堆的是三天來的郵件哩。噢，馬丁你來了，」看到秘書進來客廳，他說道：「我看晚飯前你還有時間把這些送去郵局寄，這裡有幾封電報，一併拍出去吧。你就開那輛小型車好了，走這地方的路開那輛車會比較快。」

索恩將信件整理好，動作純熟的逐一裝進信封套裡。麥當站起來伸個懶腰，走到火爐旁邊。「阿金載你回來的吧？」他問。

「是啊。」鮑伯·伊登答道。

「他開車的技術很有一套，是嗎？」麥當再問道。

「好得很。」

「他很不簡單，這個阿金。」

「噢，也不盡然吧。」伊登不太在意的說：「他說他以前在洛杉磯開過載蔬菜的卡車，我再問下去，但他只講了這個。」

「他人很沉默，嗯？」

伊登點點頭。「簡直跟麻薩諸塞州北安普敦的律師同樣的沉默。」他說。

麥當大笑起來。「噢，對了，」索恩出去後，他說道：「你父親並沒有打電話來。」

「沒打來？噢，他好像傍晚之前不會回到家。要的話，我今晚打回家去。」

「我希望你打，」麥當說：「老弟，我可不願意自己看起來很不好客的樣子，可是我真的很急著離開這裡，今天我收到的信上面提到……你也知道……」

「沒問題。」鮑伯．伊登答道：「我會盡可能幫你的忙。」

「那太感謝你了。」麥當說，鮑伯心裡有點罪惡感。「看來晚餐前我要打個盹。最近我發現這樣對胃腸的消化有很大的幫助。」這位著名的大亨比鮑伯．伊登先前見到的更有人性了些。他站在那裡，出神的望著在座的年輕人。「我這樣的情況你現在是無法體會的。」他說道：「你真他媽太年輕了，令人嫉妒。」

麥當走出客廳，留下鮑伯．伊登翻看自己從鎮上買來的洛杉磯報紙。他看報紙的時候，那位古怪的小人物阿金進進出出的，沒發出任何聲音的準備著晚餐。

一個小時之後，在孤寂的沙漠中，他們再度坐下來吃著阿金煮的飯菜。這裡跟鮑伯·伊登殷勤盼望的餐廳真的很不一樣，雖然同桌的人一點生氣也沒有，菜吃起來還是可口極了，那位中國廚子實在會煮。當咖啡端上來時，麥當說：

「阿金，你去把庭院裡的火升起來，我們到外面坐一下。」

中國佬銜命出去，伊登見麥當一臉期待的看著自己，於是笑著站了起來。

「嗯，我老爸在球場上做了一天苦工，現在隨時都會回到家吧。」他說：「我去打電話叫總機接長途電話。」

麥當一躍而起。「我幫你打，」他提議道：「你只要告訴我電話號碼就行。」

小伙子說出電話號碼，麥當拿起電話，盛氣凌人的向線路那頭下達指示。

「噢，對了。」講完電話後，他說道：「昨晚你隱隱約約提到在舊金山曾發生一些事，使你父親提高了警覺。你能不能告訴我，到底是什麼事？」

鮑伯·伊登腦筋轉得很快。「噢，那可能是位偵探的白日夢吧，我現在是這麼想的。你知道——」

「偵探？什麼偵探？」

「嗯，我老爸當然跟好幾個私家偵探社有一些業務上的往來，其中有一家消息通報說，有個很有名的歹徒來到了舊金山，而且對我老爸的珠寶店頗感興趣，意圖不明。當然啦，那也許毫不相干——」

「你說是知名的歹徒，是嗎？他叫什麼名字？」

鮑伯．伊登向來不太會說謊，遲疑了一下。「我，呃，我不太記得那個名字。是個英國人吧，我想，好像叫什麼『利物浦小子』之類的吧。」他語焉不詳的說。

麥當聽了聳一聳肩。「唔，假如關於那條項鍊有什麼風聲走漏的話，那一定是從你們賣方傳出來的。」他說：「我跟我女兒，還有索恩，對這件事都相當謹慎。不過呢，我也認為那是偵探社的幻想吧，正如你所講的那樣。」

「或許是吧。」伊登同意道。

「走吧，我們到外面。」大亨邀請道。他走在前面，過了玻璃門，來到庭院。庭院有個戶外的大火爐，正升起熊熊烈火，照得鋪石地面和柳條藤椅為之通紅。「請坐吧。」麥當說：「抽雪茄嗎？不抽，你比較喜歡香菸，是吧？」他點燃一支雪茄，背靠著椅子，眼睛看著上方黑漆漆的屋頂，看著遙遠的蒼穹。「我最喜歡離開城市到這裡來，」

他說：「夜裡或許涼了點，不過和沙漠這麼接近，注意到了嗎，這地方的星光好亮？」

伊登驚奇的望著他。「有啊，我注意到了。」他回答。「可是我做夢也沒想到你也注意到了，老傢伙。」他心中忖道。

客廳裡面，索恩正在選聽收音機的節目，一時之間嘈雜的床邊故事、小提琴獨奏和健身美容的祕訣紛紛向他們襲來，接著傳來一個女人刺耳的聲音，催促有罪的人懺悔。

「轉到丹佛電台去！」麥當大聲說道。

「我正在調呢，老闆。」索恩回答。

「如果一定要聽這些亂七八糟的東西，」麥當對身邊的年輕人說：「我寧可聽到來自遠方的聲音。當你越過重重高山和無數平原，浪漫的感覺就在其中。」收音機忽然轉為一陣活潑輕快的樂團演奏。「那就對了！」麥當點點頭：「丹佛市布朗宮大飯店的樂團演奏的，說不定我女兒現在正在跳那支舞呢。可憐的女兒，她一定在想我是怎麼搞的，明明答應兩天前就會到她那裡的。索恩！」

祕書出現在門邊。「什麼事，老闆？」

「明早記得提醒我拍封電報給伊芙琳。」

「我會記住的，老闆。」索恩說道，隨即消失在門邊。

「你聽聽這個樂團所演奏的吧。」麥當說：「聲音千里迢迢傳來，從洛磯山脈海拔很高的丹佛市。告訴你吧，男人變得太聰明了，行事越來越魯莽。可能是我上了年紀吧，伊登先生，我發現自己老在嚮往從前那種單純的日子。我還是個農村裡的孩子，每個冬天早晨都要到山谷中一間小學校上課。我好想要那個雪橇。沒錯，生活是很艱苦，可是艱苦的生活會使男人站起來。噢，算了，我不應該講起這些的。」

他們默默的聽著，然而沒一會兒電台就播起床邊故事來，惹得大亨一陣叱罵，索恩默而識之的關掉收音機。

麥當在座椅中不安分起來。「我們湊不夠人數打橋牌，」他說：「我們玩撲克牌打發時間吧，老弟？」

「噢，好啊，」伊登回答道：「只怕我技術太爛，不是你們的對手。」

「喔，還好啦！我們設定一下賭注的上限好了。」

麥當站了起來，急欲行動。「來吧。」

他們走入客廳，把門關上，隨後便在明亮的燈光底下圍著一張大圓桌就座。

「打二十一點還是別的？」麥當問道：「賭注二角五分，如何？」

「這樣啊……」伊登遲疑的說。

他也真的應該遲疑，因為轉眼之前他便一頭栽入平生僅見的賭局。唸大學的時候他曾跟人家打過牌，在舊金山的新聞圈裡，他也有辦法在這方面把持不失，然而相較於此刻的局面，那些都只是小兒科。麥當已不再是驚歎此地的星光何其皎潔的那個人，在他眼裡只認得紅、白、藍三種顏色的籌碼，不斷愛不釋手的撫弄著它們。他是名副其實的麥當，那位併吞鐵路公司的急先鋒，炒作鋼鐵類股票的市場主力，向一些小國家的財富進軍的投機客，是那位白天在華爾街呼風喚雨之後，晚上還習慣跑到四十二街賭輪盤的麥當。

「三條A！」他大聲叫道。「你手上什麼牌，伊登？」

「爛牌！」伊登說道，把手上的牌一丟。「我在這裡玩牌，牌運最多只能贏來一張蓋過章失效的郵票。」

「這對你是很棒的經驗，」麥當回答道。「馬丁，該你洗牌了。」

突然間大門響起一陣清脆的敲門聲，鮑伯．伊登萌生了一種心情直往下掉的奇怪感覺。就在那一片漆黑的沙漠，就在那個無人的荒地上，有人正在示意，想要進屋裡來。

「會是什麼人來？」麥當皺起眉頭說。

「是警察來抓賭的吧。」伊登抱以希望的猜道，但繼而一想，哪有可能？

索恩正在發牌，麥當親自走到門邊把門打開。伊登從自己的位置很清楚看到外面沙漠黑漆漆一片，而來人站在光亮之中，身材很瘦，穿著大衣，他曾在舊金山碼頭候客處第一次見到過，之後則是在沙漠邊緣旅社門口。沒錯，正是「病鬼」菲耳・梅度夫本人，不過此刻並沒有戴上墨鏡遮住眼睛。

「你好，」梅度夫的聲音也跟他本人一樣，單薄而冷酷。「請問這裡是麥當先生的農莊吧？」

「我就是麥當，請問有什麼事？」

「我來找我一位老朋友，他是閣下的祕書，馬丁・索恩？」

索恩站了起來，繞過桌子走過去。「噢，哈囉。」他有點興奮的說。

「你還記得我，是吧？」那位瘦子說：「我叫麥葛倫，亨利・麥葛倫，一年前我們在紐約的一場飯局見過。」

「噢，是的。」索恩回答道。「請進，請進。這位是麥當先生。」

「幸會之至。」「病鬼」菲耳說。

「還有這位是伊登先生，他是從舊金山來的。」

伊登站起身來，和「病鬼」菲耳．梅度夫正面相對，對方沒戴墨鏡的眼神看起來相當殘忍，彷彿是沙漠中長了刺的植物。他高傲的注視了伊登半晌。伊登心想，這位老兄在舊金山港邊的行動並非沒被察覺，不知他是否知道這一點？假如知道的話，那這位老兄的神經功能肯定十分健全。

「很榮幸認識你，伊登先生。」那傢伙說。

「你好，麥葛倫先生。」小伙子嚴肅的答道。

梅度夫轉身面對著麥當。「希望我沒有打擾到你們，」他微微笑道。「其實呢，我是來這裡找惠肯大夫的，我有支氣管炎的毛病。這附近一帶真是寂寞得可以，當我聽說索恩先生人就住在附近，因此忍不住走來打擾。」

「非常歡迎你的來訪。」麥當說道，可是聲音聽起來不夠由衷。

「別讓我打擾了你們的牌興。」梅度夫說：「哦，在打梭哈？請問這是私人的雅興，還是外人也可以加入？」

「把你大衣脫下，坐吧！」麥當語氣不甚和悅，「馬丁，給這位先生一墩籌碼。」

「總算又有得玩了。」新加入者愉快的接過籌碼，說：「喔，對了，索恩老兄，你這一向可好？」

索恩以他一向缺乏暖意的聲音答說好得很，牌局於焉恢復。如果說鮑伯・伊登曾經覺得自己前途堪慮的話，那這回他可放棄所有的希望了。跟「病鬼」菲耳同桌玩梭哈，嗯，闖盪過江湖、見過世面的人，總不是浪得虛名的吧。

「給我四張牌。」梅度夫先生說，聲音從牙縫間鑽出。

假如先前的牌局是苦鬥、惡鬥的話，那現在就是拼命，因為新加入了一個優秀的賭客——豈只是優秀，根本就是天才。梅度夫四張牌緊緊拿在胸前，整張臉宛如石頭雕像，麥當彷彿也明白自己遭遇到了可怕的對手，警覺性是提高了，但還是一副成竹在胸的樣子。這兩大高手纏鬥著，伊登和索恩只能跟著打，彷彿是局外人捲進了巨人之間的爭鬥。

不久阿金抱了一堆木柴進來添火，見到眼前的情景，他那機伶的眼神即使有些吃驚，卻也沒有表露出來。麥當吩咐他倒酒待客，他把威士忌端上桌時，鮑伯・伊登內心暗暗一凜，因為這位警探的腹部距離「病鬼」菲耳那雙靈巧的手還不到十二英吋。假如這位令人敬畏的梅度夫先生知道……

然而梅度夫的心思並不在菲力摩爾珍珠上頭。「莊家，給我一張牌。」他要求道。

電話鈴聲陡然響起，尖銳的聲音教鮑伯・伊登聽了心臟少跳了一拍。他幾乎把這件事忘了，而現在，經過漫長的等待，他終於要跟他父親講電話了──而「病鬼」菲耳僅僅在數英呎之外坐著！麥當在看著他，他站起身來。

「我想電話是找我的，」他把手中的牌攤在桌上，漫不經心的說：「這把我輸了。」他走到客廳另一頭，拿起話筒。「喂，喂？老爸是嗎？」

「葫蘆！」梅度夫說。「我通吃，是嗎？」麥當伸出一隻手放在桌上，眼睛沒有看對手的臉。「病鬼」菲耳把再次贏到的賭注兜攏起來。

「是啦，爸，我是鮑伯。」伊登說：「我很平安的來到這裡，要在麥當先生這裡住個幾天。只是想告訴你我人在哪裡。是啦，就是這樣。沒問題。明早我再打給你。今天球打得怎樣？那太糟了。再見！」

麥當站了起來，整個臉漲成紫色。「等一下！」他大聲說道。

「我只是想讓我老爸知道我人在哪裡。」伊登笑嘻嘻的說，他回到座位坐下。「現在換誰發牌了？」

麥當把話硬生生吞進喉嚨裡，牌局再度展開。伊登內心裡頭暗爽，又多拖延了一次，可這回錯不在他倒是戲弄了P．J．麥當一次。

眼看著手邊第三墩籌碼急遽流失，他不禁發愁起來，天色還那麼早，然而在沙漠之中，時間卻無足輕重。「再賭這一把我就不玩了。」他語氣堅定的說。

「再賭一把我們都別玩了！」麥當咆哮道，彷彿什麼事情把他惹惱了。

「那我們好好來賭一把吧。」梅度夫說：「賭注的大小沒有限制，各位。」

好傢伙，這一把竟無意中成為梅度夫和鮑伯．伊登之間的對決。伊登原只希望拿到兩組成對的牌而已，卻不料手上竟然是四條九，不禁嚇了一跳。也許他理當注意到這次是梅度夫發的牌，可是卻疏忽了。他賭注押得很大，最後並要求大家攤牌。才剛把牌亮在桌上，他就看到「病鬼」菲耳一臉獰笑。

「我的是四條Q，」梅度夫技巧熟練的把牌攤在桌上，油腔滑調的說：「往往是女人家運氣比較好，請各位老爺付錢。」

他們一一照付，伊登也心不甘情不願的交出了四十七塊美元。唉，總之都記進這次旅程的開銷帳目裡好了，他如此想道。

梅度夫先生心情之愉快不難想見。「今晚真是愉快，」他一面穿上大衣，一面說道：「可以的話，我會再來拜訪。」

「祝你晚安。」麥當不悅道。

索恩從桌上拿起一支手電筒。「我送你到園門那裡。」他說。鮑伯・伊登不覺暗笑，外面月華明亮，要手電筒幹什麼？

「謝謝你，你真周到。」那位外來客說：「晚安，二位，非常謝謝你們。」他帶著冷冷的笑意，隨祕書走出門外。

麥當拿起一支雪茄，沒好氣的咬掉尾端的部分。「這下好啦！」他嚷道。

「嗯！」伊登平靜的應道。

「你可跟你老爸聯絡上，是不是？」

小伙子不覺笑了。「你希望我怎麼做？在那個鳥人面前把所有的事情都抖出來？」

「當然不是，不過你也用不著掛電話掛得那麼快，我正準備叫他離開客廳一下咧。你現在可以再打通電話給你父親。」

「豈有此理。」伊登回答道：「他一定就寢了，要我跟他聯絡，除非等明天早上。」

麥當的臉漲成紫色。「我堅持你打。我的命令向來必須服從。」

「哦，是嗎？」伊登說：「我可不是那種乖乖聽話的人。」

麥當怒視著他。「你這個……呃，小伙子……」

「我知道你很生氣，」伊登說：「可是這都要怪你，如果你非得讓陌生人在農莊裡喧喧嚷嚷的，後果你必須負責。」

「你說誰在農莊裡喧喧嚷嚷的？」麥當質問道：「那傢伙又不是我請來的，天曉得索恩在哪兒認識他的？你也知道，像我這種人的祕書身邊老是會被一些打聽小道消息的騙徒所圍繞。可他媽的索恩有時候真是個白癡！」祕書進來了，把手電筒放在桌上，他的雇主一臉嫌惡的看著他。「我說啊，你那個牌搭子還真是個怪胎。」麥當說。

索恩聳了聳肩。「我知道，真是抱歉，老闆。那也沒辦法，你不也看到他是怎樣闖進來的？」

「認識他就是你的錯，他到底是誰？」

「喔，他是個掮客之類的。我向你保證，老闆，我絕對沒有主動跟他來往，你也知道那些傢伙是怎麼回事！」

「好吧，那你明天去跟他斷絕關係，就說我在這裡很忙，不想見任何訪客，假如他再上門的話，我會把他踢出去。」

「好吧，我明早會到大夫那裡讓他知道，用比較委婉的方式。」

「委婉個鳥！」麥當不屑的說：「對付那種人用不著委婉！再讓我見到他的話，才不跟他客氣！」

「好了，兩位，我想我該去就寢了。」伊登說道。

「晚安！」麥當說道，小伙子於是走出客廳。

進了臥房，阿金正在為他升火取暖，他謹慎的把門關上。

「欸，查禮，我剛才跟他們賭了場梭哈。」

「我看到了。」陳查禮笑道。

「病鬼菲耳可真給我們來個下馬威，今晚他贏了我四十七塊大洋。」

「我誠懇的建議你必須小心。」陳查禮勸道。

「你說得很對，」伊登笑道：「索恩跟咱們那位朋友走去園門時，但願你就在附近。」

「我的確在附近，」陳查禮說：「可是月光太亮，想靠近一點都不可能。」

「嗯，經歷過今晚之後，我十分肯定一件事情。」伊登對他說：「P．J．麥當從未見過病鬼菲耳，要不然的話，他一定是繼艾德溫．布斯（Edwin Booth）之後最好的演員。」

「不過索恩……」

「噢，索恩倒是認得菲耳，可是他一點都不樂意見到那傢伙。你知道嗎，索恩表現出來的態度讓我覺得他想必有什麼把柄落在病鬼菲耳手上。」

「那倒有可能，」陳查禮同意說：「尤其跟我最近一個發現加在一起的話。」

「你又發現什麼了，查禮？」

「今天傍晚索恩開那輛小型車去鎮上後，我聽到麥當躺在床上呼呼大睡，於是進去那位祕書的房間，仔仔細細搜了一遍。」

「喔，快點講，我們可是隨時會被干擾。」

「他的衣櫃裡疊了一大堆襯衫，最底下你知道有什麼嗎？那把在牆壁上失蹤的點四五口徑手槍，也就是比爾．哈特送的那把。」

「幹得好！索恩……你這隻小老鼠……」

「沒有錯，而且那把槍的槍膛有兩發沒填滿，這樣講你明白嗎？」

「我明白，少了兩發子彈。」

「我建議你現在就睡吧，把精神養好，明天說不定還有更刺激的事情等著呢！」矮個子警探走到門邊，停了下來。「誰曉得那兩發子彈哪裡去了，」他低聲說道：「答案是，我們知道其中一發的去向，射歪了，在牆壁上打了個洞，現在被一張沙漠風景圖片蓋著。」

「而另一發呢？」鮑伯．伊登若有所思。

「另一發命中目標了吧，我想。什麼目標呢？我們繼續觀察和等待，也許就會發現什麼。晚安，祝你好夢！」

【第九章】一段黑暗中的車程

星期天早晨，鮑伯．伊登出乎自己意料的早起。促成此一奇怪現象的原因有兩個——沙漠的太陽和麥當養的許多公雞。前者真是威力無邊，照得整個臥房都是陽光；後者則天剛剛亮就高聲報曉了。八點鐘他已經站在庭院裡，為新的一天做好了準備。

不管會碰到什麼事，這一天都好極了。現在是沙漠一天之中最怡人的時刻，夜晚的涼意仍殘留在神奇的空氣當中。他放眼望向那片乳白色的大海，看那白沙、白雲和山頂白雪顏色層次的變幻，米克伊登珠寶公司展示櫥窗的珠寶相形之下便黯然失色了。儘管像他這種年紀的人，裝模作樣、標新立異是其通病，但對於美的追求卻也不會遺忘，因此他舉步在農莊到處逛時，心中便懷有一種敬畏之情。

他拐個彎走到穀倉後面，無端碰見一幅不太調和的畫面。地上有個簍子，馬丁・索恩正在一旁忙著挖洞，他老兄穿著深色衣服，蒼白的臉因為不習於勞動而發亮，整個人活像是埋葬死人的殯葬業者。

「嗨，早啊。」伊登說道：「這麼一大早的，你在埋誰呀？」

索恩停下來，高高的額頭上閃耀著晶瑩的汗珠。

「事情總得有人幹，」他抱怨道：「新來的傭人太懶。假如讓這些垃圾堆積起來的話，這地方很快就會像是荒廢的露營場地。」

他頭向簍子一頷，裡頭都是一些空罐子。

「誠徵私人祕書，工作內容：在穀倉後面掩埋垃圾。」伊登笑道。「原來你的工作還有這樣的一面啊，索恩。用這一招把它們處理掉真是個好方法。」他俯身拿起一個罐子。「尤其是這個罐子，看起來不久之前還裝著砷化物。」

「砷化物？」索恩舉起袖子往額頭一抹。「噢，對呀，這東西我們要用好多，你知道吧，用來殺老鼠。」

「老——鼠！」伊登的音調來了個奇怪的轉折。他把罐子放回原處。

索恩把簍子裡的空罐倒入坑內，將土填回去。伊登在一旁懶散的看著，很稱職的扮演一位旁觀者。

「唔，這樣好多了，」祕書將填好的洞踩平，說道：「你知道嗎，我這個人有潔癖，總希望到處都乾乾淨淨的。」他拿起簍子。「噢，對了，」他又說道：「我想給你一點小小的建議，希望你別介意。」

「我洗耳恭聽。」伊登與他並肩而行。

「我不知道你們那邊的人有多急著想賣那條項鍊，不過我已經跟著我老闆十五年了，我可以告訴你，他可不是那種你可以讓他眼巴巴的等待，而自己這邊安然無恙的人。你首先必須知道，老弟，項鍊交易將會被取消。」

「我已經盡力了，」伊登說。「更何況，麥當在價錢上佔了很大的便宜，這點他一定知道，假如他深思熟慮……」

「P．J．麥當一旦發起脾氣來，他才不會深思熟慮。我提醒你，事情就是這樣。」

「非常謝謝你告訴我這些。」伊登漫應道。索恩把鏟子和簍子放在廚房牆邊，裡頭正在煎培根，香味陣陣飄出來。那位祕書步履緩慢的往庭院走去。阿金從廚房探頭出來，臉頰因接近爐子的關係紅通通的。

「哈囉，老闆，」他說道：「你今天早上去看日出啦？」

「我是起早了，卻沒那麼早。」小伙子回答道。眼看著祕書走進屋裡去了。「我剛剛看著咱們那位朋友索恩在穀倉後面掩埋垃圾，」他補充說：「埋掉的東西裡面有個空罐子，是裝砷化物的。」

陳某擱下阿金的角色。「索恩先生忙得很，」他說：「也許他會越來越忙，前面一件事情做不對，後面的也跟著錯下去，像鍊子一樣，沒完沒了。這就是中國人所謂的『騎虎難下』。」

麥當出現在庭院中，整個人活力充沛。「喂，伊登，」他叫道：「你父親在電話線上。」

「噢，我老爸居然起那麼早。」伊登一面說，一面快步走上前去。

「是我打給他的，」麥當說。「我已經被拖延得夠了。」

鮑伯．伊登走到電話機旁，拿起話筒。「喂？老爸，今天早上我可以無拘無束的講了，我想告訴你這裡所有的情況都沒問題。麥當先生嗎？嗯，他很好，現在就站我旁邊。他很急著要那串項鍊。」

「好啊，我們會盡快送去給他。」老伊登說道。鮑伯·伊登舒了口氣，老爸收到電報了。

「你要他今天就派人送來。」麥當囑咐道。

「麥當先生想知道今天能不能派人送過來？」小伙子對著電話說。

「那不可能，」那位珠寶商說：「東西我還沒拿到。」

「今天不行，」鮑伯·伊登對麥當說：「我老爸還沒拿……」

「我聽到了！」麥當怒吼起來。「拿來，話筒給我。喂，伊登，你聽我說，東西還沒拿到是什麼意思？」

鮑伯·伊登也聽得到父親的回答。「喔，是麥當先生嗎，你好嗎？項鍊的狀況不是很好，我不可能就這樣叫人送去，它現在在另一家公司做清理保養……」

「等一下，伊登！」大亨鬼吼道：「我想問你幾個問題，你聽得懂英文吧，是不是？你那裡不要講，聽我講。我跟你講，我現在就要那條項鍊，立刻……你他媽到底在說哪一國的語言？我才不管他媽的要不要保養。老天，我看你終於了解了。」

「我很抱歉，」鮑伯．伊登那位溫文有禮的父親回答道：「我明天早上就去拿回來，明天晚上派人出發送去。」

「喔，那就是星期二晚上才能送到我這裡是吧，伊登，你讓我很受不了。我真的想把這整件交易取消……」麥當停了下來，鮑伯．伊登不禁屏住呼吸。「不過，你如果保證那條項鍊明天一定派人送來……」

「我跟你打包票，」珠寶商說：「東西最遲明天就會送出。」

「好吧，看來我又得等了。可是我跟你講，老兄，這是我最後一次跟你做生意了。我專心等候你派的人星期二到，再見。」

麥當怒不可遏的掛上電話。他這種惡劣的情緒一直延續到吃早飯時，席間伊登的心情可好得很，一直找機會攀談，可惜都碰了壁。早飯過後，索恩駕駛那輛小汽車絕塵而去，鮑伯．伊登只好懷著希望在前院閒盪。

他才稍稍抱著一線希望時，虔誠的禱告便應驗了，清新可愛宛如加州早晨的寶拉．溫岱兒已駕著她那輕巧的跑車，在鐵絲網圍籬外頭等著。

「哈囉，」她叫道：「上車來吧，看你的樣子，好像很高興看到我似的。」

「高興？小姐呀，妳簡直是我的救命恩人！今早這幢老房子裡氣氛僵死了，說了妳也許不信，但是P．J．麥當真的很惱恨我。」

她踩了油門。「那位老兄瘋了。」她笑道。

「的確是瘋了。我跟響尾蛇一起吃早飯，妳那裡邊呢？有壞消息？」

「那倒沒有。綠洲餐廳那裡是有點混亂，但卻沒有你這裡氣氛那麼惡劣。噢，你覺得今早的景況怎樣？看過顏色那麼多變的嗎？」

「沒有，我看那也不像是吃錯了藥。」

「欸，先生，我講的是沙漠的景色啦。你看，那些山頂上的白雪。」

「真是好看。要是妳不介意，我倒想湊近一點看。他想必告訴過妳妳很漂亮。」

「你在說誰？」

「魏博，妳那位未婚夫。」

「我未婚夫叫傑克，是個好人，他正在不得意的時候，你別消遣他。」

「他當然是個好人囉，要不然妳怎會看上他？」他們在塵土飛揚的路上推進。「不過話雖如此——我說，小姐，妳聽過一位世界偉人的話嗎，婚姻是人類脆弱心靈的最後歸宿。」

「你也這麼想嗎？」

「我了解這個道理，真的，我曾經仔細想過這碼子事，因為自己就碰過。我有時會碰到這樣的女孩子，她會用眼睛說：『嗯，我想我會吧。』可是我一向是很慎重的。我現在的座右銘是——牢牢抓緊它，老兄。」

「那你曾經牢牢抓住過嗎？」

「那當然，而且很喜歡那樣的感覺。我自由自在，日子過得很逍遙，當傍晚來臨，聯合廣場周邊的路燈全亮起來，空氣中充滿了熱情與活力，我就會戴好帽子，上街去。那句話是誰說的——『妳上哪裡去，親愛的？我跟妳一道去。』聲音聽起來溫溫的，很有耐性。」

「我沒聽說過。」

「那，大概不是還活著的人講的吧，但是話說得很棒。而妳呢，妳的情形跟我很像。當然啦，世界上有千千萬萬的女孩子家，除了結婚以外沒有別的事情好做。她們的事我就別管吧，可是妳，喔，妳這個工作好棒，沙漠、高山、峽谷……妳難道願意放棄這一切，為的只是面對婚後公寓裡的那台瓦斯爐嗎？」

「也許到時候我們雇得起女傭。」

「很多人也雇得起，可是現在這個年頭，妳到哪裡雇一個來？我要提醒妳考慮清楚，妳現在過的日子很愉快，到時候會被婚姻結束掉，一天到晚在補魏博的襪子……」

「我告訴過你，他叫做傑克。」

「那又怎樣？他穿上襪子，日子還是過得苦哈哈的。我一想到像妳這樣的女孩子要被生活綁得死死的，心裡就很不舒服……」

「你的話是有些道理。」女孩同意道。

「我只是觸及皮毛而已。」伊登滿口說。

女孩將車駛離大路，進入一道敞開的大門，一間寬大的農莊出現在伊登眼前，旁邊還圍著幾間小木屋。「惠肯大夫的家到了，」寶拉．溫岱兒說：「大夫是個很棒的人，你一定要見見她。」

她帶頭穿越紗門進去，客廳相當大，裝潢雖然沒有麥當那邊派頭，但顯然舒適多了。窗戶旁邊坐著一位灰髮女人，正怡然自得的輕輕搖著搖椅，她的容貌安詳，慈眉善目。「哈囉，大夫。」女孩說道：「我帶了一個人來拜訪妳。」

女人站起來，臉上的笑容彷彿充滿整個客廳。「你好啊，小伙子。」她與鮑伯・伊登握手。

「妳？妳就是大夫？」他結結巴巴的說道。

「沒錯，我就是。」女人答道：「不過你身體很好，用不著我來幫忙。」

「妳身體也很好，」他回答道：「我看得出來。」

「我今年五十五了，」大夫說：「不過聽到小伙子這樣講，我還是挺高興的。坐吧，不要客氣。你住在哪裡？」

「我住在前面麥當先生的農莊。」

「噢，對，我聽說他人在那裡。這位P・J・麥當不常到這裡來當我們的鄰居，我偶爾也去拜訪他，不過他從來沒有來過，態度有點冷淡。我們沙漠這裡是很不習慣那樣的，在這個地方大家都是朋友。」

「妳自己的朋友就好多。」寶拉・溫代出兒說。

「為何不如此？」惠肯大夫說：「一個人如果不幫助別人的話，活著幹什麼？我雖盡力幫助人，但只希望自己的力量再大一點。」

鮑伯・伊登突然覺得在這個女人面前，自己變得渺小起來。

「來，我帶你看一下我這個地方。」大夫邀請道：「我使這片沙漠開出花來，這句話得刻在我墓碑上。你應該看看我剛來時這地方的樣子，一把來福槍和一隻貓，那是我僅有的，而且到後來連貓都待不下。我的第一幢房子是我親手蓋的，這裡到厄爾多拉多有五英哩，我每天走路來回，那年頭還沒聽說過福特汽車。」

她帶路向庭院走去，進出每一間小木屋，她所到之處，每一張疲憊的臉頓時有了光彩，倦怠的眼睛立刻發出希望的亮光。

「人們從各地上門來找她，」寶拉・溫岱兒說：「感情受到重創的，生了病的，失去奮鬥意志的——她給了他們新的生命。」

「妳別胡扯，」大夫叱道：「我只是當大家的朋友罷了，這個世界是很艱苦的，是友誼創造了奇蹟。」

他們看到馬丁・索恩站在一間小木屋門口，正與「病鬼」菲耳・梅度夫深談著，大夫走近時，向來冷冷的梅度夫臉上也現出愉快的表情，和大夫寒喧了幾句。

最後他們依依不捨的告別，惠肯大夫一路送到外面的大門。「你會常常來吧？」她說。

「我也希望如此。」鮑伯・伊登回答，他握著大夫粗糙的手一會。「妳知道嗎，我漸漸能感受到沙漠的美了。」他加了一句。

大夫露出微笑。「沙漠啊，古老、疲憊而睿智，就是這個樣子。」她說：「你若懂得看的話，美就在裡面。不過並不是每個人都能領會。想看什麼，鑰匙就在惠肯大夫這裡，記住喔，小伙子！」

寶拉・溫岱兒將車子掉頭，兩人在寂靜之中朝來處駛去。

「感覺上我像是去看瑪麗姑媽似的，」不久伊登說道：「臨走時我還真的有點希望她會送我一塊餅乾哩。」

「她是個我該多多認識的偉大女人，」寶拉輕輕的說：「我永遠忘不了剛來到這片沙漠的第一晚，在她的窗戶以及眼神裡所看到的亮光。所有的偉大人物都不住在城市裡頭。」

他們一路駛著，日正當中，四周的沙漠光燦燦的，什麼也沒有，一層淡淡的霧靄披在遠處的沙丘，以及更遠處的山坡上面。鮑伯．伊登的心思回到眼前的奇怪問題上。「妳從不問我，為什麼我會來到這裡？」他說。

「是啊，」女孩答道：「我覺得很快你就會明白，在這片沙漠裡大家都是朋友，總會主動的告訴我。」

「我是想告訴妳——改天吧，我現在還不能講。我們回到妳第一次造訪麥當農莊的那個晚上吧，妳說妳覺得那裡有什麼事情不對勁？」

「沒錯。」

「好吧，我可以告訴妳，妳可能是對的。」寶拉快速瞥了伊登一眼。「而我現在的工作就是要查明妳的感覺正不正確。那個探礦工人，我想出一筆錢跟他見一面。妳有沒有可能再度遇見他？」

「碰運氣吧！」她回答。

「假如妳遇見的話，能不能立刻幫我跟他聯繫，假如這樣的請求不算太過分……」

「沒問題，」她說道：「我很樂意幫忙。只不過那位老先生現在說不定已經走到亞歷桑納州了，我上次看到他時，他走得好快！」

「那我更想見到他了，」伊登說：「我，嗯，我但願能說明為什麼，妳知道，並不是我不相信妳，但是，呃，這並不是我一個人的祕密。」

她點點頭。「我了解。我不會想知道為什麼。」

「妳真是越來越棒了。」伊登告訴她道。

時間分分秒秒過去，不久之後，車子停在麥當農莊前面，鮑伯・伊登下了車，看著女孩的眼睛——多麼安詳寧靜啊，總覺得跟惠肯大夫的眼睛好像。他露出了笑容。

「妳知道嗎？」他說：「我應該向妳招認，我是有點討厭魏博。可是現在忽然覺得，假如我真正熱愛自由的話，那魏博已經幫了我最大的忙，我不應該再討厭他了，我應該打心眼裡感激他。」

「你到底在說什麼呀？」

「妳不明白嗎？我剛剛才明白我正面臨這輩子最大的誘惑，可是我不必反抗，魏博已經救了我。老魏博真是太棒了，下次妳寫信的時候，記得代我問候他。」

她發動車子。「那你倒不用擔心，」她勸告道：「就算沒有魏博這個人，你的個人自由也沒有一丁點的危險。這點我看得很清楚。」

「不知怎的，我對如此的評斷並不很在意，」伊登說。「這樣的話我應該很安心，但事實上我一點也不喜歡。好吧，又承蒙妳載了我一次。真捨不得看到妳走，看來我要在這裡度過一個沉悶的星期天了。今天下午我溜到鎮上妳不會介意吧？」

「你來了我恐怕也不知情哩，」女孩說道，「再見囉。」

鮑伯・伊登的預測果然正確——這個星期天又漫長又沉悶。到了下午四點，他實在無法忍耐下去了。燠熱的高溫漸次消散，風開始不安分的吹了起來，在請得麥當的允准後——他老兄心情還是一樣惡劣，而且跟外頭的風一樣不安分——他開著那輛小汽車直奔令人興奮的厄爾多拉多。

鎮上的消遣節目並不多，沙漠邊緣旅社的窗戶裡，老闆正板著臉翻閱一份厚厚的星期天報紙。主要街道上餘熱未散，沒看到半個人，伊登把車停在旅社前面，走到何利的報社。

報紙編輯走到門口迎接他。「哈囉，」他打招呼道：「我正盼望你來呢，今天下午在這麼廣闊的地方度過，實在有點寂寞。對了，這裡有份你的電報。」

伊登拿起黃色信封，隨即拆開。拍電報來的人是他父親：

情況未能明瞭，十分擔憂。目前會配合要求。完全信任你倆，但須切記：萬一交易取消，將陷入難堪之境。喬登母子急欲完成是項交易，維克多揚言隨時前去。隨時告知發展。

「呵，」鮑伯．伊登說：「那真是太好了！」

「怎麼啦？」何利問。

「維克多揚言說要來——維克多嗎？那串項鍊的所有人就是他母親。只要那位和藹可親的老糊塗和她那個寶貝兒子來到這裡，咱們這件事就全完了。」

「有什麼新發現嗎？」當他們坐下時，何利問。

「是有好幾件，」鮑伯．伊登答道：「頭一件是個大悲劇，我賭輸了四十七塊美元。」他描述了那場撲克牌的輸贏。「然後呢，我觀看了索恩先生把那個曾經裝有砷化物的罐子埋進土裡。再接下來，老陳在索恩的衣櫥裡發現那把失蹤的手槍，裡頭少了兩發子彈。」

何利吹了聲口哨。「真的啊？你知道嗎，我相信你那朋友老陳打算在索恩完蛋之前送他去蹲監牢。」

「大概是吧，」伊登同意說：「即使那樣，也還有很長的一段路要走。你要控告一個人謀殺，總不能連個被害人的屍體也沒有吧。」

「噢，那個老陳會挖出來的。」

伊登聳了聳肩。「嗯，如果屍體被他找到的話，他就能要什麼有什麼，把所有的疑點統統挖出來。但不知怎的，這件事並不是很吸引我。我是喜歡刺激沒錯，可是它本身必須漂亮、乾淨、俐落。你那篇採訪報導有消息了嗎？」

「有了，明天會在紐約見報，」威爾．何利疲憊的雙眼登時明亮起來。「我正在這裡為這事心情激盪的時候，你就來了。」他指著桌上一本大剪貼簿，「裡面有一些我在老《太陽報》寫的報導，」他說明道：「憑良心講，我覺得寫得還可以。」

鮑伯．伊登拿起那本簿子，頗有興趣的翻閱著。「我正在考慮到報社找份工作呢！」他說。

何利迅速看他一眼。「多想一下吧，」他勸道：「你有一份滿不錯的商場工作正等著你，跑新聞這行飯能給你什麼？當你還年輕的時候，你也許會覺得很棒。現在，舊的規矩正在改變，報紙上登了照片還能把一些自視甚高的名流消遣，那也似乎很棒，可是一旦你老了……」他站起來，伸手搭在小伙子肩上。「當你老的時候，差不多四十幾歲，那時又怎樣？你還是埋首在編輯檯上，哪天老闆走進辦公室來，一看到你頭上的斑斑白髮，於是他說：『叫那個老掉牙的傻瓜滾蛋，我這裡要用年輕人！』算了吧，老弟——別吃新聞這行飯。我們兩個必須好好談一談。」

於是他們聊了起來，直聊到何利書桌上的小鬧鐘指著五點，他才站了起來，把剪貼簿闔上。「走吧，」他說：「我請你到綠洲餐廳吃晚飯。」

伊登很高興的跟了去。餐廳裡狹窄的餐飲檯對面，寶拉正獨自據著一張桌子。

「哈囉，」她向兩人打招呼，「來我這裡坐吧。我今晚忽然想奢侈一下，想獨霸一方佔用一張桌子。」

他們在她對面坐下。「今天真的像你預期的那麼枯躁乏味嗎？」女孩問伊登道。

「妳走掉之後，真的比較乏味。」他回答。

「點一盤雞肉吃吧，」她建議道：「這裡的雞都是自己孵、自己養的，沙漠這邊的母雞可不弱喔，吃起來味道還不壞。」

他們接受她的建議。豐富的菜餚送了上來，鮑伯．伊登張開臂膀。

「救生艇請準備好，」他說：「我準備要切雞肉了，萬一我切出紕漏來，婦女與孩童請優先逃命。」

何利低頭看著他的晚餐。「這雞肉看起來還是一樣的老，」他歎息道：「為什麼我就吃不到道地一點的家常菜呢？」

「你該結婚了啦，」女孩笑道：「我這樣說對嗎，伊登先生？」

伊登聳一聳肩。「我認識幾個可憐的傢伙，他們結婚的目的只是為了想吃到一點道地的家常菜，可是現在他們又回餐廳報到了，所不同的是這回他們還帶了老婆，帳單變成兩倍，樂趣少了一半。」

「你幹嘛這樣挖苦人家？」何利問。

「噢，伊登先生是非常反對婚姻的。」女孩說：「他今早就在灌輸我這個想法。」

「我只是想拯救她罷了，」伊登解釋道。「對了，你認識魏博嗎？他老兄居然贏得了她這顆純潔的芳心。」

「誰是魏博？」何利茫然的問。

「他一定要用這個名字來稱呼傑克，」女孩說：「這樣他提起我的未婚夫時，就不必有所顧忌。」

何利看了一眼她手上的戒指。「噢，那位仁兄我不認識，」他表示，「不過我真是要恭喜他。」

「我也一樣，」伊登不甘示弱道：「我該恭喜他有此膽量，就像我今天中午所說的那樣——」

「好了吧，別再講了。」女孩打岔道：「醒來囉，威爾，你在想些什麼？」

何利微微一愣。「我在想有一次我在茂昆餐廳吃晚飯的事，」他回答道：「那家店聽說收起來了，我聽人說。就像從前的地標一樣，沒了——每天下午五點喝它兩杯的快樂車站必經路線。你知道嗎，有時候我在想，現在我是不是還喜歡紐約……」

他講起他記憶所及的老曼哈頓的故事，談著談著，晚餐的時間就這麼過去了，鮑伯·伊登對此渾然無覺。他們走到櫃台前付帳，伊登這才注意到一位陌生人在附近點雪茄。這個人由衣著來看並非本地人，身材矮小，一臉學究氣，目光銳利。

「晚安，老鄉。」何利說道。

「你好！」陌生人回答道。

「你特地跑來這裡看我們嗎？」報社編輯一面問，一面想到報紙下一期應該報導的內容。

「我來調查這裡的有袋齧齒類動物，」那人回答說：「我聽說這地方有一個品種，尾巴的長度比到目前為止的紀錄還要長出三公釐。」

「喔，」何利回答道：「你要找那些傢伙，是嗎？我們這裡可齊全得很，有養蜜蜂的、養蝴蝶的，養家鼠或地鼠的，改天你到我的報社來，咱們聊聊吧。」

「樂意之至。」矮個子博物學家道。

「哇，看看誰來了！」何利突然叫道。鮑伯・伊登轉過身，看到餐廳門口進來一位瘦小的中國人，年歲彷彿與這片沙漠同春秋。他臉上的膚色宛如把玩多時的白石菸斗，眼睛像發亮的珠子，炯炯有神。「他是王路易，」何利向他們介紹道，「才剛從舊金山回來。是吧，路易？」

「哈囉，老闆，」王路易聲音尖銳的說：「我回來了。」

「你喜歡舊金山嗎？」何利又問。

「舊金山不好，」王路易回答道：「老在下雨，滴得我鼻子溼溼的。我還是喜歡這裡。」

「那你要回麥當農莊囉？」何利問道。王路易點點頭。「那好，算你有點運氣，路易。這位伊登先生待會兒就要回去農莊，你可以讓他載。」

「那是當然。」伊登同意道。

「我要喝杯熱茶，請你稍等一下，老闆。」王路易對伊登說道，隨後坐上餐飲檯。

「我們會在旅社門口等你。」何利對他說。三人走出餐廳，矮個子博物學家也跟到了街上，並加快腳步趕過他們，消失在暗夜之中。

何利和伊登一路無言來到旅社，他們停住腳步。

「我就在這裡跟你們分手囉，」寶拉．溫岱兒說：「我還有幾封信要寫。」

「噢，對，」伊登說：「呃，別忘了，請代我向魏博致意。」

「我要寫的是工作上的聯絡信啦，」她簡短的答道。「兩位晚安。」

女孩走進旅社去了。「這下王路易回來了，」伊登說：「狀況變得更有趣了。」

「怎麼說呢？」何利道：「路易也許會說出很多事情來。」

「也許吧。可是他回來做他原來的工作，那老陳怎麼辦？他會被踢出去，這樣在這整齣大舞台劇中，我就落單了。我不曉得該講哪些台詞。」

「我可不那樣想，」編輯說：「不管怎樣，只要麥當人在農莊，兩個傭人就會有一大堆工作要做。我猜他兩個人都會留住，你想想，這該是多麼好的機會讓老陳把路易的心肝掏出來？如果是你和我來問他，問到驢年也無法從他那裡得知任何一件事，但是如果是老陳來問的話，那又另當別論。」

他們靜靜等著，不久王路易慢吞吞的沿街走來，一隻手提著廉價的小手提箱，另一隻手拿著紙袋，裡頭裝得飽飽的。

「你帶什麼東西來了，路易？」何利問道，他看了一下袋子。「香蕉，對吧？」

「東尼喜歡吃香蕉，」老頭解釋道：「給東尼的禮物。」

伊登和何利互望了一眼。「路易，」報社編輯語氣溫和的說：「東尼牠死了！」

凡是認為中國人面無表情的人，都應該看看路易這時的反應。他的臉又是驚又是痛，整個扭曲變形，口中立刻迸出一大堆用不著翻譯的話，指天罵地，褻瀆神明，令人聞之色變。

「可憐的老路易，」何利說：「他就像中國話講的，在罵街呢！」

「你想他知道真相嗎？」伊登問。「我是指東尼遭到殺害的事。」

「天曉得，」何利答道：「事情看來就是如此，不是嗎？」仍在高聲謾罵的王路易鑽進了小汽車後座，鮑伯．伊登坐進駕駛座。「步步為營啊，老弟。」何利提醒道。「晚安，咱們改天見。」

鮑伯．伊登發動車子，戴著王路易展開他這輩子最怪異的旅程。

月亮尚未升起，群星不甚友善的在遙遠處懸著，黯淡無光。他們在群山之間爬坡，寬大的道路似乎一直通到黑暗而駭人的地獄裡頭，那個伊登感覺得到，卻又看不到的所在。離開石礫道路，他們在平坦的沙質地面推進著，路旁的黑暗深處有對黃色的眼睛發出熒熒幽光，邪惡的瞪視了一會，然後消失無蹤。那些可以困死約書亞一家的約書亞樹，惡鬼般醜陋痛苦的糾纏在一起，高高伸展著扭曲變形、苦苦哀求的手臂。汽車一路開著，後座的中國老頭沿途用他怪異的腔調喃喃唸著什麼，為他朋友的故去哀悼，為東尼的死哀悼。

鮑伯．伊登的精神還算平穩，但看到麥當農莊的燈光友善的照過來時，他還是挺高興的。他將車停在車道上，出去將農莊的園門打開，一枝蔓生的樹枝纏住了門栓，最後還是被他排除了，他回到駕駛座，將車駛入前院。總算鬆了一口氣，他在穀倉前面迅速打個轉，車前燈照向前方，陳查禮正在等著。

「嗨，阿金，」伊登喚道：「我幫你找來了一個伴，就坐在後座。你知道嗎，王路易回來了。」他跳下車，但是車後座靜悄悄的。「路易，」他喚道：「我們到家了。」

他停下來，突然間心裡一陣驚悸，昏暗中他看見王路易弓著身體，頭軟軟的倚著左側車門。

「我的天！」伊登大叫道。

「等一等，」陳查禮說：「我去拿手電筒。」

他走進屋裡，而鮑伯·伊登只是驚悸的僵立在原處。陳某很快的回來，拿著燈迅速的檢查了一遍。鮑伯·伊登看到王路易身上的舊大衣側邊有條裂縫，裂縫邊緣有著濕濕的什麼，顏色暗暗的。

「旁邊被刺了一刀，」陳查禮平靜的說：「跟東尼一樣——死了。」

「死了？什麼時候死的？」伊登駭道：「我剛才在園門那裡下車了一會兒，可是……這不可能……」

馬丁・索恩從陰影處走出來，那張蒼白的臉在晦暗中微微發光。「怎麼一回事？」他問道：「嗄，是路易。路易他怎麼了？」

他俯身探頭到車內，陳查禮手中的手電筒在他背後照了一下。索恩深色的外套上有一道長長的裂痕——那樣的裂痕，有可能是匆忙中翻越鐵絲網時造成的。

「太可怕了，」索恩說道：「等我一下，我必須找麥當先生過來。」

他跑進屋裡，鮑伯・伊登則和陳查禮站在王路易的屍體旁邊。

「查禮，」小伙子喉嚨嘶啞的輕聲說道：「你有沒有看到索恩外套上的裂痕？」

「清楚得很，」陳某回答說：「你記得我今早告訴你的那句中國成語嗎？索恩他『騎虎難下』！」

【第十章】刑事組探長普里斯

過不多時麥當來到汽車旁邊，他們感受到大亨渾身上下帶著怒意，偌大的身軀因自我克制而顯得有些顫抖。他咒罵了一句，從陳查禮手中抓過手電筒，俯身探入車子後座，餘光隱約照出他通紅的大臉、嚴厲的眼睛，鮑伯·伊登頗感興趣的注視著他。一個忠心耿耿服侍了麥當多年的人，就這樣了無生命跡象的躺在那輛周身都是塵土的車裡。然而大亨的臉上卻連一點遺憾或憐憫也沒有——只除了不斷上升的怒氣。沒錯，鮑伯·伊登心想，那些報導說麥當是個沒有心肝的人，真是說得一點都沒錯。

麥當站直了身體，手電筒的光照在他祕書蒼白的臉上。

「他媽的真是太好了！」他咆哮道。

「喂，你這樣看著我幹什麼？」索恩嚷道，聲音顫抖不已。

「我高興愛看誰就看誰！天曉得你那副死樣子我看了就討厭……」

「你那些話我已經受夠了。」索恩警告道，他的聲音顫抖中含著憤怒。這兩個人相互對峙起來，鮑伯．伊登驚訝的看著他們，他初次了解到，在平日老闆與祕書的面具底下，這兩個人竟然沒有情誼可言。

忽然麥當把手電筒的光移向陳查禮身上。「你看這邊，阿金，這就是王路易，你代替的就是他的工作，懂吧？現在你得留在這裡了，我離開之後也一樣，你覺得怎樣？」

「我想留下來，老闆。」

「很好。來這個爛地方我只有一件事情還算走運，那就是雇用了你。你把路易搬到客廳裡，讓他躺在臥榻上。我去打電話到鎮上。」

他高視闊步的穿過前院到屋裡，陳查禮和祕書略微遲疑了一下，才將王路易軟軟的屍體搬了起來，鮑伯．伊登緩緩的跟在後面。客廳裡，麥當正口沫橫飛的講著電話，沒過多久他將話筒掛上。

「我們沒別的好幹，就等吧，」他說：「鎮上有個保安官之類的人，他很快就會帶著驗屍官一道過來。噢，這真是太好了，我是來這裡休息的，而他們即將把這裡搞得天翻地覆。」

「我猜你想知道事情的經過吧，」伊登開口道：「路易是我在鎮上的綠洲餐廳遇到的，何利先生看到他，告訴我他的身分，然後……」

麥當大手一揮。「喔，算了吧，把那些向沒腦筋的警察講去。他媽的，這真是太好了！」

他像獅子患了牙痛似的在客廳裡走來走去，伊登在火爐旁邊找張椅子坐下，陳查禮退出客廳，索恩在不遠處沉默的坐著。麥當仍不停的走來走去。鮑伯．伊登注視著正在燃燒的木頭，他到底是捲進什麼亂七八糟的事情裡了？在塵囂之外的寂靜荒漠，究竟是什麼玩命的遊戲在麥當農莊上演著？他開始希望自己能擺脫這件事，回到那個燈火輝煌的城市裡，那個沒有仇恨、猜忌和祕密在暗處伏流的地方。

他還在這條思路上奔馳之時，前面院子傳來了汽車喀啦喀啦響的聲音。麥當親自去開門，兩位厄爾多拉多的重要人物走了進來。

「請進，兩位，」麥當竭力裝出親切的樣子，「我們這裡發生了一件事故。」

兩人之中一位臉色黃褐，看起來飽經風霜的瘦個子站了出來。

「你好，麥當先生，我認識你，不過你並不認識我。我是本地的保安官布拉克特，這位是我們的驗屍官希姆斯大夫。你在電話上說，這裡發生謀殺案了！」

「嗯，」麥當回答說：「我想你可以那麼說。不過幸虧沒有人被害，我是說，被害的不是白人，只是我的傭人，一個中國佬王路易。」此時阿金進到客廳來，正好聽到這些話，他雙眼落在大亨一無顧惜的臉上，瞬間如烈火般的燃燒了一下。

「是路易？」保安官走近臥榻，「怎麼會，竟然是可憐的老路易？他們要過來這裡時還毫髮無損的。我真不明白，這個老傢伙會跟誰有仇呢？」

驗屍官是個精神奕奕的年輕人，他也走上前去，開始著手相驗。布拉克特保安官轉向麥當。「唔，我們將盡量不造成你的困擾，麥當先生，」他允諾道，顯然這位大人物令他十分敬畏。「可是我很不喜歡這件事，它讓我很頭痛。我必須問幾個問題，這你能了解吧，麥當先生？」

「那當然，你儘管問吧，」麥當回答道：「我很抱歉，因為我沒辦法告訴你什麼。當時我人在房間，我的祕書……」他指著索恩，「跑來告訴我說，這位伊登先生剛剛把車子開回來，而路易卻在車子裡面，死了。」

保安官關注的轉向伊登。「你在哪裡發現他的。」他問道。

「他坐上車時人還好好的，」伊登解釋道。他細說從頭——在綠洲餐廳見到王路易，開車行經沙漠，他下車把農莊的園門打開，最後在前院發現了可怕的事實。保安官聽了連連搖頭。

「我聽得一頭霧水，」他承認道。「這麼說，你認為他是你去開園門的時候被殺死的。你憑什麼這樣想？」

「其實他一路上都在講話，」伊登答道：「坐在後座叨叨唸著什麼，我要去開園門的時候還有聽到。」

「他說些什麼？」

「他講的是中國話，很抱歉，我可不是漢學家（sinologue）。」

「咦，我可沒有指控你什麼吧？」

「噢，我說的漢學家是懂中國話的人，跟有什麼罪（sin）沒關係。」鮑伯・伊登微笑道。

「喔，是這樣？」保安官搔著頭說。「那這邊這位祕書……」

索恩走上前說，他本來在自己的房間，後來聽到前面院子起了騷動，於是出去察看，他實在沒有什麼情節好貢獻的。鮑伯・伊登的視線落在索恩外套背後的裂痕，他看向陳查禮，但那位警探搖一搖頭，眼睛示意：什麼都別說。

保安轉向麥當。「當時現場還有誰？」他想知道。

「除了這個阿金之外，沒別人了。他沒有問題。」

保安官搖搖頭。「那可難說！」他斷言。「像唐人街裡的那些械鬥，你也知道。」他振威一喝，道：「你，過來！」

阿金，檀香山警察局刑事組的陳警官，臉上毫無表情的走上前，在保安官面前站住。眼前這位仁兄的角色，他不知在多少類似的場合裡扮演過，若論演技，這位美國本土的官員休想比得上。

「這位王路易你以前見過嗎？」保安官咆哮道。

「你說我嗎，老闆？沒有，老闆，我沒見過他。」

「這地方你第一次來，是吧？」

「我是星期五來的，老闆。」

「在這之前你在哪裡工作？」

「哪裡都做過，老闆。大城市啦，小城市啦。」

「我是說你上一次在哪裡工作？」

「我在築鐵路，老闆。聖大非鐵路，鋪鐵軌木頭。」

「嗄，好吧，真他媽的。」保安官詞窮了。「這一類的事件我處理得不太夠，」他歉歉然說：「這幾年老忙著徵收的工作，偵查案件的技巧有點生疏了。這本來是郡治安官的工作，來之前我跟他通過電話，他說明早要派刑事組的普里斯探長過來。所以我們今晚就不多打擾了，麥當先生。」

驗屍官走上前來。「麥當先生，我們要把被害者的屍體帶到鎮上，到那裡我再好好檢驗，」他說：「不過明天我要帶幾個審查委員來這裡。」

「噢，那沒問題。」麥當回答道：「事情該怎麼做就怎麼做，有什麼費用該付的都送來給我。相信我，發生了這件事我真的很遺憾。」

「我也是，」保安官說：「路易是個老好人。」

「是啊，而且……嗯，我很不喜歡這樣，這讓我很困擾。」

「我還是滿頭霧水，」保安官再度坦承。「我太太曾經叫我絕對別碰這種案件哩。好吧，再見了，麥當先生，能認識你這樣的人真是莫大的榮幸。」

鮑伯．伊登回自己房間時，麥當和索恩正面對面坐在壁爐旁邊。看到他倆臉上的表情，伊登真希望自己有雙順風耳，能夠知道客廳裡即將上演的事。

阿金已經在他房裡，正升起熊熊的爐火。「火我已經升好了，老闆。」他說道。伊登將房門關好，在椅子坐下。

「老查禮啊，看在老天爺的份上，這裡到底出了什麼事啊？」他無助的問道。

陳查禮聳一聳肩。「多著呢，」他說：「我曾在這個房間裡告訴你說中國人是個心靈感應非常敏銳的民族，現在整整兩個晚上過去了。當時我還在你臉上看到很有教養的嘲弄表情咧。」

「那個我道歉，」伊登回答道：「現在發生了這件事情，我再也不敢嘲弄了，就算很有教養的那種也不敢有了。可是我真的很狼狽困窘，今天晚上這樣……」

「這件事真的很不幸，」陳查禮若有所思的說：「我誠懇建議你必須非常小心，否則每一件事都毀了。小地方的治安人員被這個案子嚇壞了，他們做夢也想不到王路易的死一點重要性也沒有。」

「什麼，你說沒有重要性？」

「事實上是沒有，只要跟另一件事情一比。」

「噢，我認為這對路易而言總是很重要的吧！」伊登說。

「我也認為如此。不過路易被殺跟鸚鵡的沒命其實是一樣的，那只是用一樁比較黑暗的事情將最最黑暗的事遮蓋住而已，而那樁最最黑暗的事發生在我們來到此地之前。在鸚鵡還沒被除掉，路易還沒有突然去舊金山之前，有一個不知名的人死了，他臨死之前高呼救命，可是沒有得到援手。那個人是誰呢？也許很快我們就會曉得。」

「這麼說，你是認為路易是因為知道的事情太多而被殺的？」

「沒錯，跟東尼一模一樣。路易真的好傻，人家找他去舊金山時，他就應該在那裡待下來才對，而他卻回到沙漠這裡，犯下致命的錯誤，因為農莊非常不歡迎他回來。只是有一件事情讓我十分不解。」

「只有一件？」

「目前就這一件，其他的謎團暫時擱置。路易是上星期三早上離開的，有可能是在那椿黑色的神祕事件發生之前，既然如此，他怎麼會知道這件事？難道在這裡發生的事，舊金山那裡有人知情嗎？沒機會跟路易好好談談，我真的很遺憾，不過還是有其他線索可以查。」

「但願如此，」鮑伯・伊登歎息道：「可是我看不到有哪些線索可查，這對我而言太困難了。」

「對我而言也的確是，」陳查禮同意道。「假如我馬上就能回家，一輩子想好好旅行的渴望可能會就此熄滅。要記住，警方找到殺死王路易的兇手對我們來說比較好，要是他們抓住兇手，我們的果實就會在尚未成熟前被摘走。這個案子應該由我們來掌控，在開始什麼都還未發現之前，官方的司法人員應該盡可能被潑上幾盆冷水，要他們離農莊遠一點。」

「噢，對付那個保安官倒是容易得很。」伊登笑道。

「所有的事對他而言都是一頭霧水。」陳查禮也笑了。

「他真是可憐，」伊登同意道。「不過那個普里斯探長可能不那麼簡單。查禮，你可得小心謹慎，否則他們會把你抓起來。」

陳查禮點點頭。「來到美國本土，新的經驗紛至沓來，」他說：「刑事組的陳警官現在成了殺人嫌犯，也許等回到家後我要好好嘲笑一下自己，而現在卻不是開懷大笑的時候。祝你有個溫暖舒適的夜晚……」

「等一下，」伊登打岔道：「你想星期二下午該怎麼辦？麥當指望那個時候送項鍊的人就會來到，而我不知道要怎麼拖延下去。」

陳查禮聳聳肩。「先別急，還有兩天哪，在那之前有很多事情可能會發生。」他動作輕巧的走出去。

星期一早晨才剛吃過早餐，客廳外面便傳來了敲門聲，索恩前去應門，來客是威爾．何利。

「喔，你又來了。」麥當不悅的歎了口氣，經過了一夜，他待人的態度並沒有改進。

「是啊，」何利回答，「身為優秀的報人，咱們這地方出現了多年來頭一樁殺人案件，我總不能只站在遠處眺望吧。」他把一份報紙拿給大亨。「對了，這是一份洛杉磯的早報，我們那篇專訪就登在頭版。」

麥當不太在意的接在手裡，飽伯．伊登視線越過他的肩膀，看到標題寫的是：

股市名人預言：繁榮的時代即將到來

P．J．麥當於沙漠寓所接受專訪，預測商業榮景

麥當面無表情的閱讀專訪內容，看完之後說：「紐約那邊的報紙也登出來了吧？」

「那當然，」何利回答道：「今天早上全國各地都登出來了，你我都成了名人，麥當先生。但是那個可憐的老路易到底是怎麼回事？」

「那個不要問我，」麥當皺眉道：「總不外是哪個傻瓜把他給做了，你這位朋友伊登所能講的比我還多。」他站起來，漫步走開了去。

伊登和何利面面相覷了半晌，然後相偕走到前面的院子。

「話講得真是粗俗！」何利說：「不過這件事讓我憤怒極了，路易是個老好人，據我所知，他死在車裡？」

伊登把事情的經過描述了一遍，兩人走到離房子更遠的地方。

「那麼，你自己的看法呢？」何利問。

「我認為是索恩殺的，」伊登回答道。「老陳認為路易的死只是一件較小的事故，目下讓兇手不要在這時候被發現會比較好。老陳的看法當然正確。」

「那當然。他們想要抓到罪犯也不太可能，咱們這位保安官是個無可救藥的老糊塗。」

「那普里斯探長呢？」

「噢，他是個吹牛吹得很誇張的人，但要命的是，他老是抓錯人。郡治安官人蠻不錯，腦筋也好，可是他可能不會過來。我們到前面去，看看你昨晚把車停下來的地方。我這裡有個東西要交給你，是封電報，我猜是你父親發來的。」

他們走過農莊的園門口，電報易了手，鮑伯・伊登抓在手裡，防止屋裡的人看見，他前後讀了一遍。

「嗯，我老爸打算騙麥當說，他今晚將打發德瑞考特送項鍊過來。」

「德瑞考特是誰？」何利問道。

「他是我老爸在舊金山雇用的私家偵探，我猜信譽應該很不錯吧！連德瑞考特也不能來，我老爸一定非常煩惱。」他想了一下。「我猜他最多也只能做到這個地步，我真的很討厭這樣子騙人，而且老是要麥當保持冷靜，這工作我也很不喜歡。不過話又說回來，到時候情形或許會有所改觀。」

他們檢查昨晚鮑伯．伊登停下車來開園門的地方，地面上顯然有許多車輛通過的痕跡——但卻沒有任何腳印。「就連我的腳印也不見了，」伊登說：「你認為這會不會是風造成的？風吹在沙地上……」

何利聳了聳肩。「不對，不是這樣，」他說：「是有人拿了掃把出來，把車旁所有的腳印掃掉了，老弟。」

伊登點點頭。「你說的沒錯。是有個人，是誰呢？想必是咱們的老朋友索恩。」

一輛汽車開了過來，他們讓過一旁，看著那輛車駛進農莊的前院。

「普里斯來了，保安官跟他一道，」何利說：「嗯，他們不會從我們這裡得到幫忙？」

「門都沒有，」伊登回答道：「老陳主張盡早潑他們冷水，叫他們離農莊遠一點。」

他們走回前院等候著，客廳裡面傳出麥當、索恩跟那兩位公務員的交談聲。不久普里斯走出屋外，大亨和布拉克特保安官隨後跟著，普里斯和何利相當熟，打過招呼後，何利介紹鮑伯．伊登與他認識。

「噢，原來是伊登先生，」探長說道；「我正要找你談一下，對這件有意思的事，你個人有什麼看法？」

鮑伯．伊登嫌惡的看著他。這位老兄身材高大，跟普通警察一樣，說話直截了當，眼神看起來並不十分精明。他把昨晚發生的事仔細的向這位老兄描述了一遍。

「唔，」普里斯說：「聽起來相當古怪。」

「哦，是嗎？」伊登微笑道：「對我而言也是如此，但這卻偏偏是事實。」

「好吧，我到外面現場看一下。」普里斯說。

「你什麼也看不到，」何利說：「那裡只有我和這位年輕人的腳印，我們剛剛去看了一遍。」

「噢，你們去看過了？」普里斯不悅的說。他信步向園門走去，保安官亦步亦趨的跟了去，兩人虛應故事的察看了一番，走回來。

「這真的非常玄。」保安官布拉克特說。

「是那樣嗎？」普里斯嗤之以鼻，「哼，振作點吧。那個叫阿金的中國佬怎麼樣？他在這裡找到好工作了，是不是？而結果王路易回來了，你知道那是什麼意思嗎？阿金的飯碗飛了。」

「你別胡說！」麥當不以為然道。

「你這樣想嗎？」普里斯說：「好吧，我倒不這麼以為。告訴你吧，這些中國鬼我了解得很，他們想也不想就拿刀子往對方身上捅，為的其實不是什麼大不了的事。」正說著，阿金剛好從屋角走出來。「喂，你來一下！」普里斯組長叫道，鮑伯・伊登不禁擔心起來。

阿金走上前來。「你叫我嗎，老闆？」

「當然是叫你，我要把你關起來。」

「為什麼要關我，老闆？」

「因為你用刀子殺了王路易，你沒辦法帶著傢伙從這裡逃走。」

中國人的眼神毫無生氣，看著跟他同樣是執法人員的莽夫。「你開玩笑了，老闆。」他說。

「哦，是嗎？」普里斯的表情嚴峻起來。「我會讓你見識我開哪門子的玩笑。你最好現在就告訴我整個事實，這樣你比較不吃力。」

「你要我說什麼事實，老闆？」

「說你昨晚是怎樣偷偷跑出去，用刀子殺死了路易。」

「喔，也許你找到那把刀子了，老闆？」阿金不懷好意的問。

「那個你甭管！」

「要不，就是刀子上有我可憐阿金的指紋囉，老闆？」

「你不要講了！」普里斯道。

「那也許是你到處看的時候，發現沙地上有我拖鞋的腳印，老闆？」普里斯悶不吭聲的注視著他。「我剛才就說了，你這個警察愛開玩笑，對吧，老闆？」

伊登和何利心花怒放的互望了一眼，麥當忍不住打岔道：「得了吧，探長，你根本沒有對他不利的證據，這你清楚得很。你要是沒有任何證據就將我的廚子抓走，我一定叫你吃不完兜著走。」

「這個，呃……」普里斯遲疑起來。「我知道事情是他幹的，這我慢慢會證明。」

他眼睛一亮，問阿金道：「你是怎麼到這個國家來的？」

「我是美國公民咧，老闆。出生地是舊金山，現年四十五歲。」

「哦，在這裡出生的，是嗎？那你一定有證件囉，拿出來我看看。」

鮑伯．伊登一顆心直往下掉。中國人有很多是沒有證件的，這個蠢警察縱然沒有充分的證據，光憑這一點就可以抓走老陳。再等一會，他們就全完了……

「快點啊！」普里斯怒吼。

「你在說啥，老闆？」阿金裝傻。

「你知道我說的是什麼。你的證件，快拿出來我看，否則我發誓立刻逮捕你……」

「喔，是證件嗎，老闆。」於是就在伊登驚訝的注視下，中國人從上衣口袋拿出一張存款簿大小的破舊證件，交給了普里斯。

探長一臉不悅的看著那份證件，隨後交還給阿金。「好吧，不過我告訴你，我跟你還沒完。」他說道。

「謝啦，老闆。」阿金笑嘻嘻的回答，「你真的喜歡開玩笑，老闆，就這樣，再見啦。」他慢條斯理的走開了去。

「我就說嘛，這件事讓人一頭霧水。」保安官有感而發的說。

「噢，老天，你閉嘴吧！」普里斯嚷道。「麥當先生，我承認我這回踢到了鐵板，但是這種情形不會持續太久，我還要好好查它一遍，你會再看到我的。」

「隨時歡迎你來，」麥當言不由衷的說：「假如發現到什麼事，我會跟布拉克特保安官聯絡的。」

普里斯和保安官鑽進汽車裡，轉眼間開車走了。麥當返回屋內。

「哇，老陳真是厲害，」威爾·何利輕聲道：「那份證件他究竟怎樣變出來的？」

「眼看著我們就要完了，」伊登同意道，「可是老陳真不得了，每一件事他都設想到了。」

何利坐進了自己的車。「嗯，我猜麥當應該不會留我吃午飯，我得走了。你知道嗎，這件事情我比先前還要好奇，想知道謎底是什麼。路易是我的老朋友，這是一件讓人可恥的事。」

「我不知道路會走到哪裡，可是我們已經上路了，」伊登回答道。「要是沒有老陳的話，我會很絕望的。」

「噢，你的腦筋也很不錯啦。」何利為他打氣。

「你開玩笑了，老闆。」在伊登的笑聲中，報社編輯開車走了。

回到自己的房間，他發現阿金正默默的整理著床鋪。

「查禮，你真是要得，」伊登關上門，「我還以為我們連個警訊也沒有，就要滅頂了。總之，你那份證件到底是誰的？」

「認真講起來，就是阿金的嘛。」陳查禮笑道。

「阿金又是誰？」

「阿金是個賣菜的小生意人，我在巴斯托搭他的便車到厄爾多拉多，還做了個小小的安排，付錢租他的證件用一陣子。幸虧他的證件長期放在口袋裡，相片磨損得跟任何人都很像，我當時靈機一動，想到自己跑來應徵這份高貴的工作時，麥當說不定要看我的身分證明，結果麥當並沒有這麼做，不過事情還是配合得天衣無縫。」

「那當然啦，」伊登同意道。「你真是個慷慨好義的人，竟然捨得為喬登母子，還有我老爸做那麼多事。我希望他們付給你的報酬，在數目上夠體面。」

陳查禮搖搖頭。「記得坐車去搭渡船時，你是怎麼說的？郵差在輪到自己放假時，才會忍不住想走更多的路哩。這整件事對我而言，真的還挺愉快的。等到我解開謎團、找到答案的時候，那才是最好的酬勞吧！」他行了個禮，轉身離開。

幾個小時之後，在等候午餐之際，鮑伯·伊登和麥當坐在客廳閒聊著，大亨一再講到他想盡快回東部的渴望。他坐的位置正面對著大門，突然間，他紅潤的臉，露出極度不悅的表情，伊登不覺一愣，轉過身去，看見門口站著一位背駝駝的矮個子，滿臉的學究氣，一隻手還提著手提箱，原來是前一晚在綠洲餐廳遇見的那位博物學家。

「是麥當先生嗎？」來客問道。

「我就是麥當，」大亨說道：「你有什麼事？」

「噢，那太好了，」來客走進屋內，放下行李。「先生，我叫甘柏，撒迪斯·甘柏。我對於你這個沙漠寓所附近的動物生態具有非常濃厚的興趣，你曾經很慷慨的捐錢給一所大學，我這裡有那所大學校長的親筆函，他是你的老朋友了，不麻煩的話請你看一下……」

他把信拿給麥當，麥當接在手裡，用一種很不友善的態度注視著他。看完那封書信，大亨將之撕成碎片，站起身來，把碎片丟入火爐。

「你想在這裡待個幾天？」大亨問道。

「如果可以的話，對我再方便不過。」甘柏回答道：「當然啦，我也願意付一些住宿費……」

麥當揮一揮手表示不必。阿金進入客廳，朝著餐桌走去。「再多擺一份餐具，阿金。」麥當吩咐道：「然後你帶甘柏先生到左側翼，讓他住在伊登先生的隔壁房間。」

「真的非常感謝，」甘柏溫和文雅的說：「我會盡量不增加這裡的麻煩。看來馬上要吃午飯了，而我也沒有不受歡迎，這個……呃，沙漠的空氣，呃……先生，我馬上就回來。」

他隨著阿金出去，麥當望著他的背影，整張臉漲得發紫。鮑伯・伊登心裡明白，這裡又多了一道待解的謎。

「真去他媽的，」麥當嚷道。「他有那封信，我不能不對他客氣一點，」他無可奈何的聳一聳肩膀。「老天爺，我真希望能趕快離開這裡。」

鮑伯・伊登思緒繼續動了起來。這位甘柏先生到底是什麼人？他來麥當農莊有何目的？

【第十一章】索恩的祕密任務

不管甘柏先生為何而來，鮑伯．伊登吃午飯時想到，他的目的顯然是無害的。單從外表來看，伊登很少遇到舉止那麼斯文的人，這一餐飯他老兄表現得相當健談，態度溫和，用詞文雅，頗具學者氣質。麥當的臉臭臭的，不為所動，顯然他很介意這位不速之客的突然造訪。索恩一如往常不發一語的坐著，態度疏遠而壓抑，他今天穿著黑色服裝，用以取代昨晚莫名刮破的那件。鮑伯．伊登覺得有必要幫甘柏先生的忙，讓交談持續下去。

吃過午飯，甘柏起身走到門邊小立片刻，視線越過耀眼的黃沙，看向遠處山顛上的皚皚白雪。

「真是壯觀！」他讚歎道。「麥當先生，你的農莊坐落在這裡，你知道最壯觀的地方在哪裡嗎？這片沙漠，這片廣闊孤寂的沙漠，歷經亙古的時光投射出奇異的魔咒在人類的靈魂當中。有人覺得沙漠十分荒涼，令人感到不安，但是對我而言……」

「你要待很久嗎？」麥當插嘴道。

「噢，那要看情況。我是希望待久一點。春雨過後，我想看看馬鞭草和櫻草開花的景色，那樣的情況很令我神往。先知以賽亞說了什麼來著？『曠野和乾旱之地，必然歡喜；沙漠也必快樂，又像玫瑰開花。我要在淨光的高處開江河，在谷中開泉源，我要使沙漠變為水池，使乾地變為湧泉。』你知道以賽亞吧，麥當先生？」

「不，我不知道。我到目前為止知道的人太多了。」麥當陰著一張臉回答道。

「教授，」鮑伯．伊登說：「你剛才說，你對這附近的動物生態很感興趣？」

甘柏迅速的看了他一眼。「你可把我的本行說出來了，你還滿有觀察力的，年輕人。」他說：「沒錯，我是想做田野調查，這個地方的有袋齧齒動物的尾巴比較長，有些奇特；另外據我所知，這附近的短鼻穴鼠，牠們上顎的弧度也有些異常。」

電話鈴聲響了，麥當親自去接，鮑伯．伊登豎起耳朵聽到的是：「麥當先生，有封你的電報。」大亨一聽立刻將聽筒湊住耳朵，接下來的話旁邊的人就聽不清楚了。

看到麥當聽電話時臉上出現十分懊惱的表情，伊登因聽不清楚內容覺得好可惜。最後麥當緩緩將電話掛上，坐在那裡眼睛呆呆的望著前方許久，顯然心緒相當混亂。

「麥當先生，這地方是沙質土壤，你種了哪些農作物呢？」甘柏教授問道。

「噢……呃……」麥當逐漸回神。「我種了什麼是吧？很多東西呀。你一定會感到驚訝，就連那位以賽亞也是。」甘柏報以善意的微笑，大亨的煩惱舒緩了一點。「走吧，我們到外面去，既然你感興趣，我就帶你去看看。」

「那真是太感謝了，麥當先生。」甘柏回答道，他客氣的跟著到庭院，索恩也站起來加入他們。伊登趁機趕緊走向電話機，打給了威爾．何利。

「仔細聽好，」他壓低聲音說道：「麥當剛剛透過電話得知一封電報的內容，那封電報似乎使他相當困擾。我無法知道是什麼事情，可是我想立刻曉得，你可以透過接線生了解吧？當然，不能引起懷疑。」

「沒問題，」何利回答道：「那孩子任何事情都會告訴我。你那裡只你一個人在嗎？再過幾分鐘我能回你電話嗎？」

「我現在是單獨一個人，」伊登回答道：「等一下要是無法跟你講電話，我會假裝是你要打給麥當，把電話拿給他，然後找件事情把他矇混過去。不過你若動作快的話，那一關就可以省了。動作要快一點，老兄，麻煩請快一點！」

他轉過身，阿金正好進來收拾餐盤。

「噢，查禮，」伊登說：「我們這家飯店又住進一個客人了？」

陳查禮聳了聳肩。「這種消息廚房知道得最快。」他說。

伊登笑了笑。「想要觀察和等待的是你，」他提醒道：「假如你跑腿跑得膝蓋發炎了，可別怪我。」

「這位姓甘柏的人，」陳查禮想了想，說：「應該像五月的早晨，對任何人都無害吧，我想。」

「噢，那一定的，他是個讀聖經的乖學生。我覺得，一個讀聖經的乖學生來到這裡，將是個好的開始。」

「溫和而不具危險性，」陳查禮接下去說：「不過他那個扁扁的旅行袋裡卻藏著一把全新的手槍而且裝上了子彈。」

「他大概想把老鼠的尾巴統統打掉吧，」伊登笑道：「好了，咱們別去懷疑他吧，查禮。他多半是個菜鳥，以為電影上演的都是真的，所以來這個荒郊野地才會帶槍以求自保。噢，對了，麥當剛才在電話上接聽一封電報，看他的表情，想必是另一個觸他楣頭的消息。何利已經在幫我打聽了，等一下要是電話鈴響，麻煩你到後面庭院幫我把風，提防其他人走來。」

阿金默默收拾著餐桌，不久，電話鈴聲清脆響起，何利打來了。伊登跑上前去，伸手按住了電話鈴。陳查禮走到外面庭院。

「哈囉，何利，」伊登輕聲說道：「是，是，好，請講。嗯……那就有趣了，可不是嗎？今天晚上會到，是吧？謝謝你啦，老兄。」

他掛上電話，陳查禮隨即回到客廳。「是有個消息，」伊登站起來，說：「電報是伊芙琳．麥當打來的，我猜她大概在丹佛等得不耐煩了，電報發出的地點是巴斯托，今晚六點四十分會來到厄爾多拉多鎮上。看來我可能要讓出房間，搬出去住了。」

「是伊芙琳．麥當小姐？」陳查禮說。

「是啊，咦，你不曉得嗎？麥當就她這一個女兒，人是長得不錯，挺驕傲的，我在舊金山見過她。唔，難怪麥當會煩惱，是不是？」

「的確如此，」陳查禮同意道：「這地方發生了謀殺案，他女兒嬌生慣養的，絕對不應該來。」

伊登歎了口氣。「來了只是使事情更複雜而已，」他說：「情況不斷在改變，可是我們似乎沒有推進到任何地方。」

「我必須再一次提醒久已不用的美德——忍耐，」陳查禮回答道：「從現在起情況將會越來越明朗，這件事只要被女人接觸到……」

「被這個女人接觸到是會凍傷的，」伊登笑道：「我跟你賭一百萬，查禮，就連沙漠這裡的熱度也無法使伊芙琳．麥當解凍。」

陳查禮回廚房幹活去了。過了一陣子，麥當和索恩方才漫步回來，而甘柏呢，看樣子是回房裡去了。炎熱的下午慢慢移動著腳步，沙漠果然沒有浪得虛名，就這樣一片死寂的被烘烤了好幾個鐘頭。麥當消失了蹤影，不久滿屋子都是他的鼾聲。這真是個好主意，鮑伯．伊登也決定如法炮製。

躺在床上之後，時間感覺上走得快多了。事實上他並不知道時間是如何流逝的，快傍晚時他一覺醒來，渾身躁熱，心思困頓，不過洗了個冷水澡之後，整個人又活了回來。

六點整，他穿過庭院到客廳去時，看到麥當的大型轎車停在穀倉前的院子裡，已然準備就緒，這才想了起來。農莊主人無疑要到鎮上接女兒，高傲的伊芙琳用小汽車去接將會是一種貶抑。

但是他走進客廳時，卻發現要去厄爾多拉多的人是索恩，這位祕書穿著深色西服，一頂黑色軟帽顯得臉色更加蒼白。伊登一到，大亨和索恩之間顯然十分嚴肅的談話突然中止。

「噢，兩位晚安，」伊登說：「你該不是要離開我們吧，索恩先生？」

「要到鎮上辦點事，」索恩回答道。「老闆，那我走了。」

電話鈴聲又響了，麥當立刻去接。他聽了一會，臉上又出現接上一通電話同樣的表情。「怎麼每次接到的都是壞消息。」伊登心想。

麥當用手遮住話筒，叫了一下祕書。「是這條路再過去那裡的惠肯大夫，那個無聊的老女人，」他說道，聽到惠肯大夫被如此稱呼，伊登陡的一陣激憤。「她晚上要來看我，說是有非常重要的事要告訴我。」

「你就說你很忙吧。」索恩建議道。

「很抱歉，大夫，」麥當對話筒說：「我有很重要的事……」

他停了下來，顯然被對方的長篇大論中止。他再度把話筒遮住。「他媽的，她堅持要來。」他抱怨道。

「唔，那你只好見她囉。」索恩說。

「好吧，大夫，」麥當妥協道：「那妳八點左右來好了。」

索恩走出去，大轎車轟然上路，前往火車站接伊芙琳．麥當。甘柏先生走進客廳，看來精神煥發，準備隨時引經據典的談論一番。伊登一個人聽著收音機。

出乎伊登的意料，他們竟在平常的時刻開飯了。索恩的座位固然空著，奇怪的是，竟然沒有為伊芙琳留位置；農莊主人沒有做任何處置，譬如為女兒安排房間之類的。真是太奇怪了，伊登心想。

晚飯過後，麥當邀他們到庭院一坐，那裡再度升起爐火，熊熊的火焰將腳下的石板、房子牆壁上的砌磚，以及近在咫尺的鸚鵡架盡皆照得通紅。東尼走了，留下鸚鵡架形孤影弔，黯然神傷。

「這才叫做懂得生活，」他們坐下來，甘柏點了根麥當請的雪茄，如此說道。「那些可憐的傻瓜把自己關在城市裡頭，卻不知道自己失去了什麼。我可以一輩子在這裡待下去。」

他最後那句話並沒有得到主人的共鳴，頓時陷入沉默之中。八點過沒多久，他們聽到一輛汽車的聲音駛進前面院子。可能是索恩跟那位千金吧——但顯然麥當不這麼認為，因為他說：

「是那個大夫來了。阿金！」傭人走了來。「你去帶那位女士來這裡。」

「嗯，我想她並不想見我吧。」甘柏站了起來，說：「我到屋裡去找本書看。」

麥當看向鮑伯．伊登，伊登卻坐著不動。「我跟那位大夫是朋友。」他解釋道。

「哦，是嗎？」麥當不悅道。

「是啊，我昨天早上見過她，她是位傑出的女性。」

惠肯大夫來了。「噢，是麥當先生嗎？」她和主人握個手。「真高興你又來到這裡，跟我們這些人在一起。」

「謝謝誇獎，」麥當冷冷的說。「這位是伊登先生，認得吧？」

「噢，哈囉，」女人笑道：「咱們又見面了，真好。不過我可對你不太滿意，你今天怎麼沒來找我？」

「噢，我們這裡有事情在忙哩，」伊登回答道，「請坐，請坐。」

伊登搬上一張椅子，看來必須給麥當一些暗示，免得他當主人的失去了待客之道。客人坐下後，麥當顯得相當傲岸，坐的稍遠，只等客人先開口。

「麥當先生，」惠肯大夫說：「如果打擾到你的話，我真的很抱歉。我知道你來到這裡是為了休息，並不希望訪客上門。不過我這可不是社交上的拜訪，而是有關你這裡發生的那件駭人的事。」

麥當有好一會兒沒有回答。「妳是指……」他緩緩的說。

「我是指可憐的王路易遭到謀殺的案件。」女人答道。

「喔。」麥當似乎是鬆了一口氣吧？「是……是啊。」

「我跟路易是好朋友，他經常來看我，當我聽到這件事情時，我感到很難過。而你呢，麥當先生，他對你非常忠心，你一定會盡全力把兇手找出來吧？」

「我一定盡我所能。」麥當漫不經心的說。

「不管我要講的是不是跟路易被殺有關，」大夫接下去說：「你都可以轉告警方，假如你願意的話。究竟有關還是無關，只有警察才能決定。」

「我洗耳恭聽，」麥當回答說：「妳要說什麼呢，大夫？」

「上星期六晚上有個男人跑到我那裡，他說他姓麥葛倫，亨利·麥葛倫，來自紐約，」惠肯大夫說：「他說他患有支氣管炎，可是我看不出癥狀。他向我借了間小木屋，我猜想暫時待一下吧。」

「嗯，」麥當點點頭：「請繼續說。」

「星期天晚上，天色很黑，也就是路易被殺之前不久，有人開了一輛大車來到我那裡，按了聲喇叭，我診所的小弟跑出去看，車上的外地人說要找麥葛倫，於是麥葛倫出來，跟車上的人交談了一會兒，接著坐上車走了，車子是往你這個方向開的。那是我最後一眼看到麥葛倫先生。他的小木屋裡留下一只手提箱，裡面都是衣服，人卻沒有回來。」

「所以妳認為是他殺死了路易？」麥當問道，客套的語氣帶著懷疑。

「我不作任何揣測，真相如何我怎可能曉得？我只是認為這件事應該提醒警方注意，由於你跟案情的偵辦關係比較密切，所以我才請你告訴他們。需要的話，他們可以去檢查麥葛倫留下的東西。」

「好的，我會跟他們講，」麥當站起來，說道：「不過妳要是問我個人的看法，我並不認為……」

「謝謝你，」大夫笑道：「不過我並不是問你個人的看法，麥當先生。」她也站了起來。「看來我們的交談就至此結束了。我很抱歉打擾你了！」

「喔，不要那麼客氣，妳這哪是打擾？」麥當不以為然道：「也許妳這情報很有價值也說不定，誰曉得呢？」

「很謝謝你能這麼說，」大夫軟中帶刺的說，她眼睛看向鸚鵡架。「東尼哪裡去了？至少牠是很想念路易的。」

「東尼死了。」麥當直率的說。

「什麼！東尼也死了！」大夫靜默了好一會。「唉，我這次來拜訪你，印象真是滿深刻的，」她幽幽說道。「請代我向你女兒致意。她沒跟你在一起嗎？」

「沒有，」麥當回答說：「她沒跟我在一起。」那就是答案。

「真可惜，」惠肯大夫說：「我猜她已經變得很可愛了。」

「謝謝妳，」麥當說：「請等一下，我叫傭人帶妳到妳車那裡。」

「不必麻煩了，」鮑伯．伊登插嘴道：「我來就可以。」他帶路穿過明亮的客廳，只見甘柏先生正埋首看著一本厚書。來到前院，大夫轉身向著他。

「怎麼會有這種人，簡直是鐵石心腸！」她說道：「依我看，路易的死對他一點意義也沒有。」

「恐怕少得可憐。」伊登同意道。

「好吧，那我只好靠你了。假如他沒有把事情告訴警方，你一定要講。」

小伙子遲疑了一下。「我偷偷告訴妳好了，」他說道：「已經有人在盡力追查殺死路易的兇手了，這個人不是麥當，而是……其他的人。」

夜色漆黑，星空燦爛，大夫坐進晦暗的車內，沉默了好一陣子。「我想我懂你的意思，」她幽幽的說：「小兄弟，我衷心祝你好運。」

伊登同她握手。「假如我不能再見到妳的話，大夫，我只是要讓妳知道，認識妳實在是我莫大的榮幸。」

「我會記住你的話，」她答道：「祝你晚安。」

小伙子一直看著她的車穿過敞開的園門而去。回到客廳時，他看到麥當和甘柏都在那裡。「討人厭的愛管閒事的老女人。」麥當說。

「少缺德了吧，」伊登惱怒的說：「你不要忘了，那個女人赤手空拳為這個世界帶來的好處，可比你這個有錢人多太多了。」

「光憑那樣，她就可以管我的閒事嗎？」麥當質問道。

更加激烈的話湧向伊登的舌尖，但是他隱忍住了。雖則如此，對這個高傲、冷血的大亨，他也差不多受夠了。

他看向時鐘，差十五分九點，索恩和伊芙琳．麥當仍然不見人影。是那位千金的火車誤點了嗎？不太像。

儘管覺得自己留在客廳不是很受歡迎，他還是賴著不走。他想看看事情的最新發展。十點整，甘柏先生站起來，對沙漠的空氣推崇有加，然後向自己的房間走去。

十點過五分，大轎車的引擎聲出現在前院，衝破了近乎停滯的緊張氣氛。鮑伯．伊登坐直起來，渴望的眼神從這個門漫遊到另一個門。不久通往後面庭院的玻璃門打開了，馬丁·索恩一個人走進來。

這位祕書一個字也沒向老闆稟告，帽子一扔，疲倦的朝一張椅子坐下。客廳裡的沉默變得更加緊迫。

「你事情辦完了吧？」伊登故作輕鬆的問。

「是啊。」索恩說道——沒下一句了。伊登站了起來。

「好吧，我看我回房裡去了。」他說道，往臥房走去。進入房間時，他聽到甘柏先生正在洗澡，浴室就位於他的臥房與教授臥房的中間。這下他的隱密性沒有了，此後必須更加小心。

電燈才剛點亮，阿金就來了，他伸出手指貼在嘴唇上，中國人點點頭表示理會。他們走到臥房離浴室較遠的地方，低聲交談。

「怎樣，伊芙琳呢？」伊登問。

陳查禮無奈的聳了聳肩。「更加的玄了。」他低聲說。

「咱們的朋友索恩出去了四個小時，不知道幹啥去了？」伊登不解道。

「享受在沙漠的月光下開車的樂趣吧，我想。」陳查禮答道。「那輛大轎車出發時，我看了一下里程錶，是一萬兩千八百四十英哩。我們這裡到鎮上是四英哩，回來也是四英哩，可是那輛大轎車回來時，里程錶的數字是一萬兩千八百七十九英哩。」

「哇，你可真仔細耶，查禮。」伊登驚歎道。

「索恩去了奇怪的地方，」陳查禮充補說。「那地方有很多紅土，」他出示手上的泥土。「這是從油門上刮下來的，」他解釋道。「也許你在附近一帶見過這樣的地方？」

「沒有欸，」伊登回答道。「你該不會認為索恩害了那女孩吧？可是那不可能，這件事麥當似乎也有參與，而且那女孩是他的心肝寶貝。」

「那這只是額外的一個小問題吧！」陳查禮說。

伊登頷首表示同意。「老天爺，自從我被代數打敗之後，從來沒有遇到過那麼多問題。噢，對了，明天是星期二，那串珍珠項鍊就要出現了，這真是太棒了，至少P・J・麥當本人認為如此，明天他將會很不好對付。」

外頭的門輕輕敲了一下，陳查禮及時至壁爐旁邊忙著升火，門打開了，麥當出奇安靜的走進來。

「噢，嗨——」伊登開口道。

「噓！小聲一點。」麥當說道，他眼睛瞄了浴室一眼。「阿金，你出去吧。」

「是的，老闆。」阿金說道，走了出去。

麥當走到浴室門邊，傾聽裡頭的動靜，再用手輕輕一推，門開了，他走進去，把通往甘柏房間的門扣上，轉身回來，再把這邊的門關上。

「這就行了，」他開口道：「我要跟你談一件事，你講話時聲音小一點。我總算打電話聯絡到你父親，他告訴我他派了一個名叫德瑞考特的人帶著項鍊前來，明天中午會抵達巴斯托。」

伊登的心情沉了下去。「噢……那他應該明天晚上就會來到這裡。」

麥當倚近了些，聲音低沉而沙啞。「不管發生了什麼事，」他說：「我都不要那傢伙來到農莊這裡。」

伊登愕然看著他。「喔，麥當先生，那我……」

「小聲一點！不要講出我的名字。」

「可是我們這裡準備了老半天……」

「我告訴你我已經改變主意了，我不要那條項鍊被帶到這裡來。我要你明天到巴斯托見這位德瑞考特，要他前往帕薩迪納，我星期三要去那裡。你叫他星期三中午準時在帕薩迪納的嘉菲德國家銀行大門口等我，到時我會向他要那條項鍊，然後把項鍊寄放在安全的地方。」

鮑伯．伊登露出了微笑。「好吧，」他同意道：「畢竟你是老闆。」

「很好，」麥當說：「明早我會叫阿金開車載你到鎮上，你再搭火車到巴斯托。但千萬記住，這件事你知我知，不能透露給任何人。你當然不能告訴甘柏，連索恩也不能講。」

「我明白你的意思。」伊登回答道。

「非常好！那就一言為定了。祝你晚安。」

麥當輕輕的離開，伊登望著他離去的背影許久，心中比之前更加的迷惑。

「好吧，不管怎樣，」最後他自言自語說：「攤牌的時候又往後延了一天。光是這樣就該千恩萬謝了。」

【第十二章】沙漠裡的電車

又是一個新的黎明，日夜無情的輪替，太陽又出現在這片地形奇特的乾旱地帶上空。鮑伯・伊登很早就走出戶外，這已漸漸成了他的習慣。吃早餐之前他有充分的時間反省，而無可否認的，他也的確有好多事情要想。他逐一回顧著自從來到農莊之後所發生的事，最令他不解的是伊芙琳・麥當，那位嬌生慣養的千金小姐現在哪裡去了？沙漠的清晨沒有霧靄，然而籠罩在他心裡的濃霧卻有增無減。除非有比較明確的事情出現，那種大家能夠理解的事。

早餐吃完後他站起來，點燃一根香菸，他知道麥當正巴望他趕快開口。

「麥當先生，」他說：「我有件相當重要的事，今天早上必須到巴斯托去。我知道這是不情之請，假如阿金能載我到鎮上去搭十點十五分的火車……」

索恩的綠眼珠子突然充滿了好奇。麥當看著伊登，眼睛流露出難以掩飾的批准。

「喔，那不成問題，」他回答說：「我很樂意替你安排。阿金，你半小時內載伊登先生到鎮上，聽懂了嗎？」

「怎麼有那麼多工作要做？」阿金抱怨道：「每天從天剛亮就做、做、做，一直做到太陽下山都還沒完。要人載他幹嘛不早說？」

「你在說什麼？」麥當勃然道。

阿金把肩膀聳了聳。「好吧，老闆。我載他就是了。」

不久之後，伊登和這位中國人一起坐在車內，農莊已被拋在背後。陳查禮眼睛帶著問號的看著他。

「現在換成你在故弄玄虛了，」他說：「要到巴斯托辦事情，我怎麼沒料到？」

伊登大笑起來。「這是咱們那位大老闆吩咐的，」他說：「他要我去那裡和艾爾・德瑞考特見面，那位仁兄帶著項鍊專程前來。」

陳查禮空出一隻手叉著自己的腰，久久，而那「消化不了」的負擔卻依然故我。

「麥當又改變主意了嗎？」陳查禮問道。

「正是如此。」伊登把昨夜大亨跑去找他的用意敘述了一遍。

「你知道那代表什麼嗎！」陳查禮驚訝的大聲說道。

「噢，我當然知道，」伊登回答道：「那又多給了我們一天好『呵．馬里馬里』了。此外，那也是另一個待解的謎。噢，對了，我還沒告訴你昨晚惠肯大夫為什麼來找我們。」

「不必告訴我了，」陳查禮回答道。「我當時徘徊在門裡面，什麼都聽到了。」

「噢，真的嗎？那你知道殺害路易的說不定是病鬼菲耳，而不是索恩囉？」

「可能是病鬼菲耳，也有可能是開車跑去找他的那個陌生人。我必須承認我對那個陌生人很感興趣。他到底是誰？傳遞路易回到這可怕沙漠的消息，會不會是他？」

「噢，你要是開始問我問題的話，」伊登回答道：「那最大的一個懸疑也玩完了，咱們洗手不幹回家去吧，因為我一點腹案也沒有。」正說著，厄爾多拉多已經到了，建築物的屋頂在早晨的陽光下閃耀著。「對了，咱們去看看何利吧。火車時刻還沒到，我想我還是要搭這趟車，說不定有人在監視哩。在這段時間裡，何利說不定有新的消息可提供。」

報社編輯正在案頭上忙著。「哈囉，你們今天真早，」他說道，把打字機推向一旁。「我只是在打份訃聞，可憐的老路易！你們那個神祕的農莊有什麼新聞？」

鮑伯·伊登告訴他惠肯大夫的來訪，以及麥當對珍珠項鍊交易地點的突然改變，因此他即將要像隻呆頭鵝一樣，趕著到巴斯托去。

何利笑了起來。「開心一點吧，出趟小遠門會讓你開朗些，」他說道。「你認為那位伊芙琳小姐怎樣？噢，我想你見到她了吧？」

「什麼她怎麼樣？你這話什麼意思？」伊登詫異的問。

「咦，她昨天晚上到了，不是嗎？」

「誰都沒見著，她的人影並沒有在農莊出現。」

何利站起來，來回走了一圈。「那就怪了。真的太奇怪了。她明明坐火車六點四十分到的。」

「你確定嗎？」伊登問。

「當然確定，我親眼看到她。」何利又回到椅子坐下。「昨晚我不很忙，可說是放假，我一年三百六十五天都這樣，所以我散步到了車站，看到六點四十分火車進站，索恩那個時候也在。一個漂亮的女孩下了火車，身高滿高，我聽到索恩喊她伊芙琳小姐，女孩子問說：『我爸爸怎麼了？』索恩說：『妳先上車，再說，他無法親自來接妳。』女孩子上車後，車子就開走了。所以我自然以為，她將會為你那裡的生活帶來光亮。」

伊登搖搖頭。「這可就好玩了，」他說：「索恩回農莊的時候是十點剛過不久，而且是一個人回來的。你看查禮多聰明，他發現索恩開這趟車一共跑了三十九英哩。」

「還有，我從車子的油門，以及索恩的鞋底，都刮下了少許紅色土壤，」陳查禮補充道。「何利先生，這附近一帶你比較熟，也許你能告訴我哪裡有紅色的土壤。」

「地方有好幾個，我一時也說不上來。」何利回答說：「嗯，這件事真的越來越複雜了。噢，差點忘了，我這裡收到一封給你的信，伊登。」

他拿給伊登一封雅緻的信，上面的筆跡有些舊式。伊登好奇的拆開來看，是喬登夫人寫來的，信中懇請他不要使這筆交易失敗。他回到信的最開頭，朗讀出來。喬登夫人說她無法理解，既然麥當人在這裡，而且項鍊也帶了，為何遲遲不把東西交給他呢？如果無法得到那筆錢，對她造成的後果將會非常嚴重。

伊登唸完後，頗不諒解的望著陳查禮，隨後把信撕成碎片，丟進字紙簍裡。「我快要受不了了，」他說：「這位夫人是我見過最令人敬愛的長輩，她這封信讓我覺得是我們對不起她。而且不管再怎麼說，麥當農莊發生的事根本與我們無關，我們的任務是喬登夫人交……」

「很抱歉，我打個岔，」陳查禮插嘴道：「你說到那點，我也深深覺得責任重大。在我內心之中，對人的忠誠永遠像花一般的盛開……」

「好吧，那你說我們該怎麼做？」伊登質問道。

「觀察和等待。」

「可是老天，我們那些都做了。今天早上我想了很久，難以理解的事一個接一個發生，卻沒有一件事是我們能理解的，這樣的狀態可能會一直持續下去。告訴你吧，我可受夠了！」

「忍耐，」陳查禮說：「是一種非常孤獨的美德。中國人好幾千年來就像園丁照顧花卉那樣的培養著耐性，而白種人卻像關在瓶子裡的昆蟲拼命想衝出來，我請問你，哪一種策略比較好？」

「可是查禮你聽我說，我們在農莊發現到的這麼多事情，那是警方的責任啊！」

「是啊，那個愚不可及的普里斯探長，他走起路來可真是趾高氣揚。」

「他步伐多寬我管不了，那又有什麼關連呢？不行的，先生，我不懂我們幹嘛不把項鍊交出去，拿到麥當的收據，然後把郡治安官找來，告訴他，讓他去操心是誰在麥當農莊裡被殺了。」

「他自然會解決問題囉，」陳查禮譏笑道；「我想必然有很棒的見解，跟普里斯探長一樣。你除了極力反對我之外，怎麼不想點別的？」

「嗯，我擔心的是喬登夫人啊，我很關切她的利益。」

陳查禮拍拍他的背部。「那誰會有異議呢？你這年輕人不錯，忠實而且善良，但是請你聽從老頭子的意見。何利先生，你有話要說嗎？」

「沒錯，」何利笑道：「伊登，我完全站在老陳這一邊。現在把這件事情放棄太可惜了。本郡的治安官的確有他的一套，但是這整件事情對他而言太難了。這樣不好，你得再等一等……」

「好吧，那我等。」伊登歎息道：「只是你得告訴我，咱們在等什麼？」

「麥當明天要去帕薩迪納，」陳查禮回答：「索恩想必也會跟去，而這個甘柏我們再設法封住他的嘴，接下來就是大好良機，我們要像追趕電車似的迅速把農莊搜查過一遍。明天我們一定可以查到很多東西。」

「你當然沒問題，」伊登回答道：「我沒有搜尋你所要的那種獵物的渴望，不過我承認我挺好奇的。查禮，喬登夫人是你的老朋友，這樣拖延你能負責嗎？」

「包在我身上，」陳查禮同意道：「責任由我來扛。珍珠項鍊也是一樣，現在就裹在我肚子上，我這樣一摸，這些珍珠還挺快樂滿足的咧。我建議你，你這趟毫無目的的巴斯托之旅，現在可以上路了。」

伊登看了一下手錶。「我想也是。偶爾到都市裡生活一下，對任何人都不會有害。但是我要提醒你，等我回來的時候，我必須看到一線希望，假如又發生了更多烏漆抹黑的神祕事件，我一定會衝到沙漠中尖聲大叫！」

結果去搭這趟火車證明是個好主意，因為他在車站月台上遇到了寶拉・溫岱兒，顯然這位小姐也要搭車。小姐她穿了套騎馬裝，帥氣的惹人注目，眼睛也洋溢著光彩。

「哈囉，」她打招呼道：「上哪兒去？」

「到巴斯托辦件事。」伊登解釋道。

「很重要的事嗎？」

「當然囉，其他事哪需勞駕本人的聰明才智。」

一班小得可憐的火車慢慢晃進站來，車廂只有兩節，他們上了其中一節，選個座位坐在一起。

「真可惜你要到巴斯托，」女孩說：「我再過幾站就要下車，然後雇一匹馬，騎上一段長長的路去寂寞峽谷。假如你也跟我一道的話，路上就不那麼寂寞了。」

伊登開心的笑了起來，一個人是少有機會跟這雙俊俏的眼睛相對的。「我們到哪站下車？」他問道。

「我們？你剛剛不是說……」

「我這些天來一向不講真話。巴斯托並不需要我的出現，情形就像妳不需要看整容醫師一樣。過了今天，寂寞峽谷就要改名了。」

「那太好了，」她回答道：「我們在七棕櫚下車，租馬給我的那位老牛仔一定還可以幫你找另一匹。」

「我身上的服裝不道地，」伊登說：「不過對於馬本身來說，想必都一樣。」馬其實根本不是問題，原本他那麼垂頭喪氣，正希望能碰到這樣的事。他們離開七棕櫚小部落，騎著馬在沙漠上慢跑。

「天地如此遼闊，真是值得俯仰、值得訝異、值得讚歎。」伊登說道：「我還沒來這裡之前，無從了解沙漠竟如此開闊。」

「開始喜歡沙漠這裡了嗎？」女孩問道。

「嗯，有一點。」他承認道：「那種感覺慢慢在心中滋長，這是事實，我不知道如何形容那樣的感受。」

「以我而言，肯定辦不到，」她回答道。「噢，你是頭一次到這地方，我真羨慕你，假如我能再一次以新鮮、不偏不倚的眼光來觀看這片大地的話，真不知有多好。不過這種情形僅限於我，好萊塢的牛仔、驛馬車、護花使者那一套我看多了，悲劇、俠義、救美和逃亡，告訴你吧，這些沙丘、峽谷所看過的電影，比威爾·海斯（Will Hays）還要多。」（譯註：威爾·海斯在一九二二年至一九四三年執行控制美國電影的製片法典。）

「妳今天也要找外景嗎？」伊登問。

「隨時都在找，」她歎了口氣。「他們剛丟給我一份劇本——跟那邊那些山一樣新的劇本，總不外是這裡有個粗獷的西部牛仔，然後從東岸來了位漂亮的富家千金——你知道的。」

「那當然，那位千金厭倦了上流社會的紙醉金迷，是吧？」

「誰不厭倦呢？不過，紙醉金迷的生活什麼都有，連游泳池都要加班工作，每次都一樣。但是那個部分與我無關。問題是她來到這裡，有點像是渴望見到一位真正的男人吧，這我就得開始操心了。於是富家千金遇到了那位牛仔，這我需要附帶補充嗎？千金的馬在沙漠裡頭跑了，把她遺棄在那片山艾樹叢之中，就在千鈞一髮的時候，那位牛仔發現她了。儘管他們的社會背景不同，在如此的荒旱之地還是開出了愛的花朵，無情荒地有情天嘛。有時候我還真高興我這種工作正開始要沒落了。」

「是嗎？為什麼？」

「呵，電影在進步嘛。幾年前，負責尋找拍片外景的人可紅得很，時至今日，這個國家大部分的地區都被探勘過了，而且製成圖片，每一家電影製片廠都建立厚厚的檔案，裡頭裝滿了照片。所以每次公司裡來了一個新的績效專家，大約每週來一次，他就開始砍人頭，而且通常是做我這種工作的人最早走路。再過不久我們就像孤鴿一樣，在地球上絕跡。」

「妳也許會被炒魷魚，」伊登說：「但是妳和孤鴿相似的特質將會戛然而止。」

女孩勒住了馬。「請等一等。我想在這裡拍幾張照片，這地方的場景我們好像還沒用過，把這種景色在東岸城市的大街張貼起來，售貨小姐和書店店員經過時都會觸動心靈，回頭再看一遍。」當她回到馬鞍上時，她補充說：「也難怪她們喜歡，住在城市裡那麼累，大家都在想，噢，假如我能夠去那裡該有多好！」

「對呀，而一旦他們跑來這裡，頭一天晚上就會寂寞而死。」鮑伯・伊登說：「因為想念地下鐵以及晚報上的漫畫，痛苦的哀了一聲，就掛了。」

「我知道他們會那樣，」女孩答道：「好在他們不會來。」

他們繼續騎著，寶拉指著各種長相猙獰的沙漠植物，逐一說出它們的名字：箭木、苦根薔薇、牧豆樹、沙漠車前草、貓爪滕、鼠尾薊。

「那是卻拉仙人掌，」她指出，「是沙漠仙人掌的一種，世界各地的仙人掌一共有一萬七千種。」

「好啦，」伊登回答道：「我相信妳講的就是了，不用把它們的名字都講出來。」面對植物名，他頭開始痛起來。

不久他們看到了野漆樹和風鈴草，這表示峽谷近了，於是兩人策馬慢跑，擺脫沙漠的燠熱，進入恍如教堂般清涼的群山之間。循著忽隱忽現的馬匹足跡，野生的李花沿著斜坡盛開，原始棕櫚的底下遠遠傳來一條小溪的潺潺流水聲，彷彿在邀請著他們。

在寂寞峽谷裡，生命似乎十分單純、愉快，鮑伯．伊登忽然覺得身邊這位眼神殷切的女孩是如此的有活力，而自己竟與她如此接近。城市裡頭熙來攘往，全都是一場謊言，這個天地如此的清新、純淨、無染，他們又單獨在一起。

他們沿一條崎嶇的路走下去，小溪旁邊生長著參天的棕櫚樹，寶拉．溫岱兒將背包卸下，拿出午餐。

「好棒的休憩地點。」鮑伯．伊登說。

「你前兩天不是說你從不感覺到累？」女孩舊話重提。

「嗯，我是不累，可是我就是喜歡這裡。但話說回來，我想這不全是地點的問題，你置身何處並不重要，重要的是和你在一起的人。唔，在高度的自我吹捧之後，我想立刻補充的一點是，我真的一點東西也吃不下。」

「你說對了，」她笑道：「你果然不講真話。我知道你在想什麼，你以為我帶來的食物不夠兩人吃是吧，不過這些綠洲三明治可是為莊稼漢做的，一個我就飽了，而這裡有四個，這我得事先聲明。牛奶我們一人一半。」

「但是小姐，這是妳的午餐。我在七棕櫚的時候應該想到買點東西的。」

「這份是牛肉三明治，吃看看，這樣你也許不用多費唇舌了。」

「喔，這個……嗯……」

「怎樣，我沒說錯吧？你看，綠洲的東西就是以填飽肚子為目的。牛奶要不要？」

「我覺得好丟臉！」伊登鼓著雙頰說，他倒是很容易就被說服。

「妳怎麼不吃東西？」他終於問。

「噢，我吃啦，吃得比平常都多。我吃東西是那種精緻主義者。」

「這對魏博真是天大的福音。」伊登說：「伙食費用不會過高。不過他若是夠清醒的話，不管養一個像妳樣的老婆伙食費要多高，都是值得的。」

「我已經致上了你的問候之意。」

「真的嗎?嗯，就某方面而言，妳這麼做我可有點遺憾。我這個人並不那麼偽善，雖然私下努力了，可是卻找不出我會喜歡他哪一點。說也奇怪，他老兄開始讓我覺得困擾了。」

「你不是說……」

「我知道。只不過這種人身自由的玩意兒，我是不是高估了?我還年輕，年輕人往往會犯錯，假如妳已經聽過了，那就叫我別再講了，可是我越看妳——」

「別再講了。這我已經聽過了。」

「就是嘛，這我已經講過不知道多少遍了。」

「另外我的建議是我們該上工了，不如此的話，你騎的那匹馬就會吃下過量的百慕達青草。」

一整個下午他們便在這些酷熱的黃土沙丘、這些風蝕的山麓小丘之間穿行，騎著馬繞過迂迴的路線回七棕櫚。夕陽漸漸西下，玫瑰色夾著金色的晚霞映照在白雪和沙土上，聚落終於出現在眼前。

「假如我能為最後面男女相愛的那一幕找到新的場景，不知道該有多好！」寶拉歎口氣道。

「誰相愛的最後一幕？」

「牛仔跟那個可憐的富家女，他們有好多次手牽著手，漫步在夕陽下。除此之外，這齣戲真的需要更來電一點的東西。」

伊登聽到一聲輕脆的響聲，好像馬蹄踩在鋼鐵上，馬背上一陣顛簸，他趕緊勒住坐騎。

「怎麼一回事？」他問道。

「噢，是這條老的鐵路支線，鐵軌有一半埋在土裡，當年的美夢從來沒有實現，留下了這個當紀念。很多年前他們在那片木棉樹下建立一座小鎮，這條鐵路就是從主線岔出來的，有十五英哩長，他們本來想將那裡發展成為沙漠中的繁華都會，可現在只剩下幾幢破敗不堪的老房子。不過那可是個『大希望』的年代，吸引來好大一群人，曾經狂熱到一個下午就賣掉六百筆土地。」

「那鐵路呢？」

「只行駛過一列火車，然後就中止了。他們從舊金山買來一組引擎和兩節老式的電車車廂，後來有一節車廂壞了，連拆下來的木板也被搬走，不過另一節車廂的殘骸還在，順著這條鐵軌一直過去就會看到。」

他們又騎了一段路，鮑伯·伊登忽然大叫道：「妳知道那是什麼嗎？」

他們前面的沙地上正好立著一節電車的殘骸，車體稍稍傾斜，一部分的車身埋在沙磧之中，窗戶沾滿厚厚的黃土，不過電車前面「市場街」三個大字尚依稀可辨。

看到這幅似曾相識的情景，鮑伯·伊登陡然升起一股懷舊之情，他控住坐騎，注視這個沙漠擊敗人類的雄心壯志的象徵。人類總認為自己能征服一切，帶來了火車引擎以及美夢，而現在一節電車孤伶伶的傾斜在這裡，是一種警告，也是一種威脅。

「這就是妳要的場景了，」他說道：「牛仔和富家女開車來到這裡，就坐在報廢電車的車門台階上，談著他們的戀情。妳看多好的背景！一輛曾經往來於雙峰和渡船口的電車，孤獨而絕望的屹立在遍地仙人掌之間。」

「你說得太好了，」女孩回答道：「看來跑完這個劇本之後我得雇你當助手。」

他們在車前下馬，女孩卸下照相機，將之架了起來。「妳不把我照進去嗎？」伊登問。「妳知道嘛，就當我是戲裡頭愛人的樣板。」

「樣板無存在的必要！」她笑道，照相機卡答一聲，正在照著，兩個年輕人都被眼前出現的景象嚇了一跳，呆在原地：一個老頭──駝著背，下巴的鬍鬚漆黑如炭──突然從電車背後走了出來。

伊登攫住了女孩的眼神。「上星期三晚上在麥當那裡碰見的嗎？」他低聲問道。

她點點頭。「就是那個老探礦工人。」她回答道。

黑鬍子老頭並沒有說話，只是吃驚的站在電車「市場街」標示牌下的平台上。

【第十三章】伽律先生目睹的一幕

鮑伯·伊登走上前去。「你好，」他開口道：「我們沒打擾到你吧？」

老頭從平台上下來，站在沙地上，行動有些困難。「你好！」他和伊登握個手，很鄭重的問好。他也和寶拉·溫岱兒握了手。「小姐妳好。我只是打個小盹，並沒被你們吵到。噢，我以前精神可是好的很。」

「我們碰巧路過這裡……」伊登說道。

「這條路很少人走，」老頭回答道。「我叫伽律，威廉·I·伽律，請不用客氣，可惜，特別車廂的椅子有些不足，小姐。」

「沒關係。」女孩說道。

「我們可以在這裡停留一下吧？」伊登問道。

「吃晚飯的時間快到了，」老頭好客的邀請道：「留下來跟我一道吃吧，怎麼樣？我這裡有個豌豆罐頭，還有少許燻肉……」

「我想不用了，」伊登對他說：「謝謝你的好意，但是我們馬上就要回七棕櫚了。」寶拉．溫岱兒在車廂台階處坐下，伊登則坐在溫暖的沙地上。老頭走到車廂後面搬來一個空肥皂箱，幾度勸伊登坐這個椅子不成，遂自己坐上去。

「你把這裡當成家，倒還挺不錯的。」伊登說道。

「家？」老頭挑剔的端詳著電車車廂。「你說這是家嗎，小伙子？我這三十年來從來沒有家，說是暫時的棲身之處倒還可以。」

「你住這兒很久了嗎？」伊登問道。

「有三、四天吧。風濕痛的老毛病又犯了，我明天得走了。」

「走？到哪裡？」

「唔，到很遠的地方。」

「很遠，到底是哪裡？」伊登笑道。

「哪裡都可以，遠方，某一個地方。」

「邊走邊看，是嗎？」

「你說對了，就是邊走邊看。我要到很遠的地方，一邊走一邊看。」他那疲憊的雙眼看著遠方的山頂。

「你期望發現到什麼？」寶拉．溫岱兒問。

「以前我發現過一條銅礦礦脈，小姐，」伽律先生說：「但是被他們奪走了。不管怎樣，我還是繼續在找。」

「你在沙漠地帶待很久了嗎？」伊登又問。

「有二十……二十五年了，我走過一個又一個沙漠。」

「在那之前呢？」

「在澳洲西部探礦，從哈南一直探勘到豪爾港——那要越過行政區域未定地，一直到達昆士蘭。然後是運送牲口，從港灣地帶一直開車到新南威爾斯。接下來是在遠洋貨輪工作，當鍋爐室的司爐。」

「那你出生地是澳洲囉？」伊登問道。

「你說誰……我嗎？」伽律先生搖搖頭。「我出生在南非，英國人的後裔。剛果、尚比西，英屬中非到處都走過。」

「那你是怎麼到澳洲的？」伊登不解道。

「噢，這我也不清楚呢，小老弟。我在南美洲非法入境，待了一陣子，又流浪到墨西哥從軍。澳洲那裡好像也有我要的某種東西吧，總之，我到了那裡。來這個地方也是同樣的方式。只要是遙遠的地方，我就去。」

伊登搖了搖頭。「我的老天，你見過的事物可多了！」

「我想是吧，小老弟。在雷德蘭茲的時候，有個醫師告訴我說：『你必須配一副眼鏡。』我說：『別胡扯了，醫生。我要眼鏡幹嘛，哪樣東西我眼睛沒見過？』說完這句話後，我就走了。」

他們沈默下來。鮑伯．伊登不太有把握引入正題，真希望陳查禮就在身邊，然而此刻他的任務十分清楚。

「你……呃，你剛才說，你住這裡大約有三、四天了，是嗎？」

「我想是吧。」

「上星期三晚上的事情，你是否記得呢？」

老頭的眼睛頗為銳利的望著這位小伙子。「記得又怎樣？」

「我只是想說，假如你不記得的話，我可以幫你回想一下。那天晚上你在麥當農莊裡，那地方離厄爾多拉多很近。」

老頭緩緩將帽沿下垂的軟帽取下，長滿繭的手從帽帶中取出一根牙籤，旁若無人的往嘴巴裡剔著。「我也許人在那裡，那又怎樣？」

「嗯，我想跟你談一下那天晚上的事。」

伽律逼視著他。「你看起來很陌生，而洛磯山以西的每一個郡治安官和地檢處檢察官我大概都認識。」

「那你承認發生在麥當農莊裡的事，郡治安官會感到興趣囉？」伊登立刻反問道。

「我沒有承認任何事。」老採礦工人回答道。

「你擁有上星期三晚上麥當農莊的相關情報，」伊登堅持的說：「那情報很重要，我必須要知道。」

「我無可奉告！」伽律堅執不退。

伊登改變策略。「那你到麥當農莊幹嘛？」

伽律把陳年牙籤在口裡轉了轉。「去看看而已，啥也沒幹。就像剛才講的，我在沙漠地區晃來晃去很久了，偶爾會晃到麥當那個地方。我跟那裡的老管家王路易是朋友，每次去的時候，他都會塞些吃的給我，讓我在穀倉裡面睡覺。而我呢，該算是他的伴吧，他在農莊裡怪寂寞的，雖然他只是個中國佬，不過就算是白人，寂寞起來也是一樣的。」

「路易是個老好人，是吧？」伊登探問道。

「非常好的好人，小老弟，我這可是良心話。」

伊登緩緩的說：「王路易已經被人殺了。」

「你說啥！」

「星期天晚上在農莊外面的園門邊被人刺了一刀，死了。兇手……還沒找到。」

「天殺的傢伙！」伽律先生憤怒的罵將起來。

「我的感覺跟你一模一樣。我雖不是警察，但是我想盡力把兇手找出來。伽律先生，你那天晚上在農莊裡看到的事，毫無疑問跟路易的被殺有關。我需要你的幫助，現在你肯告訴我嗎？」

伽律先生取出嘴裡的牙籤，用手拿著，若有所思的看著那根小玩意兒。「好吧，我講，」他說道：「我希望跟這件事情撇清關係，法官和檢察官那一票垃圾都跟我有仇，我躲他們躲得遠遠的。但是我是個高尚的人，沒什麼好隱瞞的。我很願意講，但卻不知從哪裡講起。」

「我來幫你，」伊登高興的回答道。「那天晚上你在麥當農莊，也許有聽到人喊『救命啊！救命啊！有人要殺我！把槍放下！救命啊！』這一類的喊叫聲？」

「我真的沒啥好隱瞞的，那正是我所聽到的。」

伊登的心臟激烈的跳著。「而之後呢，你看到了什麼？」

老頭點了點頭。「我看到很多，小老弟，王路易不是麥當農莊裡頭一個被殺的人，我當時看到了兇殺案。」

伊登倒吸了一口冷氣，他看到寶拉．溫岱兒也雙眼圓睜大驚失色。「原來你看到了，」他說：「那請繼續，全部講出來吧。」

伽律先生又把牙籤朝牙縫裡塞，但這絲毫不影響他講話。

「生命很有意思，」他開始敘述，「充滿了大大小小奇怪的轉折。我本來以為這對我和這片沙漠而言，只是多了一個祕密而已。我對自己說，沒有人認識你，不會有人向你問問題，但是我想我錯了，這件事還是講出來的好。用哪種方式講出來都無所謂，不過我寧可離法庭遠一點……」

「嗯，我或許能幫你，」伊登提道：「請說吧。你剛才說你看到有人被殺……」

「你不用性急，小老弟，」伽律先生說道。「我剛才講過，上星期三天黑之後，我跟往常一樣，閒來無事的逛到麥當農莊，才剛進入前院，就看到情況有點特殊。路易的主人來了，每一個窗戶都亮亮的，穀倉裡停了一輛大轎車，穀倉旁邊則是路易那輛老舊的小汽車。那時我已經累了，心想就到一旁等一下路易吧，省得被他老闆看到。只要別太招搖，一頓晚餐和一張床或許通融得來。」

「所以我把背包放進穀倉，走到廚房那邊。路易不在廚房裡面。我才剛走出來，就聽到屋子裡有人在大喊——那是男人的聲音，喊得很大聲，聽得十分清楚。『救命啊，』那個人這麼叫：『把槍放下，我知道你的把戲！救命啊！救命啊！』那些叫聲就跟你描述的一樣。好吧，我又不是來找麻煩的，我在原處不知所措的站了一分鐘。接著叫聲又出現了，喊的內容幾乎一樣——但這次叫的不是剛才那個人，而是東尼，那隻中國鸚鵡，牠的鸚鵡架在庭院裡頭，聲音非常尖銳，非常刺耳，總覺得聽起來比較恐怖。接著我聽到刺耳的槍響，砰，似乎是從房子某側的一個房間裡傳出來的，那個房間窗戶敞開，燈亮亮的。我低著身體悄悄走近，然後又出現一聲槍響，再來像是一種痛苦的呻吟。顯然子彈打中了，我走到窗戶旁邊，往裡面看。」他停了下來。

「然後呢？」伊登屏氣問道。

「嗯，那是間臥房，他拿著槍站在那裡，槍口還在冒煙，他的眼神很兇惡，同時也很害怕。地板上有個人倒在床鋪的另一邊，我只能看到那個人的鞋子。然後他轉身向窗戶，槍還拿在手上……」

「你說的是誰？」鮑伯．伊登嚷道：「誰手裡拿著槍？你是指馬丁．索恩嗎？」

「索恩？那個瘦瘦的、小人作風的祕書？不是，我說的不是索恩。我說的是他——」

「誰？」

「那個大老闆，P．J．麥當本人。」

接下來是一陣令人透不過氣的沈默。「我的老天！」伊登大驚失色的說：「麥當？

你說的是麥當？可是，那怎有可能。你怎麼知道？你確定嗎？」

「我當然確定，麥當我怎麼認不出，三年前我就在農莊見過他，個子高大、臉色紅潤、稀稀疏疏的灰髮，我不可能看走眼。他站在那裡，手拿著槍，轉頭看向窗戶，我趕緊把頭一低，然後就是你講的那個索恩，急急忙忙的衝進房間，說：『你幹了什麼啊？』麥當說：『我殺了他，那就是我剛剛幹的。』索恩說：『你可憐的傻瓜，這根本不必要的。』麥當把槍一扔，說：『為什麼不必要？我怕他。』索恩一副很不屑的樣子，說：『你這個骯髒的懦夫，你一直都在怕他，那次在紐約……』麥當瞪他一眼，說：『你給我閉嘴，別再講了！我就是怕他，所以殺了他。好了，現在我們來想想該怎麼做比較好。』」

老探礦工人停下來，望著眼睛睜得大大的聽眾。「好啦，先生，」他接下去說：「還有小姐，之後我就走了，留在那裡幹什麼呢？那又不干我的事，而且也不想上法庭以及諸如此類的事，所以我就躲進夜色之中，告訴自己說：這個美好的夜晚將會陪伴你好幾個年頭，你就悄悄溜走，讓別人去煩惱好了。於是我走回穀倉拿背包，正當我從穀倉裡出來時，一輛車子剛好駛進前面院子裡，我從鐵絲網圍起來的籬巴鑽出去，沿著大路步行離去。我本來以為我會跟這件事毫無瓜葛的，而你卻注意到了我，這就玄了。但是我本身是清白的，沒有隱瞞任何事，這些就是我所看到的事——絕對是真的，因此你得幫我。」

伊登站了起來，在沙地上走來走去。「天老爺！」他歎道：「這件事不得了了。」

「你這樣認為嗎？」老探礦工人問道。

「我這樣認為嗎！你也知道麥當是何許人，對吧？他是美國最了不得的人物……」

「他當然是，你知道那意味什麼嗎？那表示你永遠抓不到他的把柄，他總能想辦法避開危險、自我防衛。」

「噢，不，他不能，只要你把你看到的講出來，他就不能，你必須跟我回厄爾多拉多——」

「等一下，」伽律打斷他的話，「那正是我不願意做的事，我才不要到鎮裡頭憋著，除非絕對必要。我已經把親眼見到的講出來了，而且隨時再被問到，我都會再講一次，可是我不要回厄爾多拉多。都看你的啦，小老弟。」

「可是你聽我說……」

「是你要聽我說。你現在才得到多少情報？那個倒在床邊死掉的人，你知道他是誰嗎?他的屍體找到了嗎?」

「還沒有，不過……」

「我看也還沒有。好啦，你的工作才剛剛開始。我若提出對麥當不利的證詞，卻沒有別的東西可以佐證，那怎麼辦?你必須把證據找出來。」

「好吧，也許你是對的。」

「當然我是對的。我已經幫你一個忙了，現在換你幫我，你把我告訴你的話好好記著，回去厄爾多拉多，好好追查這個案子，盡可能別把我扯進來，要是你做不到的話……好吧，我會跟你聯繫。我大約一個禮拜以內會到尼德斯去，到老朋友『瘦子』瓊斯那裡待上一陣子。就是那個波特．J．瓊斯，搞房地產的，你可以在那裡找到我。我現在給你的是個很好的方案，妳不認為如此嗎，小姐?」

女孩向他微笑。「我覺得挺好的!」她同意道。

「這很難面面俱到，」伊登說：「可是你真的幫了很大的忙。我也不願意你在鎮裡頭憋著，儘管我很難相信你跟我講的是同一個厄爾多拉多。但不管怎樣，我們得在此分手了，伽律先生。我會接受你的建議，回去好好調查你講的這件事，它真的很有啟發性。還有我會盡量不把你扯進來，如果辦得到的話。」

老頭強忍著風濕痠痛站了起來。「那就一言為定，」他說：「你是個白人，不會錯吧。我並不是想救麥當，真有必要的話，我會上證人席的，但就像我剛才講的，也許你不必要我參一腳，就能夠將他整倒。」

「我們得走了，」伊登對他說道，他笑了起來。「我想我也不必拘什麼禮了，伽律先生，遇見了你真的讓我很高興。」

「我也一樣，」伽律回答道：「聊天時偶爾能有你這麼好的聽眾還挺快樂的，更何況還能看到這麼漂亮的小姐，而且我還不必戴上眼鏡就能一飽眼福哩。」

他們就在那片荒蕪的沙漠裡向老頭說再見，留下他一個人孤伶伶的站在電車車廂旁邊。兩人騎著馬，很長一陣子都沒有講話。

「嗯，」伊登終於開口道：「小姐，妳聽到不得了的事。」

「是啊，真是難以置信。」

「也許我從頭開始告訴妳一些事，妳就不會那麼難以置信了。妳總算被扯進麥當農莊的大懸案裡了，既然如此，我知道的而妳不知道，那就沒什麼道理。所以我打算講出來。」

「我也很想知道。」她承認道。

「那當然啦，自從有了今天的經歷之後。我來這個地方，是要跟麥當進行一個小小的交易——唔，那個我不必提，沒什麼特殊的關聯。我來到農莊的第一個晚上——」他從暗夜中鸚鵡的尖叫聲開始，以迄後續發生的一連串神祕事件全部和盤托出。「現在妳知道，顯然有人在路易之前被殺死了。但是誰被殺呢？我們現在還不知道。而兇手呢？總算今天有了答案。」

「真教人難以置信。」

「你不相信伽律先生講的話囉？」他問道。

「嗯，那些在沙漠地區漂泊的老先生有時候滿奇怪的，而且他的眼睛也……你也知道那個雷德蘭茲的醫師……」

「我知道，但問題還是一樣，我認為伽律先生講的是事實。在和麥當相處過幾天之後，我覺得他有能力做任何事。他是個冷酷無情的人，假如有人攔住他的去路——那就再見。有位可憐的老兄礙著他了，但並不長久。那是誰呢？我們會找出來的。我們一定要找出來。」

「我們？」

「對啊，呃，妳也捲進來了，在知道這件事情之後，不管願不願意，妳都得這麼做。」

「唔，我想我願意吧。」寶拉．溫岱兒說。

他們在七棕櫚把疲倦已極的馬匹還給牧場的馬房，找了家當地的飯店簡單吃頓晚餐，然後搭車回厄爾多拉多。到站之後才剛下車，陳查禮和威爾．何利已經在等著了。

「哈囉，」報社編輯打招呼道。「喲，哈囉，寶拉……你們去哪裡了？伊登，阿金也來了，麥當要他來載你。」

「哈囉，兩位大哥，」伊登高興的叫道：「在我跟阿金回農莊之前，我們到《厄爾多拉多時報》的報館一趟吧，我有一件事情要披露。」

他們到了報社——阿金顯然不情願進去，伊登把門關上，面對著他們。「好啦，兩位大哥，這下雲開霧霽，我終於掌握到確切的情況了。在我進一步講下去之前，溫岱兒小姐，這位先生叫做阿金，我們有時候這麼叫他，怪彆扭的。其實呢，妳現在真是三生有幸，得以認識檀香山警察局刑事組的陳查禮警官。」

陳查禮行了個禮，女孩說：「認識你真是幸會，陳警官。」然後她坐上她最喜歡的位置——何利放打字機的桌上。

「你別那樣看我，查禮，」伊登大笑道：「看得我都心碎了。溫岱兒小姐絕對信得過，而且你也無法讓她置身事外了，因為這件案子她現在知道的比你多。就像他們舞台上的人說的——你們何不坐下來？」

陳查禮和威爾．何利疑惑的各自找張椅子。「我今天早上說過，我要一點亮光，」伊登接著說：「現在我找到亮光了，而亮光是怎麼來的呢？我毫無目的的到巴斯托去，查禮，結果證明這一趟很有目的，我改變行程，和溫岱兒小姐騎著馬在沙漠裡到處逛，結果我們遇到那位下巴留著黑鬍子的老頭，還跟他談了很久，他就是咱們所要找的那位沙漠之鼠。」

「哇，這才像話嘛！」何利大叫道。

陳查禮也眼睛一亮。

「中國人是個心靈感應很靈敏的民族，查禮，」伊登接下去說：「我要把這點告訴全世界。你說得沒錯，在我們抵達麥當的農莊之前，有人在那裡上演了一齣謀殺案，而且我知道是誰幹的。」

「是索恩！」何利說道。

「才不是索恩！索恩那樣的孬種哪幹得了這種事。不是的，大哥，是那位大老闆——麥當，偉大的P．J．麥當親自幹的。上星期三晚上麥當在自己的農莊殺了人，這位大財主又多了一項喜歡的消遣。」

「胡說！」何利不以為然道。

「你也這樣想，是吧？仔細聽我講……」伊登把伽律的故事重新講了一遍。

陳查禮和何利聽著聽著，都驚訝的說不出話來。

「那位老探礦工人現在人在哪裡？」陳查禮待他講完後，問道。

「你的意思我懂，老陳，」伊登回答道：「那是我這條防線最脆弱的部分。我讓他走了，他要到很遠很遠的地方。不過我知道他會去哪裡，只要一有必要，我們就可聯絡上他，而首先我們有別的事情需要打點。」

「你說得沒錯。」何利同意道。「我真不敢相信，竟然是麥當幹的！」

陳查禮陷入沈思。「這是我見過最古怪的案子，」他坦承道：「現在案子是有了進展，但是也要看看它如何後退。大部分的謀殺案都是有屍首倒在地上，現場留下了一些線索，而我必須找出人是誰殺的。可這裡卻不是這樣，我覺得有哪裡不對勁，而在沈寂多時之後，曙光乍現，我聽到殺人者的名字，但是死掉的人是誰？殺人的原因呢，我想請教一下？我們還有工作要做，非常多的工作。」

「你不認為，」伊登建議道：「我們應該把這件事報告給郡治安官……」

「報告了又怎樣？」陳查禮皺起眉頭道：「你看普里斯探長那種趾高氣揚的樣子，每一步他都走錯。郡治安官會將面對尷尬的場面，而且毫無準備，麥當會把他們唬得一愣一愣的，並因證據不足而逍遙法外。所以請千萬別跟郡治安官聯繫，除非你對刑事組的陳警官喪失了信心。」

「我一分鐘都沒有懷疑你，老陳。」伊登回答道：「我把那個想法取消掉好了，這個案子是你的。」

陳查禮鞠了個躬。「謝謝你，你真的很不錯，這種一波三折的疑難問題可真激起了專業者的榮譽感，我若不把謎底找出來就太丟臉了。你要行行好，幫我多留神一點。」

「我會留神的，」伊登回答道。「好啦，那我們該走了嗎？」

在沙漠邊緣旅社門口，鮑伯．伊登伸手和那位女孩握手。「今天真的很愉快，」他說：「只除了一件事情。」

「哦，什麼事情？」

「只除了魏博，我漸漸發現我一想到他就受不了。」

「噢，傑克真可憐，你對他太苛刻了吧。好啦，祝你晚安……還有……」

「還有什麼？」

「還有你要小心，懂嗎？我是說在農莊那裡。」

「我一直很小心，農莊，任何地方都一樣。晚安！」

當他們朝著農莊在夜路中飛馳時，陳查禮思前想後的沈默著。到了農莊前面的院子，兩人分頭行動。伊登走到屋後的庭院，看到麥當身上穿著大衣獨自坐著，面前的爐火越燒越小。

一見到他，大亨立刻站了起來。「哈囉，」麥當說：「怎麼樣了？」

「什麼？」伊登應了一聲，他完全忘記他到巴斯托的任務。

「你見到德瑞考特了嗎？」麥當低聲道。

「噢！」年輕人愣了一下，恍然大悟。他又要說謊騙人了——到底有完沒完啊？「明天在帕薩迪納的銀行門口，」他輕聲說：「十二點鐘準時。」

「很好，」麥當回答道：「我會在你起床之前出發。你還不去就寢嗎？」

「再等一下吧，我想，」伊登應道：「今天忙死了。」

「哦，是嗎？」麥當不太在意的說，隨後踱步進了客廳。鮑伯·伊登站立在後面，看著這位大人物龐大的身軀，看著他那寬厚的肩膀，整個世界似乎都在這個人的手上，但是他卻因為害怕而殺了人。

【第十四章】第三者

第二天早上鮑伯·伊登一醒來，忙碌的腦筋立刻回到昨晚臨睡前思考的問題。麥當殺死了一個人。他一向看起來自信、冷靜、沈著，居然也會失去理智，殺意陡然間升起，拿起比爾·哈特送的手槍往扳機那麼一扣，毫不顧及會對自身的名譽、地位造成何等影響。想必當時的情況迫使他不得不如此。

他殺了誰呢?此事仍有待發覺。他為何如此做呢?他自己承認是因為害怕。麥當這個名字很多人聽了都會害怕，他所到之處，很少有人會不嚇得發抖，而他自己竟然也有懼怕的情緒?太荒謬了，但索恩當時卻說：「你一直都在怕他。」

這位大亨的過去被一扇門遮住了，這扇門必須找到，將它打開。首先，上星期三晚上在這孤獨的農莊裡駕鶴西歸的人，其身分必須確定。嗯，至少祕密已經開始揭露了，打從他們來到沙漠地區，一長串無法解釋、思之令人發狂的事件，已經被一則確切的旁註敲破了。這裡是個起點，他們可以從這個地方切入，咬出一些東西來；他們必須從這裡推進——推進什麼？

鮑伯．伊登走出臥房時，陳查禮已經在庭院裡等著了，他笑容滿面。

「早餐在餐桌上，」他說道。「你快點吃，然後我們就可以在無人窺伺的情況下，展開一整天的調查行動。」

「你說什麼？」伊登問道：「沒有其他人在這裡嗎？那甘柏呢？」

陳查禮帶頭到了客廳，端張椅子給他。「噢，這套省了吧，查禮，」鮑伯．伊登說：「你今天又不是阿金。你剛才的意思是說，甘柏也走了？」

陳查禮點點頭。「甘柏忽然強烈表態想一起去帕薩迪納，」他答道：「人家則當他是長尾老鼠似的勉強接受。」

伊登把柳橙汁一口氣喝乾。「麥當不願意他跟著去吧？」

「是不情願，」陳查禮說：「昨晚他們吩咐過我了，所以我今早天還沒亮就起來弄早餐，麥當和索恩揉著眼睛走來，突然甘柏教授也來了，人清醒得很，還一面唱歌讚美沙漠的日出。麥當則像隻很不爽的狗似的大聲說：『你真早啊！』甘柏回說：『我想跟你們到帕薩迪納一趟。』麥當一聽，臉色就像黃昏的遠山，漲得通紅，但他只是看著我，把想要說的話憋住。當他跟索恩坐進大轎車時，我看到甘柏先生也坐進了後座，假如眼神也能殺人的話，我看甘柏當場就會被麥當做掉，不過事情當然不會那樣，他們的車頂著晨曦上了路，而甘柏教授在後座笑得可開心呢。所以我說人家當他是長尾老鼠般勉強的接受。咱們不必再擔心他了，太感謝了！」

伊登咯咯咯的笑了起來。「好吧，這對我們可真是件好事，查禮。本來我還擔心有甘柏在旁邊看著，咱們該怎麼辦哩，沒想到瞬間如釋重負。」

「一點都沒錯，」陳查禮同意道：「咱們可以放鬆心情，想找什麼就找什麼。怎樣，我煮的燕麥粥不錯吧，老弟？假如我可以大言不慚的話。」

「查禮，自從你跑去當警察之後，這個世界就少了一位大廚師了。啊，該死的！這時候又是誰開車子來？」

陳查禮走去開門。「沒必要緊張，」他說道：「是何利先生。」

報社編輯進到客廳裡來。「我來啦，跟小鳥一樣早起，準備好行動囉。」他說道：「不反對的話，我想大幹一場。」

「當然不反對，」伊登說：「很高興你也加入。一開始我們就有好兆頭。」他解釋說甘柏也走了。

何利連連點頭。「甘柏當然要跟著去帕薩迪納，」他說：「他才不讓麥當離開他的視線。知道嗎，對這裡發生的事我忽然有一些靈感。」

「真有你的，」伊登回答道：「譬如什麼？」

「噢，這個先擱一擱，在適當時刻我會讓你嚇一跳。你知道嗎，我以前也做過不少跟警察有關的報導，人家老說我眼睛會發光。」

「很不錯的形容，」伊登笑道。

「我這雙會發光的眼睛現在要來找東西了，」何利接著說：「首先呢，我們得決定找些什麼。」

「我想我們都知道要找什麼，不是嗎？」伊登問道。

「唔，那是大體而言，但是我們要更明確一點。我們得倒回去，從頭開始——那是最適切的方法，是不是啊，老陳？」

陳查禮肩聳了聳。「書上是這麼說，」他說：「現實生活上倒未必盡然。」

何利微笑道：「你說得對，先將我的熱情澆上一桶冷水。不過呢，我現在得回顧幾個事實。我們現在不必放在次要的事情上，什麼珍珠項鍊啦、病鬼菲耳在舊金山的活動啦、路易被謀殺啦，以及麥當的女兒不見了等等的，這些都等我們找到最大的答案再來解釋。我們今天最關心的是那位老探礦工人所講的事。」

「他有可能說謊，或搞錯了！」伊登說。

「沒錯，我承認他的故事似乎很難以置信。如果沒有任何東西可以佐證，我也不會太去注意，但是，證據是有的。別忘了東尼那淒厲的叫聲，接著牠就被毒死了。更重要的是，那枝比爾・哈特送的槍，裡頭少掉兩發子彈，還有牆壁上那個彈孔，這樣還不夠明確嗎？」

「嗯，看來滿具體的。」伊登同意道。

「是很具體。因此不用懷疑的是，有人在這裡遭槍殺了，時間是上星期三晚上。起先我們認為索恩是兇手，而現在卻變為麥當，是麥當把某個人拐進索恩的房裡，或者是把他逼到那裡，然後殺死了他。為什麼要殺他呢？因為麥當很怕他嗎？我們對上周三的事想得很辛苦，而現在我們想知道些什麼呢？我們想知道，誰是那位第三者。」

「第三者？」伊登重複說了一遍。

「完全正確。那位探礦工人不算的話，還有誰在農莊裡面？麥當和索恩，那當然在。但是還有另一個人。那個人發現自己的生命有了危險，高聲喊著救命，一會兒之後卻倒在床邊的地板上，從探礦工人所站的地方只能看到他腳上的鞋子。他是誰？他從那裡來？他何時抵達？他是做什麼的？為什麼麥當如此怕他？這也是我們現在想找出答案的問題。我講的這些對嗎，陳警官？」

「一點都沒錯，」陳查禮回答道：「我們要如何找這些答案呢？那就是搜吧，我想。我建議好好的搜一搜。」

「要搜遍每一個角落，」何利同意道：「我們先搜麥當的辦公桌好了，也許隨便一份函電都會射出意想不到的亮光。唔，桌子的抽屜想必鎖了，不過我這裡準備了一大串舊鑰匙，這是向鎮上的鎖匠借的。」

「你這個樣子很像是一等一的偵探。」陳查禮說。

「謝啦！」何利回答道。他向大亨的辦公桌走去，逐一的試著鑰匙，不久他挑到適合的一把，把所有的抽屜打開了。

「真有一套！」陳查禮說。

「問題是這裡面東西不多！」何利說。他取出左上角抽屜中的文件，放在吸墨紙墊上。鮑伯・伊登點燃一支香菸，踱步走開，搜查麥當私人函件這個主意總覺得不對他的胃口。

然而警界和報界的代表才不在乎，他們花了半個多小時翻遍了麥當這張書桌，除了一些無關痛癢的生意上的資料外，啥也沒找著，沒有一張紙片上的內容可令人聯想到那位第三者。最後他們搞得滿頭大汗徒勞一場，只好放棄，把抽屜鎖回去。

「好啦，」何利說：「不是那麼好，對吧?把這張桌子剔除，咱們搜別的。」

「你不反對的話，」陳查禮說：「咱們分頭進行。房子裡面由你們兩位負責，房子外面我比較有好感。」說完他走出戶外。

何利和伊登逐一搜索這幢豪宅的每一個房間。在索恩的房間，他們檢視了一遍牆壁上的彈孔，然而在檢查衣櫃時，卻發現比爾・哈特送的槍不見了。這是他們唯一有意義的發現。

「我們遇到困境了，」何利承認道，他那興高采烈的樣子逐一化為烏有。「麥當是個聰明人，當然不會留下明顯的把柄。但是總覺得在哪個地方……」

他們回到客廳裡，忽然陳查禮氣喘吁吁的從門口進來，渾身大汗的坐在椅子上。

「有收穫嗎，查禮？」伊登問道。

「啥也沒有，」陳查禮失望的承認，「人一陷入極度的失望，一顆心就直往下掉。我不是個賭徒，但是我敢用很多錢打賭這座農莊底下埋著東西。當麥當開完槍，大聲吼說：『你給我閉嘴，別再講了。我就是怕他，所以殺了他。好了，現在我們來想想該怎麼做比較好。』這番話我頭一個聯想到的是——把屍體埋了，要不然還會有哪種處理方法？所以我剛剛懷著很高的希望檢查過每一吋土地，卻一點用也沒有。如果屍體埋了，那一定不是埋在這裡。我看你們的臉色，好像也有類似的困境。」

「一樣東西都沒發現。」伊登回答。

陳查禮歎了一口氣。「這樣的話聽了很痛心，我本來不想講的，」他說：「但是我現在看見眼前有道高牆。」

他們沈默不語，無助的坐著。「咱們還是不要放棄吧，」鮑伯·伊登說，他仰靠在椅子上，朝天花板吐了一口菸圈。「噢，對了，你們有沒有想過，這幢房子會不會弄個閣樓之類的小房間？」

陳查禮忽的跳起來。「好主意！」他大叫道。「閣樓，對極了，但是要怎麼上去呢？」他仰望著天花板好一陣子，隨後迅速走到客廳的大型壁櫥。「我真是慚愧！」他說道。壁櫥裡面暗暗的，兩人緊挨在陳查禮背後，看到牆壁上方分明有道暗門。

他們決定由鮑伯·伊登攀上去，陳查禮從穀倉搬來了梯子，他很輕鬆的攀了上去，何利和陳查禮等在底下。不久伊登站在閣樓上面，蜘蛛網不斷拂著他的臉，他低著頭，並試著讓眼睛適應昏暗的光線。

「這裡恐怕沒什麼東西，」他高聲說道。「噢，有了，在這裡。等一下。」

他們聽到他在上頭小心的走著，陣陣灰塵凌空而降，不久他把一包東西送出狹窄的暗門——是個破舊的輕型旅行箱。

「裡面似乎有什麼東西！」伊登說道。

他們滿懷希望的拿到明亮的客廳裡，放在辦公桌上。鮑伯·伊登隨後跟上。

「老天，」年輕人說：「旅行箱上的灰塵並不多，是吧？一定是最近剛放上去的。何利，你帶來的鑰匙可以派上用場了。」

開那道鎖對何利只是小事一樁，三人彼此挨近著。

陳查禮從行李裡取出一只廉價的盥洗用品盒，裡頭都是些常見的物品：梳子、刮鬍刀、刮鬍水、牙刷、牙膏、換洗的衣物、襪子和手帕。他看了一下洗衣店的標記。

「D——三十四！」他唸道。

「沒什麼特殊含意。」伊登說。

陳查禮又從底部取出一套褐色的西裝。

「是在紐約訂製的，」他檢查了一下西裝內裡的口袋，說：「穿過太多遍，衣服訂製者的名字也磨掉了。」他從衣服口袋裡拿出一盒火柴以及半包廉價的香菸。「外套檢查過了。」他附加一句。

他把注意力轉到背心，隨即臉上出現幸運的笑容。他在背心右下方口袋取出一只老式的錶，連結的錶鍊略有分量。錶停了，顯然有一陣子沒上發條了。他敲開底殼，不禁滿意的「嗯」了一聲，然後把錶拿給鮑伯．伊登。

「送給老朋友傑利・狄蘭尼。最誠實的賈克・馬蓋爾贈。」伊登欣喜的唸道：「日期是一九一三年八月二十六日。」

「傑利・狄蘭尼！」何利大叫道：「老天爺，我們這下有進展了！這位第三者的名字就是傑利・狄蘭尼！」

「還不能證明他就是第三者，」陳查禮語帶保留，「不過這也許幫得上忙。」

他找到一張污損的有色紙片——一張火車臥鋪旅客的票根。「芝加哥到巴斯托，第一九八次列車，二等車廂，」他翻到反面，「登車日期，今年的二月八日。」

鮑伯・伊登回頭看了一下牆上的日曆。「好傢伙！」他大叫道：「傑利・狄蘭尼二月八日離開芝加哥，也就是一個星期前的星期天晚上，到巴斯托是二月十一日，也就是上星期三早上，當天晚上他就被殺了。我們可真查出名堂來了。」

陳查禮還在檢查那件背心，又取出了幾根鑰匙，全串在一個鑰匙圈上，然後是一張磨損的報紙剪報，他拿給伊登。

「你唸一下，好嗎？」他說。

鮑伯・伊登唸道：

「洛杉磯喜愛戲劇者有福了，滑稽歌舞劇《六月的那天晚上》訂於下周一晚上於梅森戲院上演，由諾瑪．費茲格羅小姐領銜主演。費茲格羅小姐飾演的瑪希雅一角需以嘹亮的女高音詮釋，本地廣大樂迷將可進一步了解她收放自如的演出。費茲格羅小姐有二十年舞台經驗，她從兒童時代即開始登台獻演，曾經參與《愛的靈藥》等舞台劇演出。」

伊登停下來。「底下是一長串演員名單。」他重新唸道：

「《六月的那天晚上》日場將於每周三與周六演出，門票特價實施中。」

伊登把剪報放在桌上。「又多了一項傑利．狄蘭尼的資料，他對女高音很有好感，很多男性也一樣。不過話說回來，這項情報也許相當有用。」

「可憐的傑利，」何利說道，他看著堆在桌上有點寒酸的私人物品。「他一旦死了，梳子、刮鬍刀乃至金錶便不再需要了。」他拿起手錶，若有所思的端詳著。「『最誠實的賈克．馬蓋爾贈』，這名字我好像在哪裡聽過。」

陳查禮在檢查西裝褲的口袋，每個口袋他都翻出來，但是沒找到什麼。

「現在全搜查完了，」他說：「我建議把發現的東西全放回去，我們已經有了愉快的斬獲。」

「可不是嘛！」伊登高興的說道：「我做夢也想不到有那麼多收穫。昨晚我們只知道麥當殺了一個人，今天我們就知道那個人的名字。」他停了一下。「不知道這裡有沒有任何疑點？」他問道。

「應該沒有吧，」何利回答道：「像梳子、刮鬍刀之類的個人物品，一個人只要還用得著，就不可能與它們分開。一旦他用不著了，那他這條命也完了。可憐的傢伙！」

「我們放回去之前，再好好想一遍吧，」伊登說道。「我們已經知道，這個麥當覺得害怕並下手殺掉的人，名叫傑利·狄蘭尼，而我們對狄蘭尼知道多少呢？他的境況並不富裕，雖然他的西裝是找裁縫師量身訂作的，以手工來看，也不是個出色的裁縫師。他抽的是科西嘉牌香菸。而最誠實的賈克·馬蓋爾無論是誰，總歸是老朋友，而且把他看得很重要，還送他一只懷錶。還有呢？狄蘭尼對一位名叫諾瑪·費茲格羅的女演員很有好感。上星期天的晚上八點他搭快車離開芝加哥到巴斯托，坐的是一九八次列車，二等車廂。我想這些就是我們對傑利·狄蘭尼所知的了。」

陳查禮露出了微笑。「講得非常好，」他說：「很漂亮的一覽表，裡頭充滿了希望。但有個事實你完全漏掉了。」

「什麼事實？」伊登問。

「一個非常容易的事實，」陳查禮接下去說：「你再拿一下傑利．狄蘭尼的背心，仔細檢查，你發現了嗎？」

伊登仔細檢查過那件背心，然後一臉疑惑的交給何利，何利也細心檢查了一遍，搖一搖頭。

「沒發現嗎？」陳查禮問道，無聲的笑著。「這樣看來，你們可不是我心目中那麼能幹的偵探囉？來，把手放進口袋……」

鮑伯．伊登依照陳查禮講的，手指伸進背心口袋。「這裡有雪米皮的車縫線，」他說：「錶就放在這裡，就這樣啊！」

「對極了，」陳查禮答道。「他是左撇子，我猜。」

伊登看傻了眼。「喔，我懂你的意思了，裝錶的口袋開在背心右側。」

「為何如此呢，」陳查禮進一步說道：「口袋如果開在背心左邊，那西裝鈕扣扣上後，就不那麼容易取出懷錶了。所以他就關照裁縫師，製作西裝的時候裝錶的口袋要開在背心右邊。」他開始將桌上的衣物疊好，放回背包裡。「這是我們對傑利．狄蘭尼所知的另一個事實，用來追蹤那天他前來農莊的行動，說不定有點用處。傑利．狄蘭尼有點不一樣的地方，就是他是個左撇子。」

「我的媽呀！」何利突然驚叫。兩人轉頭看著他，他再度把錶拿起來，雙眼瞪著它。「最誠實的賈克．馬蓋爾……現在我想起來了！」

「你認識這個馬蓋爾？」陳查禮立刻問道。

「我見過他，很久以前。」何利回答道：「我開車載伊登先生來農莊的第一個晚上，他問我是否見過麥當，我說我十二年前見過，地點是紐約東四十四街的一家賭場，麥當那時打扮得像個王儲似的，賭博賭昏了頭。當我向麥當提起此事時，麥當自己都還記得那時的情景。」

「那馬蓋爾呢？」陳查禮想要知道。

「我現在想起經營那家賭場的人就是賈克．馬蓋爾，他還真有臉稱呼自己是『最誠實的賈克』。後來證明那家賭場作假。但是賈克．馬蓋爾居然是狄蘭尼的老朋友，還送他一只錶作為友誼的信物！兩位，這樣一來就有趣了，當年馬蓋爾在四十四街的賭場又回到P．J．麥當的生命裡頭。」

【第十五章】威爾．何利的理論

他們將東西裝回旅行箱裡頭鎖好，由鮑伯．伊登提著攀上滿是灰塵的閣樓裡，下來後，暗門重新關上，梯子也搬開了。對於早上的工作，三個人相視而笑。

「已經超過十二點了，」何利說：「我必須趕回鎮上。」

「我誠懇的建議你留下來吃午飯。」陳查禮說。

何利搖搖頭。「謝謝你的好意，老陳，但是我不在這裡吃了。一天到晚下廚房我想你一定也膩了，好不容易休息一下，我可不想破壞。聽我的勸，伊登今天要吃的，你就讓他自己張羅吧。」

陳查禮點點頭。「其實這頓飯我也想弄簡單點，」他答道：「做菜做久了也會煩，就像被一個日本人黏住一樣。不過呢，對一個撈過界的郵差，這倒是合適的懲罰。要是伊登先生不反對的話，中午就弄些三明治配茶吧。」

「那好，」伊登說：「我們一起找點什麼來吃吧，何利，你最好改變一下主意。」

「不了，」何利回答道：「我要到鎮上找幾個人問問，把剛才我們發現到的弄得更清楚一點。假如狄蘭尼是上星期三來到這裡，那他經過鎮上時一定會留下蛛絲馬跡，說不定會有人看到他。他是不是一個人來的呢？我得問加油站的小伙子、旅社的老闆……」

「我建議你一定要格外的小心……」

「噢，我知道小心是有必要的。不過那真的沒有什麼危險，麥當跟鎮上任何人的生活都沒有關聯，事情不會傳入他耳中的。話雖如此，我還是會很小心的，相信我好了。稍後我還會再來。」

他離開之後，陳查禮和伊登在廚房裡吃了頓冷冷的午餐，然後繼續搜索的工作。然而努力了老半天，卻一點收穫也沒有。下午四點的時候，何利的車又來到前院，跟他一起的是位年輕的瘦子，一臉的倒楣相，伊登認出是搞棗椰市房地產的業務員。

他們進來客廳時，陳查禮立即退出，留下伊登迎接他們。何利介紹身邊的年輕人叫做德李斯先生。

「我見過德李斯，」鮑伯・伊登笑道：「他曾經想向我推銷沙漠的房地產。」

「對呀，」德李斯先生說道：「總有一天，當聯合雪茄連鎖店和渥斯羊毛為了爭奪那裡的地段而大動干戈時，你在舊金山再好好踢自己的屁股吧。不過呢，那到底是你宿命。」

「我帶德李斯先生一起來，」何利解釋道：「主要是他剛才向我說了上星期三晚上的事，我想讓你也聽聽看。」

「德李斯先生了解這件事情非常的祕密吧？」伊登開口道。

「噢，那當然，」那位年輕人說。「威爾全解釋過了。你不必擔心，自從麥當用那種方式跟我講話之後，我跟他就劃清了界限。」

「你上星期三晚上看見過他？」伊登問道。

「噢，那個晚上沒有，我看到的是別人。我留在開發區那裡一直到天黑之後，想要等顧客上門，但是始終沒有人上門，那些下層階級的人。到了差不多七點的時候，我正要關門，一輛大轎車忽然在事務所前面停下。車子由一個矮個子駕駛，後座還坐了一個人，那個矮個子說：『晚安，你能不能告訴我，這條路是不是通往麥當農莊？』我說是啊，你一路開下去就是了。坐後座的人說：『還有多遠？』他想知道。而那個矮個子說：『你給我閉嘴，傑利！我會料理。』他換了變速檔，然後講了段文縐縐的話，『大道明顯易見，小路脈絡難明，以賽亞。』然後就開走了。你們想，他為什麼要稱呼我以賽亞？」

伊登好笑道：「你有沒有看清楚他的臉？」

「相當清楚，雖然當時天色暗了。他是個個子很小，臉色蒼白的人，嘴唇有點灰灰的，一點血色也沒有。講話的速度緩慢、用詞精確，非常乾淨的英語，滿像是大學教授一類的人。」

「那個坐後座的人呢？」

「我看得不很清楚。」

「喔，原來如此。那你什麼時候見到麥當？」

「這我正要講。等我回家後，我開始在想：看來麥當到農莊來了。於是我想到一個好主意：這地方近來情況不怎麼好，而佛羅里達州搞房地產卻容易得很，那裡有那麼多好顧客。於是我告訴自己：找麥當怎麼樣？他那麼有錢，為什麼不試試看，讓麥當對棗椰市產生興趣，請他鼎力支持？不管怎樣，這值得一試。所以星期四早上天亮的時候，我就到農莊來了。」

「大約什麼時間？」

「噢，應該是八點剛過。當時我鼓起全部的精神，我知道必須如此。我敲了一下前面的門，可是沒有人來應門，我推了一下，門鎖住了。於是我繞到屋後，後面也安安靜靜的，沒看到一條人影。」

「沒有人在！」伊登附和了一句，頗為訝異。

「除了這裡養的土雞、火雞之外，沒有別的生物。噢，還有那隻中國鸚鵡東尼，牠棲息在鸚鵡架上，於是我說：『哈囉，東尼！』而牠回答：『你這個該死的騙子。』現在我問你，碰到一個像我這麼勤奮、誠實的房地產業者，牠就不能講點別的嗎？喂，你別覺得那麼好笑可以嗎？」

「噢，我不會，」伊登笑道。「但是麥當他……」

「嗯，就在那個時候，麥當和他的祕書開車回來了。我根據照片一眼就認出那個老傢伙來，他看起來很累，一臉兇惡，鬍子也沒刮，看到我就問：『你來這裡做什麼？』我說：『麥當先生，你有沒有想過附近這塊土地的遠景？』然後我鼓起如簧之舌講起了生意經，但是沒講多久他就要我停止，然後開罵起來，他稱我是那種……東西，嗯，被一個專家如此糟蹋我實在很不習慣，但事情就是如此。我看他整個心智已經不正常了，所以我就自己滾了，那是最佳的方式，當那個老傢伙的心智無法發揮功能的時候。」

「那就是全部的過程？」伊登問道。

「那就是我的親身經歷，絕不改口。」德李斯先生回答。

「非常感謝你，」伊登說道：「當然，這件事只能我們三個知道。還有一點，假如我決定在沙漠這裡買一塊地的話……」

「你就會考慮我所銷售的個案，是不是？」

「那當然。只是在現階段，我認為沙漠這地方的光景還不是十分理想。」

德李斯先生傾身靠近。「你這個想法別去跟厄爾多拉多鎮上的人講，」他說：「有時候我還真想回老家去，但是一旦走回頭路，就會把自己釘死在那裡。」

「德李斯，我可不可以請你到外面等一下……」何利開口道。

「噢，沒問題。我先逛到下面開發區那裡，看看噴水池的水有沒有在流。你等一下再到那裡載我。」

那位年輕人走了，陳查禮立刻從鄰近的門後面出來。

「你都聽到了嗎，查禮？」伊登問道。

「都聽到了，非常有意思。」

「咱們又有進展了，」何利說：「上星期三晚上大約七點的時候，傑利・狄蘭尼來到農莊，他不是一個人來的。這幅圖畫頭一次有第四者闖進來了，而那是誰呢？聽起來有點像是甘柏教授。」

「一點都沒錯，」伊登附和道：「他是先知以賽亞的老朋友，這禮拜一他在農莊吃過午飯後自己承認的。」

「很好，」何利說道：「這樣甘柏先生也得放進來。還有一件事，星期天晚上有人開車到大夫那裡，把病鬼菲耳載走，那個人會不會也是甘柏？你有什麼看法，老陳？」

陳查禮點點頭。「有這個可能。那個人知道路易回來了，假如我們能發現……」

「老天！」伊登大叫道：「路易進到綠洲餐廳時，甘柏就在櫃檯旁邊，何利你記得嗎？」

編輯露出了微笑。「整件事非常巧合。甘柏帶著路易抵達的消息火速趕來這裡，好像保羅・李維爾（Paul Revere）的犯罪版，等到你開車上山來時，他和病鬼菲耳就等在園門旁邊。」（譯註：保羅・李維爾，一七三五至一八一八年，曾參與波士頓茶船事件，演出勒星敦奔馳事件。）

「可是索恩呢，他外套背後有裂痕？」

「我們一定在那裡走入歧途了。這個新理論聽起來好得過了頭。我們還從德李斯那裡知道了什麼？狄蘭尼碰到這件倒楣事之後，麥當和索恩一整個晚上都不在農莊，他們到哪裡去了？」

陳查禮歎了一口氣。「那就不是好消息了。狄蘭尼的屍體被遠遠的帶離了現場。」

「恐怕是，」何利同意道。「如果不能借助於知道這件事的人，我們絕對找不到屍體。這附近一帶有一百多個與世隔絕的峽谷，可憐的狄蘭尼被丟棄在那裡，任何人也找不到。在沒有狄蘭尼的屍體這麼有力的證據之下，我們還得多加把勁才能把工作做得完美。但是這裡面扯進了太多人，在我們還沒有查出來之前，有人就要抗議了。」

陳查禮坐在麥當的辦公桌後面，用手在大吸墨紙墊上呆呆的畫著。忽然他眼睛一亮，動手把吸墨紙墊分開來。

「你們來看，這是什麼?」他說。

他們看到陳查禮手上有一張滿大張的紙，紙的一部分寫滿了字。陳查禮將內容仔細讀了一遍，然後遞給伊登。書信出自男人有力的手，「上頭的日期是上星期三晚上，」伊登告訴何利說。他唸道：

「親愛的伊芙琳：

我想讓妳知道農莊這裡一些事情的發展。就像我跟妳提過的，我和馬丁・索恩過去一年來關係處得很不好，今天下午終於爆發重大的衝突，我把他免職了。我明天早上將和他一同前往帕薩迪納，到達之後，我與他就此分道揚鑣。當然他知道不少我寧可他不曉得的事情，要不然我一年前就把他解雇了。我要提醒妳的是，一旦他出現在丹佛，說不定會惹出麻煩。為了不讓索恩知道這件事，我打算親自帶著這封信到鎮上，今晚就寄出……」

這封信戛然而止。

「越來越妙了，」何利說：「這是上星期三晚上這裡發生何事的側面投影，我們可以自行想像當時的場景：麥當就坐在這張辦公桌前寫信給女兒，門打開了，有人進來，這個人是狄蘭尼吧，麥當很多年來一直在怕他。於是麥當趕緊將這封信夾進吸墨紙墊之間，站起身來，知道現在在劫難逃了。接著是一場爭吵，吵完之後不知怎的進到索恩的房間，然後狄蘭尼倒在地上死了。接下來的問題是屍體，這部分直到早上才解決好。麥當回到農莊時累得要死，他知道現在不能把索恩踢走，他必須跟這位祕書和平相處，因為索恩知道得太多。你認為我的看法怎麼樣，老陳？」

「很合乎邏輯。」陳查禮承認道。

「我今早說過，關於這裡的事我有一些想法，」報社編輯說：「而今天發生的每一件事似乎都提供了印證，現在我要提出我的理論了，假如你們願意聽的話。」

「請說！」伊登說道。

「對我而言，這件事就像沙漠日出一樣的清楚，」何利接下去說：「讓我幫你們重溫一下好了，就像法國人一般的把它重建起來。一開始，麥當很害怕狄蘭尼，為什麼？為什麼這個有錢人會懼怕？勒索嗎？想當然耳。狄蘭尼抓住了他的小辮子——事情說不定要回溯到紐約的那個賭場。索恩靠不住，他們已經翻臉，而他痛恨他的雇主，說不定他和狄蘭尼，乃至狄蘭尼的朋友都有掛勾。麥當買下那串珍珠項鍊，那一幫人聽說了，決定要弄到手，而有什麼地點會比沙漠這裡更理想呢？於是病鬼菲耳到舊金山，狄蘭尼和那位教授往南方出發。路易，那位忠心耿耿的管家，被菲耳用計調離開。舞台於是準備好了。狄蘭尼帶來了他的威脅，珍珠項鍊和錢，他兩者都要。接下來是一場爭吵，最後，勒索的狄蘭尼死在麥當的手裡。說到這裡，我有哪裡不對嗎？」

「聽起來挺合理的。」伊登同意道。

「好，那再想像下去。當麥當殺害狄蘭尼之時，他可能以為死者是一個人前來，可現在他發現還有其他人涉入其中，狄蘭尼拿來威脅他的事由他們不僅知道，而且還多抓住一個把柄——他殺了人！這些事情全加在他頭上——他不得不用錢打發他們。那一幫人為了錢以及那串珍珠項鍊大吵，強迫麥當打電話吩咐將菲力摩爾珍珠立刻送來此地。伊登，那通電話什麼時候打的？」

「上星期四早晨。」伊登回答道。

「看吧，我剛才是怎麼說的？上星期四早晨，當時他才從外頭累了一整夜回來。當時他們逼迫他，極度勒索他，這就是我們這道謎題的答案。現在他們又在勒索他了，一開始麥當跟他們一樣，也急著得到那串珍珠項鍊，把這件事情搞定，趕快走人。當你犯下了殺人案，老是逗留在現場可不是件愉快的事。而過去這幾天他的膽量又回來了，他在跟他們周旋，尋找脫困之道。我真的有點替他難過，真的。」何利停頓下來。「嗯，這就是我的想法，你以為呢，老陳？我說得對嗎？」

陳查禮慢慢的把玩著麥當那封未寫完的信。

「聽起來是很不錯，」警探同意道。「不過呢，矛盾東一處西一處的。」

「譬如呢？」何利問道。

「麥當是個大人物，狄蘭尼和其他人卻什麼也不是，他可以公開說自己是為了自衛，才殺了那個勒索者。」

「他是可以，假如索恩和他關係良好，肯支持他。可是這位祕書跟他翻了臉，說不定還威脅要講不一樣的供詞，更何況，索恩不僅知道他殺了狄蘭尼，還知道狄蘭尼用來威脅他的事。」

陳查禮點點頭。「你說得很對。還有另一個事實，嗯，我停止無禮的吹毛求疵好了。那個路易，長期以來一直跟鸚鵡分享心裡的話，他被殺了。但是路易是上星期三早上到舊金山去的，離那個悲劇的夜晚還有十二小時，把他殺了幹什麼呢？」

何利思考起來。「嗯，這是個問題。但是他是麥當的朋友，不讓他在這裡礙事倒是個很好的理由，他們寧可讓被勒索者孤立無援。也許這樣解釋相當牽強，不過我還覺得我的理論挺堅強的，你不能對它那麼嚴格。」

陳查禮搖搖頭。「我挑剔它只有一個理由。根據多年的經驗，我知道我若太過熱中一個理論，說不定就會犯下致命的錯誤。所以我多試多看，看能不能把每件事都兜得攏，如果可以，那麼頭一件就是這個理論在我面前『轟』一聲炸開來。我發現還是維持腦筋的自由和開放比較好。」

「那你還不知道怎樣建立起一個理論，以對抗我的囉？」何利問道。

「沒有一個獨立的。坦白說，我現在仍在黑暗之中。」他看了一眼手上的信。「或者近似於黑暗之中，」他附和一句：「我們再繼續觀察和等待，也許我很快就能抓住某樣東西。」

「那樣做是可以，」伊登說：「可是我感覺我們無法再待在農莊這裡觀察和等待多久了。別忘了，我答應麥當說德瑞考特今天會在帕薩迪納和他碰面。他很快就會回來，向我質問到底是怎麼回事？」

「就說很不湊巧吧，」陳查禮肩膀聳了聳：「德瑞考特跟他錯過了，沒能搭上線。兩個人約好見面卻當面錯過，這種事情經常發生，這次可能是相同的情形。」

伊登歎了一口氣。「只好如此。但是我希望麥當今晚從帕薩迪納回來時，脾氣好一點。搞不好他又會把比爾．哈特送的槍亮出來，我可不想倒在床邊，只有腳上穿的鞋子被人看見，這雙皮鞋我已經一個禮拜沒擦了。」

【第十六章】「拍電影的來囉！」

夕陽落在遠處山頂的皚皚白雪後頭，閃爍的星光底下，沙漠化為紫色。農莊後院牆上掛著一個溫度計，水銀柱毫不容情的快速往下降，一陣刺骨的寒風在這荒瘠的土地上颰過，四野一片寂寥。

「現在需要吃點熱呼呼的食物，」陳查禮說：「你不反對的話，我開幾個罐頭來吃。」

「不是砷化物的話什麼都好。」伊登對他說。陳查禮於是向廚房走去。

何利離開已經很久了，鮑伯·伊登獨自坐在窗前，看著外面的萬籟俱寂。他想，現在這個時刻有那麼一大群人擠地下鐵，在嘈雜的餐廳裡找桌位，站在擁擠的路口等紅綠燈，最後疲累不堪的爬回他們稱為「家」的鴿子籠——他們可有想到其實美國剩餘的空間還滿多的？沙漠這裡的空間充裕得很，要怎麼伸懶腰都可以。而你還是會有一種不安的感覺，一種縈懷的領悟，知道一個人在天地萬物之間多麼的微不足道。

陳查禮端著托盤進來，盤中的好幾碟菜堆得滿滿的，他把兩份熱湯擺在桌上。

「請上座吧，」他道。「第一道菜備有開罐器，請自便。」

「你是吃罐頭長大的吧，查禮？」伊登笑著入座。「嗯，我想這一定很好吃，你真是廚房裡的魔術師。」他們吃了起來。「查禮，我剛才一直在想，」小伙子接著說：「現在我明白在沙漠裡我為什麼會有心裡不安的感覺，因為我實在太渺小了。你先看著我，再看看窗戶外面，然後請告訴我，我像個大人物似的高視闊步，到頭來又能走到哪裡去？」

「對白種人來說倒是個不錯的體驗，」陳查禮應和說：「像中國人便始終有這種感覺。中國人知道自己是滄海之一粟。這種想法的結果呢？使他比較沈靜，比較謙虛，不容易毛躁得像白種人那樣跳來跳去。這樣，生活之於他就比較沒那麼多考驗。」

「對，所以他也比較快樂。」伊登說。

「當然，」陳查禮回答道。他把罐頭裡的鮭魚肉倒在盤上。「在舊金山的時候，我看到白人始終非常興奮，停不下來，生活就像發高燒似的，一直在惡化。為何要如此呢？什麼地方才是盡頭？我想，就像中國人的生活一樣，歸宿是相同的地方。」

吃完飯後，伊登想幫忙收拾碗盤，但被委婉的拒絕了。他坐下來，打開收音機，一位肺活量很大的播音員有力的聲音在寧靜的客廳響起。

「現在在如此舒爽的加州夜晚，各位聽眾，我們將帶給您真正的享受。現在正在梅森戲院主演《六月的那個晚上》這齣戲的諾瑪・費茲格羅小姐，將要為大家唱一首歌曲——呃，諾瑪，妳打算唱哪首歌？諾瑪說請等一等，她要想一下。」

一聽到這個女人的名字，鮑伯・伊登立刻喊陳查禮，陳查禮進來客廳，充滿期待的聽著。「哈囉，各位聽眾，」費茲格羅小姐向聽眾打招呼道：「很高興我又回到了洛杉磯。」

「哈囉，諾瑪，」伊登說：「妳別管唱歌了。沙漠地區有兩位男士想跟妳講個話，告訴我們傑利・狄蘭尼的事吧。」

她當然聽不見伊登的話，接著她用清楚、美妙的女高音開唱，陳查禮和伊登靜靜的聽著。

「白種人的奇蹟又多一種，」她唱完後，陳查禮有感而發道：「人離得那麼遠，聲音聽起來卻那麼近。我覺得我們必須盡快的見這位小姐一面。」

「對啊，可是要怎麼去？」伊登問道。

「會有安排的。」陳查禮說道，隨即轉身離去。

伊登找了一本書來看。一個小時後忽然電話鈴聲大作，他放下書本聽，電話那頭傳來活潑的問候。

「你還在期盼亮光嗎？」

「那當然！」他回答說。

「哈，拍電影的來囉！」寶拉．溫岱兒說：「趕快來吧！」

他趕緊跑回自己的房間，陳查禮已在庭院升起火來，正坐在火爐前面，溫暖的亮光照亮他那張平靜而豐滿的臉。伊登戴好帽子回來，在陳查禮身邊停下。

「想到新點子了嗎？」伊登問道。

「你說我們這件案子？」陳查禮搖搖頭：「沒有。此刻的我，人已經遠遠的離開麥當農莊，回到了檀香山，那裡的夜晚溫柔甜美，不像沙漠這裡又黑又冷。我必須承認我已經有一點想家了。我可以想像潘趣盂山上的寒舍，那裡高高掛著明亮的燈籠，而我那十個孩子就在身旁圍繞著。」

「十個……！」伊登驚叫道：「老天！你這老爸可真的當得不亦樂乎！」

「的確是很得意，」陳查禮同意道：「怎樣，要出去嗎？」

「我到鎮上一趟。溫岱兒小姐打電話來，拍電影的外景隊好像來了。噢，對了，我忽然想到，明天就是麥當答應他們來這裡拍片的日子，我打賭老傢伙一定全忘了。」

「非常可能。你最好別告訴他，否則他說不定會拒絕他們進來。我非常想看看電影誕生的過程，我的大女兒一天到晚都在迷電影雜誌，如果我回到家告訴她這樣的經驗，那我一定立刻被當作祖宗神明那樣膜拜。」

伊登大笑起來。「嗯，那我就預祝你有這樣的機會吧！我會早一點回來。」

幾分鐘後他又開著那輛小汽車，奔馳於滿天繁星之下。他飛快的想起了王路易，那位老先生現在已經葬在厄爾多拉多鎮後面荒涼的墓園裡，但隨即他又把心思轉到比較愉快的事情上。懷著輕鬆期待的心情，他的車爬上了兩座小山之間的通道，沙漠小鎮裡的黃色燈光正向他眨著眼睛。

當他一跨過沙漠邊緣旅社的門檻，就知道今晚的厄爾多拉多非比尋常，左邊會客室傳來一陣陣樂曲、歡笑和說話的聲音，應接不暇，搭配得很不和諧。寶拉．溫岱兒見到他，帶他進去。

小會客室原本氣氛沈悶，由使用過度的家具和天花板上斑駁剝落的水泥漆便可看出歷史，而這回卻來了快快樂樂的團體，恢復了生氣。鮑伯．伊登見到的，正是這個外景隊伍最為輕鬆、活潑和歡愉的時刻，他們在這個世界上似乎一無掛懷。一位非常漂亮的小姐正在彈著優客李林，跟他握了個手又繼續再彈，那隻細嫩的玉手令他想起他老爸的珠寶店。叫做瑞尼的年輕人長得很高，身上穿的西裝一點瑕疵也沒有，那件襯衫比加州的藍天還藍，他忽然把吹得很賣力的薩克斯風放下來。

「哈囉，老師傅，」瑞尼說：「我希望你把豎琴也帶來了。」隨後又拿起薩克風忽的一陣亂吹。

一位臉色古銅、長相嚴苛的中年演員彈奏著鋼琴。比較遠的角落坐著一位貴婦和一位白髮老頭，和這群人間隔開來，伊登走到他們身邊打了招呼。

「你說你叫什麼名字？」老頭手框到耳背問道。「喔，伊登先生，是寶拉的朋友我都歡迎。今晚我們這裡有點兒吵，有點像我以前巡迴表演的時候，天曉得我們是怎樣在火車站月台嬉鬧的！我們那時候很快樂，不是拍電影。妳說什麼，親愛的？」他向婦人問道。

她稍微彎了一下腰。「喔，對，我比較少出去巡迴表演。謝天謝地，那些主要街道蓋在高處的可怕城鎮，我經常都能避開。畢拉斯科先生很少要我離開紐約。」她轉向伊登。「我在畢拉斯科公司已經十五年有了。」她解釋道。

「這樣的經驗一定很棒。」伊登回答。

「那是世界上最偉大的學校，」她說：「畢拉斯科先生對我的表現評價很高。有一次在彩排時，他說如果少了我，他就無法演這齣戲，然後就給了我一個大紅蘋果。你知道，那就是畢拉斯科先生的作風，當他……」

吵鬧一時停了下來，男主角大喊道：「噁心的女人！那位老兄才剛剛來這裡，她就講起了那個蘋果。妳再講啊，范妮，妳講那時候妳演波希雅發生的事。察理．佛洛曼是怎麼說的——我是說，一旦他清醒的時候。」

「哼，」范妮聳了聳肩。「假如你們吃這行飯的年輕人能像我們保留一點兒傳統，這幾部電影就不會搞出這樣的笑話來。我得感謝命運……」

「請大家安靜，」寶拉．溫岱兒打岔道：「我來介紹一下這位黛安．泰伊小姐，她擅長的樂器是最受好萊塢喜愛的優客李林。」

被介紹的女孩淺淺一笑，就在大家一下子靜下來時，她開始彈起一首倫敦音樂廳的演唱歌曲。這種歌曲和大多數這一類的藝術一樣，並不是要在諸如做禮拜的場合受人喜歡，可是她彈得很好，音色之中有一種餘音繞樑的甜潤。唱完另一首同類的歌，她忽然轉成〈漂泊在蘇瓦尼河上〉，這回的音律卻含帶著淚水，使得室內充滿了哀戚和傷感。對於瑞尼來說，這實在太肅穆了。

「現在，為大家帶來一首哀怨感人的民謠〈你的中國玩偶〉，」他高聲說道：「由艾迪．波士頓先生鋼琴主奏，藍道夫．雷諾先生薩克斯風伴奏。來吧，教授！」

「你別以為他們平常都是如此，」在一片吵鬧聲中，寶拉．溫岱兒對伊登說：「這種情形只有當他們把一家旅館包下來時才會發生，他們每次來到本地都會如此。」

這一幫人的確把旅社占領了，問題是鎮上一些閒來無事的人忽然都藉故跑來旅社大廳，大家在會客室門口來來去去，每個人無不驚訝的張大了嘴巴。

鋼琴和薩克斯風二重奏受到的讚許並不熱烈，雷諾先生認為這是同行相忌的緣故。

「緊接著推出下一個精彩的節目，叫做〈談一下我的心愛寶貝〉——艾迪，請就位。」他宣布道。

「不行！」名叫黛安的女孩子大聲說道：「我今天還沒有練卻爾斯登舞，現在有點晚了。艾迪，拜託一下。」

艾迪允從。過不多時，屋裡除了角落的兩個老人外，每個人都加入了舞蹈，旅社老闆掛在牆上的電影明星簽名照相框格格的響個不停，連玻璃窗也震動不已。突然間門口出現了一位光頭男子，眼神極為不悅。

「老天！」他咆哮道：「你們這麼吵，要我怎麼睡覺？」

「哈囉，麥克，」瑞尼說：「你要我們幾點開始就寢？」

「你來當這一幫人的導演一陣子，你就會知道辛苦了，」麥克臉臭臭回答道：「現在是十點，聽我的勸，快去睡覺。大家聽好，明天早上八點半集合，集合時必須穿戴戲服。」

眾人聽了，發出一陣呻吟。「你說的是九點半吧？」瑞尼問道。

「你自己聽到了，是八點半。我不管是誰，遲到了就罰錢。現在請各位上床，讓高尚的人睡個好覺。」

導演走後，瑞尼小聲覆誦了一遍：「高尚的人？他又在自抬身價了。」然而聚會畢竟結束了，大夥兒不甘不願的往樓梯移動，上二樓去。雷諾先生把薩克斯風放回櫃台。

「欸，老闆，這玩意兒有個音不準，」他抱怨道：「我明天來之前幫忙調一下。」

「噢，我一定把它調好，雷諾先生。」旅館老闆允諾道。

「麥克雖然這麼說，現在上床還是太早了。」伊登說道，他引著寶拉・溫岱兒往街上走。「我們逛一下吧。厄爾多拉多不像聯合廣場那麼熱鬧，但是夜晚的空氣你哪裡也找不到。」

「幸虧這裡不是聯合廣場，」女孩說：「否則我也不會像這樣到處晃。」

「真的嗎？」

他們沿著大街逛下去，月光下的景物一片灰白，一個人影也沒有。有光線從一家平價商店的窗戶照出來，窗戶上掛著一條用碎布縫製的衲被。

「橘花俱樂部婦女為孤兒之家託售義賣，」伊登唸道。「我想明天應該去那裡走走。」

「最好別跟橘花俱樂部有所瓜葛。」寶拉．溫岱兒說。

「噢，我自己會有分寸的，妳知道，我在意的是那些孤兒。」

「你真有善心！」她回答道。兩人走上一段窄窄的沙路，前面一間平房忽然開燈，黃色的光線從窗扉射出來。

「妳看月亮，」伊登說：「好像一片哈密瓜剛剛退了冰。」

「你喜歡吃的東西，對不對？」女孩說：「我每次都會想到你跟那塊牛排搏鬥的樣子。」

「是人就必須得吃。而且要不是那塊牛排，我也不會認識妳。」

「要是我們不認識呢？」

「那我在這裡可就寂寞了，」他們默默的往回走。「妳知道嗎，我一直在想，」伊登接下去說：「農莊那裡的事，我們再過不久一定會把它結束掉，然後我就要回去……」

「回去你那無拘無束的自由生活，那很好啊！」

「那當然。不過話說回來，我走了之後，希望妳別忘了我。我想繼續當妳的，呃，妳的朋友。而妳呢？」

「那很好啊，人永遠需要朋友。」

「偶爾寫封信給我吧，我總想知道魏博怎麼樣了，有些事很難預料——他過馬路的時候會很小心嗎？」

「放心好了，魏博不會有事的。」他們走到旅社前面停下來。「再見囉，祝你晚安！」女孩說道。

「等一下。我說，假如並沒有一個魏博的話……」

「事實上是有的，請別說尷尬的話。我想恐怕是月亮的關係吧，它看起來就像一片退了冰的哈密瓜。」

「跟月亮無關，是因為妳。」

沙漠邊緣旅館的老闆走到門邊，旅社裡面燈光黯淡。

「老天，是溫岱兒小姐！」老闆說道：「我差點把妳關在門外了！」

「我就來了，」女孩應道。「那明天農莊那裡見了，伊登先生。」

「好啊！」伊登回答，他向旅社老闆點了個頭，旅社的門在他面前「砰」一聲關上。

當車子在孤寂的沙漠上奔馳時，他開始擔心回到農莊之後，要對那位一刻也停不下來的麥當說些什麼。那位大亨此刻應該已從帕薩迪納回來了，他老兄本來是要在那裡和德瑞考特碰面的，然而德瑞考特人卻在舊金山，做夢也沒想到自己的名字會在菲力摩爾珍珠這齣戲中出現。麥當一定很生氣，他得有個解釋。

然而他擔心的事並沒有發生，農莊一片沉暗，好像只有阿金一個人在。

「麥當他們都睡了，」中國人說：「又髒又累的回到家，沒一會兒都跑進房裡去了。」

「喔，那我敢斷定明天又是一個新的局面了，」伊登回答道。「我也要去睡了。」

星期四早晨他進客廳吃早餐時，那三個人都出現在他的眼前。「昨天在帕薩迪納的情況都還好嗎？」他心情愉快的問道。

索恩和甘柏都瞪著他，麥當則皺起眉頭。「噢，是啊，當然好啊！」麥當說道。他又使了個眼色，分明是說：「你給我閉嘴！」

早餐過後，麥當到前面院子裡找伊登。「德瑞考特的事別說出來。」他關照道。

「你見到他了吧？」伊登問道。

「沒有。」

「嘎！怎麼會？那太糟了！但是，你們不會是因為彼此都不認識……」

「那裡沒有人看起來像是你所講的那個人。你知道嗎，我開始在懷疑你……」

「但是，麥當先生，我有叫他去那裡呀！」

「嗯，其實呢，我並不是特別在乎，事情的進行並沒有如我的預期。我想你現在最好跟他聯絡一下，叫他來厄爾多拉多一趟。他有打電話來嗎？」

「有可能，可是我昨晚人在鎮上。不管怎樣，他一定很快就會打電話來。」

「嗯，如果他沒打來的話，你最好跑一趟帕薩迪納，跟他聯絡上。」

一輛大卡車駛來農莊門口停下，上面載滿攝影工作人員、道具以及奇裝異服的演員，隨後又駛來了兩輛汽車。卡車上有人下來打開園門。

「這是幹什麼？」麥當大叫道。

「今天是星期四，」伊登回答道：「你難道忘了？」

「啊，我完全忘了！」麥當說道：「索恩！索恩哪裡去了？」

祕書從屋裡出來。「是拍電影的人來了，老闆。就是今天……」

「去他媽的！」麥當咆哮道。「好吧，這一關我們必須熬過去。索恩，你注意一下情況！」他進了屋內。

今天早上的外景隊是一本正經來幹活的，跟前一天晚上吊兒郎鐺的歡樂氣氛迥然有別，屋後庭院外圍架起了攝影機，穿著西班牙傳統服裝的演員都已準備好了。鮑伯・伊登走到寶拉・溫岱兒前面。

「早啊，」她說道：「我特地來這裡一趟，以防麥當收回承諾。你也知道，我現在對他已經了解得多了。」

導演從他們身邊走過。「這些都沒有問題。」他對女孩說。

「我的表現只有這次讓他感到滿意，」她笑著對伊登說：「真應該大書特書。」

故事背景發生在從前的加州，沒過多久他們就在庭院拍起重要的一幕。

「不對，不對，不對，」導演大叫道：「你今天早上是怎麼搞的，瑞尼？你現在是跟女主角道別，你要很愛很愛很愛她，因為你很可能一輩子沒辦法再見到她了。」

「他媽的我才不要，」男主角說：「要不然整齣戲現在就砸場了。」

「你聽得懂我在講什麼，你要以為你再也見不到她了。她老爸才剛把你掃地出門，永遠不想再看到你。她老爸是有點吹毛求疵。不過得了吧，這是場偉大的別離，你的心都碎了。心碎了，小朋友，你還在那裡嬉皮笑臉的幹什麼？」

「好吧，黛安，」男主角說：「我以後再也無法見到妳了，所以我應該感到難過。他媽的，這些編劇本的真沒有想像力。不管了，咱們拍吧，我什麼戲都能演。」

滿頭白髮的老頭兒和艾迪．波士頓一起坐在穀倉旁邊的一堆木頭上，阿金就在一旁徘徊，兩眼注視著白種人的怪異舉止。

波士頓背靠著木頭，點起菸斗來。「一說起麥當，」他道：「就讓我想起傑利．狄蘭尼。你認識傑利吧，老爹？」

伊登震了一下，走近了些。老頭伸出手框在耳背後。

「你說誰？」他問。

「狄蘭尼，傑利．狄蘭尼，」波士頓大聲說道。陳查禮也挨近了些。「他以前幹的那一行很有一套，老爹。我希望有機會——我想去問一下麥當他是否記得……」

庭院那兒有人高叫「波士頓先生」，他把菸斗放在一旁，快步跑過去。陳查禮和鮑伯．伊登互望了一眼。

電影拍攝得很順利，不知不覺到了吃午餐的時刻，大家分散在前院和後院，忙著享用綠洲餐廳的三明治以及裝在熱水瓶裡的咖啡。忽然麥當出現在客廳門口，心情似乎不錯。

「我只是來表示一下我的歡迎之意，」他說道：「請各位不要拘束，把這裡當作自己的家。」他和導演握個手，又朝大夥兒走去，每一位都聊上幾句，尤其那位叫做黛安的女孩最受他的注目。

不久他走到艾迪．波士頓面前，伊登趁他們交談時假裝不經意的走近前去。

「敝姓波士頓，」那位男演員說道，原本嚴苛的臉一下開朗起來。「我正想要見你呢，麥當先生。我想請問你記不記得我的一位老朋友，紐約的傑利．狄蘭尼？」

麥當的眼睛半瞇了一下，但長得像撲克牌般的一張臉卻露出得意的顏色。

「狄蘭尼？」他心不在焉的說了一遍。

「是的，傑利．狄蘭尼，他以前經常在四十四街賈克．馬蓋爾的場子裡晃，」波士頓不捨的說道：「你知道，他……」

「我不記得他，」麥當說道，開始向一旁移動。「我見過的人太多了。」

「也許是你不願意回想起他吧，」波士頓說道，語氣裡頭有些奇異。「我想這也不能怪你，先生。唔，我猜你很不喜歡狄蘭尼，他對你做的事很惡劣……」

麥當焦躁的四下張望。「狄蘭尼的事，你知道多少？」他低聲問道。

「知道得很多，」波士頓回答道，他向麥當靠近了些，說話的聲音鮑伯‧伊登幾乎聽不清。「狄蘭尼這個人的事我全都知道，麥當先生。」

一時之間這兩個人彼此互望起來。

「請到屋裡坐，波士頓先生。」麥當建議道。伊登眼看著兩人走進客廳。

阿金端著一個放了許多香菸和雪茄的托盤來到後院，是主人招待在場客人的，當他來到導演前面停下，那位老兄端詳著他。「老天，這裡來了一位標準演員，」導演嚷道：「嘿，兄弟，你來演部電影怎樣？」

「你瘋了，老闆！」阿金笑道。

「喔，我可沒瘋。我們可以讓你演好萊塢的電影。」

「各位看官聽了，底下……」

「不是那一種。你考慮看看，這個給你。」他在一張名片上寫了幾個字，「你要是改變心意，就跑來找我，懂嗎？」

「恐怕沒有那一天喔，老闆。我在這裡過得很不錯哩。」他端著托盤往旁邊走去。

鮑伯．伊登坐在寶拉．溫岱兒身邊，外表儘管平靜，內心卻很困惑。

「聽好，事情來了，」他開口道：「妳又可以幫我們一個忙了。」他把傑利．狄蘭尼的事大略解釋一下，然後把剛才麥當和艾迪．波士頓的對話講了一遍，女孩聽了張大了眼睛。「由老陳或我來問他問題都行不通，」他補充說：「這位波士頓是個怎樣的人？」

「很討厭的一個人，」她說：「我一向不喜歡他。」

「嗯，也許這是妳第一次有機會問他幾個問題。我猜那要等到你們回去鎮上才會有這個機會，妳要問出他對傑利．狄蘭尼所知的一切，不過用的方法盡量別讓他起疑。」

「我試試看，」她回答道：「但是我並不是很聰明……」

「誰說的？妳聰明極了，而且心地很好。妳一跟他談過之後立刻打電話給我，我會立刻趕到鎮上。」

導演站了起來。「好啦，咱們把工作幹完吧。這裡沒人在嗎？艾迪！艾迪哪裡去了？」

艾迪．波士頓從客廳裡出來，他的尊容是張面具，看不出端倪來。伊登想道，要從艾迪．波士頓口中探出祕密，可不是件容易的事。

一個小時之後，外景隊揚起了一陣風沙，絕塵而去，寶拉．溫岱兒在後頭開著小跑車緊緊跟隨著。鮑伯．伊登跑去找陳查禮，兩人在廚房後面僻靜處密談，他把波士頓對麥當的驚人之語講了一遍，講得那位警探小小的黑眼睛發亮起來。

「我們又向前邁進了，」陳查禮說：「艾迪．波士頓突然發出亮光，成為我們最好的賭注。我們一定得找他一談，但是要用什麼方法呢？」

「我要寶拉．溫岱兒試一試。」伊登回答道。

陳查禮點點頭。「好主意。在漂亮的女孩子面前，誰會保持沈默呢？我們要寄以厚望。」

【第十七章】追蹤麥當的足跡

鮑伯·伊登在一個小時後接到了電話，慶幸的是客廳裡頭一個人也沒有。寶拉·溫岱兒在電話線那頭。

「怎麼樣呢？」他低聲問道。

「不太妙，」女孩答道：「我們一回到鎮上，艾迪就匆匆忙忙打包個人行李，付了住宿費用之後便往外跑，我叫住他說：『喂，艾迪！我有事情要問你……』但是我僅能講出這句話，他指著火車站說：『我現在沒時間，寶拉，我得趕著搭火車到洛杉磯！』然後他拼命跑上火車，一轉眼火車就開走了。」

伊登沈默了半晌。「那就怪了。他本來是要跟外景隊一起坐汽車回去的，對吧？」

「那當然，他就是這樣來的。唉，我非常抱歉，老闆，這件工作被我搞砸了。我想除了繳械之外，別的事也甭做了。」

「別那麼說，妳已經盡力了。」

「可是做得不夠好，我很抱歉。再大約一小時左右，我必須開車到好萊塢走一趟，等我回來時，你還在這裡嗎？」

「我還在嗎？」伊登歎了口氣，道：「看來我得永遠待在這裡了。」

「好可怕！」

「妳怎麼那樣說？」

「我是說，替你感到可怕。」

「喔！好吧，非常謝謝妳。我希望很快再見到妳。」

他掛斷電話，走到前面院子，阿金正在廚房附近閒晃，兩人一起溜進穀倉。

「我們寄予的厚望落空了。」伊登說道。他把自己和寶拉・溫岱兒的通話內容敘述了一遍。

陳查禮神色不動的點點頭。「我敢打賭同樣的事情還會發生。艾迪・波士頓曉得狄蘭尼每一件事，還向麥當坦承這個事實，那我們拼命想見波士頓有什麼用？麥當第一個見過他了。」

穀倉裡有一張屋裡淘汰出來的老舊靠背長椅，鮑伯．伊登一屁股坐上去，雙手抱住了頭。

「唉，我好灰心，」他坦承道。「我們被一道牆擋住了，查禮。」

「我這輩子已經被牆擋過好多次了，」警探回答：「而然後呢？我撞得鼻青臉腫，痛得要命，那時我忽然靈機一動，繞了過去。」

「你有什麼主意？」

「農莊這裡的可能性已經耗竭殆盡，我們必須看看別的地方，有三個城市的名字閃進我的心頭，它們是：帕薩迪納、洛杉磯和好萊塢。」

「非常好，問題是怎麼去呢？啊，我想我有辦法了。麥當今早說我應該跑一趟帕薩迪納，去跟德瑞考特取得聯絡，他們昨天似乎情況特殊，沒有碰到面。」

陳查禮笑道：「結果他有沒有發脾氣？」

「說也奇怪，他並沒有。有甘柏教授一路跟著，我想他並不打算見到德瑞考特吧。

寶拉．溫岱兒等一下就要開車往那個方向出發，假如我快一點，說不定能搭上她的車子。」

「那倒是個快樂的旅程，」陳查禮同意道：「趕快準備吧，我開車載你到鎮上時，還有一些事跟你商量。」

鮑伯．伊登立刻到麥當的房間，門打開著，他看到大亨龐大的身軀橫躺在床舖上，鼾聲震撼著寧靜的午后。他咚咚咚敲響了門板。

麥當嚇了一跳，從床上彈了起來，兩眼立刻睜得大大的。麻煩似乎老找到他頭上，伊登一時之間倒憐憫起這位大人物來。麥當無疑是陷入莫名所以的羅網裡，既困擾又疲倦，但仍不停的掙扎。有了那麼多財產，卻不那麼快樂。

「先生，我很抱歉吵到你了，」伊登說道：「事情是這樣的，我認識幾個拍電影的人，剛好有機會坐他們的車到帕薩迪納，我想我最好跟著去。德瑞考特並沒有打電話來，所以……」

「噓！」麥當急忙制止他講下去，走上前去把房門關上。「德瑞考特的事只能你知我知，我想你會奇怪到底發生了什麼事，但我不能講，我頂多只能說甘柏這傢伙，在我看來並不像他外表裝出來的那樣，而且……」

「而且怎樣，先生？」伊登滿懷希望問，

「嗯，我還是別講吧。你找到德瑞考特叫他到厄爾多拉多來，住在沙漠邊緣旅館，還有什麼話也別對人講，我短時間內會跟他接觸，在那之前他姿態得放低點。我講的這些你懂嗎？」

「我懂，麥當先生。我很抱歉事情一直拖到現在。」

「噢，那倒還好。你去告訴阿金，就說我要他載你到厄爾多拉多；還是你那幾個拍電影的朋友要來這裡載你？」

「沒有，我還是必須再麻煩阿金一次。謝謝你，先生，我會盡快回來。」

「一路順風。」麥當回答道。

伊登匆匆往手提箱裡塞了些東西，來到前院等候阿金和那輛小汽車。甘柏這時候出現了。

「你該不是要離開我們吧，伊登先生？」他用溫吞的語氣問道。

「沒那麼好，對你來說，」小伙子回答道：「只是出趟小小的遠門。」

「那是要辦正事囉？」教授不慍不火的追問道。

「或許吧！」伊登笑道，中國車夫開車過來了，他鑽入車內。

他和陳查禮又一次趕上了沙漠的日落，沐浴在夕陽西下的黃色餘暉之中。「嗯，查禮，」伊登說：「刑事偵查這碼子事我還是個生手，第一步該怎麼做？」

「用不著擔心，我會跟你形影不離，隨機應變。」

「你？你怎麼出得來？」

「簡單得很。明天一早我說我要請假到洛杉磯看生病的弟弟，任何一個中國傭人都會有這種最古老的請求。麥當是會生氣，但不會起疑。明早七點厄爾多拉多有一班到帕薩迪納的火車，我會搭上這一班，十一點就會抵達。可以麻煩你到車站接我嗎？」

「樂意之至。我們先從帕薩迪納查起，是嗎？」

「我的計畫正是如此。第一步我們先弄清楚麥當昨天的行止，譬如銀行那裡發生了什麼事？他有回帕薩迪納的宅所嗎？然後到好萊塢，說不定能找到艾迪．波士頓。然後我們去找那位女高音，要她先別唱歌，跟我們講幾句話。」

「好吧。我們是會成為很好的搭檔，但是卻無權要任何人回答問題，」伊登回答道：「在檀香山你或許是位警察，可是警察在加州南部好像沒那麼偉大。」

陳查禮聳一聳肩。「道路總會打開，障礙將被排除。」

「但願如此。」小伙子說。「不過還有個問題，我們這樣會不會很冒險？萬一麥當聽到了我們的行動，那怎麼辦？是有危險，對不對？」

「說危險倒是很恰當的形容，」陳查禮同意道，「但是我們現在是奮不顧身，傾力一搏。」

「我們的確是奮不顧身，」伊登歎息道：「對我來說，每一分鐘都在拚命。而且我要告訴你，假如我們這一趟回來，事情還沒有確切的光亮，那我會忍不住想把你肚子上……以及我心中的重大負擔卸下來。」

「忍耐是個十分貴重的美德。」陳查禮笑道。

「好吧，你應該知道，」伊登說：「你身上擁有的忍耐存量比我見過的任何人都要來得多。」

來到沙漠邊緣旅社，伊登看到寶拉・溫岱兒的車還停在門口，不禁鬆了口氣。他們在那輛小跑車旁邊等著，沒有多久看到威爾・何利走了過來。兩人把計畫告訴了他。

「這我倒能幫上一點忙，」報紙編輯說：「麥當在帕薩迪納那裡的房子有一位老管家，名字叫彼得・佛格，人很不錯，他來過這裡好幾次，跟我很熟。」他在一張名片上寫了幾個字。「你把這個給他看，就說是我介紹你去的。」

「謝謝你，」伊登說：「我們會用得上的，否則會有很大的誤解。」

寶拉・溫岱兒出來了。

「告訴妳一個好消息，」伊登說道：「我要坐妳的車到帕薩迪納。」

「好啊，」她回答道：「上車吧。」

伊登上了跑車。「兩位大哥再見！」他高聲說道，車子隨即上路。

「我那麼常搭妳的車，妳應該裝一個計程車的里程錶。」伊登建議道。

「少胡扯了，我很樂意載你。」

「真的嗎？」

「是啊。多你一個人的重量，我的車開在路上會比較穩些。」

「妳還真會拍馬屁，小姐，」伊登對她說：「可以的話，我來當司機吧。」

「噢，謝了，不用，我想我開會比較好，這趟路我熟。」

「妳總是那麼能幹，真令我神經緊張。」他評論道。

「一碰到艾迪．波士頓，我就不能幹了。我真的很抱歉。」

「妳不用煩惱，艾迪這個人不太好對付，再過不久我跟老陳要動一下他的腦筋。」

「你們這件大懸案怎麼樣了？」女孩問。

「大懸案還在向我們送秋波，」小伙子回答道：「情況一直沒變。」一時之間他們都在思考著麥當為何要殺死狄蘭尼，不知不覺車子駛入了山區，夜色向他們聚攏過來。

又過了一會兒車子降到植物茂盛的山谷，四周飄著花香。

「嗯，」伊登深呼吸了一下，讚歎道：「好香的味道，這是什麼？」

女孩瞟了他一眼。「你這可憐的呆瓜，柳橙的花啦。」

「喔！嗯，我當然不可能知道那個。」

「想當然耳。」

「死刑犯在臨終前吸進去的一口氣據說相當的愉悅，這是不是真的？我猜那就像乙醚在起作用吧——當他失去意識時，他以為自己已經結婚了。」這時，一位鹵莽的駕駛逆向衝過來。「小心！」伊登大叫道。

「我注意到了，」女孩說：「坐我的車，安啦！你要我講幾次？」

他們在河邊鎮的一家旅舍用過晚餐，還跳了一兩支舞，不久之後便抵達了帕薩迪納，伊登覺得實在太快了。女孩把車開到馬里蘭飯店，準備讓他下車。

「欸，妳聽我說，」伊登主張說：「我應當看到妳安然抵達好萊塢才對。」

「沒必要那樣，」女孩笑道：「我跟你一樣，自己會照顧自己。」

「真的嗎？」

「你明天要來看我嗎？」

「想得很。我和老陳明天會到好萊塢去，我們在哪裡可以找到妳？」

她說明天下午一點會到製片廠，隨後面帶笑容道了聲再見，人車消失在科羅拉多街上的明亮燈火中。伊登進到飯店，度過一個寧靜的夜晚。

第二天吃過早餐後，伊登想起大學時代有位同學名叫史派克・布里斯托，同學錄說此君就住在帕薩迪納。他在當地的電話簿上找到了布里斯托的住址，立刻前去拜訪。原來這位同學在證券公司上班，辦公室的裝潢派頭得很。

兩人寒暄了一陣，伊登說道：「原來你老兄在賣有價證券？」

「是的，房地產也賣，」布里斯托回答：「三心二意的換了好幾個工作，最後才選擇幹這一行。」

「那當然，」伊登笑道：「男士們對有價證券較為偏愛，任何一本同學錄都能證明這一點。你混得怎樣？」

「還不錯，有很多老朋友捧我的場。」

「哈，現在我知道你看到我為什麼那麼高興了。」

「那還用說。我們有一些條件很優厚的第一抵押債券。」

「那當然，不過你自己留著用吧。我來這裡是幹正事的，老史，這是件私事，我告訴你的必須全關在帽子底下。」

「我從不戴帽子，」史派克快樂的說：「那就是本地氣候的可愛之處。」

「氣候再好你也不能賣給我。老史，P．J．麥當你認識吧？」

「喔，我們不是非常親密，他從來沒有邀請我共進晚餐，不過我們這些金融界鉅子當然都認識。說到麥當，我前兩天才幫他做了一件事。」

「請詳細說明。」

「那你可不能往外說。麥當星期三早上帶著價值十一萬美元的可轉讓債券到我這裡，大部分是自由公債，我們當天就幫他賣掉了，也付了現金給他。」

「那正是我想知道的。老史，我想找跟麥當有金錢往來的銀行的行員，了解他星期三在這裡的交易內容。」

「你是何方神聖，福爾摩斯嗎？」

「嗯，」伊登想到了陳查禮，「我跟警方有聯繫，暫時性的。」史派克聞言吹出一聲口哨。「我也許能更進一步的說——不過看在老天的份上你可得保密——麥當有麻煩了。現在我人住在麥當在沙漠裡的農莊，我有充分的理由相信他遭到了恐嚇。」

史派克注視著他。「是又怎樣？那應該是他家的事。」

「本來應該是，但現在卻不是了。我爸爸的一筆買賣也牽涉在裡面。你認識嘉菲德銀行裡的人嗎？」

「我有個好朋友在那裡當出納員。你也知道這些在銀行裡上班的人，死硬得很，但我們總得試一試。」

他們一同前往那幢大理石建築的嘉菲德銀行，史派克花了很長一段時間跟他的朋友懇切的交談了一番，不久他叫伊登過去，為彼此介紹。

「你好，」那位出納員說：「你也了解史派克剛才講的事很不尋常，但既然他肯替你擔保，我想……你想知道哪件事？」

「麥當星期三來到這裡，到底發生了什麼事？」

「對的，麥當先生星期三的確有來這裡，我們有兩年沒看到他了，這次的到來引起不小的騷動。他去地下室金庫開他的保管箱，待了一段時間。」

「他一個人嗎？」

「噢，不是，」出納員答道：「他的祕書索恩也一起來，索恩我們都很熟。另外還有一位中年人，個子小小的，樣子我記不太清楚。」

「噢，原來如此。他清點了他的保管箱，就這樣？」

出納員遲疑了一下。「不，他打電話到紐約的公司，叫那邊把一筆很大的金額從聯邦儲備銀行轉入我們的帳號……我真的不能再多講了。」

「你們把那筆鉅款付給他了？」

「我可沒那麼說。我恐怕已經講得太多了。」

「你幫了很大的忙，」伊登回答道：「我保證不會拖累到你，非常謝謝你。」

他和布里斯托走回到街上。「老史，謝謝你的幫忙，」伊登說道，「我就在這裡跟你分手。」

「就這樣把我當舊衣服扔掉啦？」布里斯托抱怨道：「一起吃頓午飯吧？」

「很抱歉，改天好了。我現在得趕時間，火車站就這條路一直下去，對不對？你留下來享受這裡的氣候吧！」

「酸葡萄！」史派克回敬道：「你別回到家卻在大霧裡頭迷路了！再見。」

從十一點到站的火車上下來了一位相當不一樣的陳查禮，他的穿著與伊登在舊金山看到的一樣。

「哈囉，大帥哥。」小伙子打招呼道。

陳查禮露出笑容。「感覺上又恢復了體面，」他說：「我在巴斯托取回了幾件像樣的衣服，今天不必煮飯，生活就變得非常美好。」

「你走的時候，麥當有沒有發飆？」

「他怎麼發飆？我在麥當起床前走的，我隨便寫了歪歪扭扭的幾個字貼在門上。想必他現在心情很沈重，以為我再也不回去了。等阿金回去巢穴時，他一定非常驚喜。」

「嗯，查禮，我忙了一上午，」伊登說道，他把早上的活動交代了一下。「前天晚上老傢伙回到農莊的時候，全身的每個毛孔一定都流得出現金來。我跟你講，何利是對的，他被勒索了。」

「看起來是那樣，」陳查禮同意道。「我這裡還有個觀點：麥當殺了人，怕事情敗露，所以他把鉅款聚攏起來，一有風吹草動，他就攜款潛逃，直到風波平息為止。你覺得這個看法怎樣？」

「天啊——是有此可能。」伊登頷首道。

「是值得考慮。」陳查禮回答。「我建議我們去麥當在這裡的住宅，拜訪一下那位管家。」

他們搭的黃包車駛進橘苑大道，沿途的市容十分美觀，陳查禮的黑眼睛為之一亮。這條一路栽植著木椒樹的街道是有錢人家的最愛，車子換到樹蔭下的慢車道，陳查禮甚表敬畏的看著那一幢幢豪宅巨邸。

「對一個在小河邊茅茨土屋長大的人而言，這裡實在是壯觀，」他說道。「有錢人在這裡生活得跟帝王一樣，那樣有帶來滿足嗎？」

「查禮，」伊登說：「我很擔心這幢房子的管家，他要是把我們跑來找他的事報告給麥當，那我們就完了。」

「死得非常難看。但是我不是說過嗎？我們要傾力一搏，希望有好運道。」

「真的有見他一面的必要嗎？」

「凡是對麥當有所了解的人，我們都應該見上一面，這很重要。這幢房子的管家說不定會帶給我們有用的發現。」

「我們要對他講些什麼？」

「看起來很像是真的事件。麥當遇到了很大的麻煩，被人勒索。我們是警方人員，正在追查犯罪。」

「那好，你要怎樣證明自己的身分？」

「把檀香山警察局的警徽亮一下，這玩意兒我已經別在背心上了。所有的警徽看起來都很像，除非對方起疑，靠上前來辨認。」

「好吧，查禮，你是主治大夫，我自然跟進。」

計程車在這條街最大──或者說全世界最大──的一幢房子前面停下。上坡的車道很寬，陳查禮和伊登走過去，看到一個人正在蔓藤棚架旁種植玫瑰花，那人雖然穿著工作服，卻頗有書卷氣，眼神機伶，笑容和善。

「佛格先生是嗎？」伊登問道。

「我正是佛格。」那個人說，鮑伯．伊登遞上何利的名片，佛格笑得更開朗了些。

「何利的朋友我都歡迎，」他說：「我們到房子旁邊的陽台坐一下。有什麼事要我效勞嗎？」

「我們想請教你幾個問題，佛格先生。」伊登說道：「問題聽起來會很奇怪，你可以自行決定答或不答。第一個問題，麥當先生星期三的時候人是不是在帕薩迪納？」

「是啊，他那天是在帕薩迪納。」

「那天你有看到他？」

「是的，只有幾分鐘。他坐那輛銳夸轎車來到門口，那輛車是他在這裡的座車，當時大約傍晚六點，我跟他講了一會兒話，可是他並未下車。」

「他說什麼？」

「只是問一下這裡的情況好不好，然後說他不久後要來這裡小住，跟他女兒。」

「跟他女兒？」

「是的。」

「你有問到他女兒嗎？」

「喔，有啊，只是平常禮貌性的問候她好不好而已。他說她女兒人很好，非常想來這裡。」

「麥當一個人在車上嗎？」

「不是，索恩跟他一起，那一向是如此。還有另一個人，那個人我從未見過。」

「他們沒有進到屋裡？」

「沒有。我覺得麥當先生是想進屋裡，但又改變了主意。」

鮑伯．伊登看了一下陳查禮。「佛格先生，你注意到麥當的神色有任何異樣嗎？他是不是跟往常一樣？」

佛格皺起眉頭。「嗯，我是他離開之後才察覺到的，他的舉動非常緊張，而且有點……有點困擾的樣子。」

「我告訴你一件事好了，佛格先生，我完全尊重你的自由判斷。你也知道，假如我們有問題的話，威爾・何利也不會指引我們來這裡。麥當先生人很緊張，他受到了困擾，我們有很多理由相信他遭到一夥歹徒的恐嚇勒索。陳先生……」陳查禮迅速的把外套敞開了一下，加州艷麗的陽光在銀質警徽上閃了一下。

彼得・佛格點點頭。「我並不感到吃驚，」他表情嚴肅的說：「但是聽到此事，我還是很難過。我一直喜歡麥當，像我這樣的人並不多，但是他確實把我當成朋友。你們也許看得出來，我現在這件工作跟我的老本行兩不相干，以前我在東海岸是個律師，後來健康出了大問題，一定得來到這裡，情形迫使我不得不如此。沒錯，麥當有恩於我，我要盡我的力量去幫助他。」

「你說你不感到吃驚，這樣說有任何理由嗎？」

「也不是什麼特別的理由，像麥當那麼有名，又那麼有錢的人，嗯，在我來看那是無可避免。」

陳查禮第一次開口了。「先生，再請教一個問題，你是否知道麥當先生何以會懼怕某個特定人物，那個人名字叫傑利・狄蘭尼。」

佛格迅速的看了他一眼，並沒有說話。

「傑利・狄蘭尼，」鮑伯・伊登重複講了一遍。「你聽過這個名字吧，佛格先生？」

「這個我倒是可以奉告，」佛格回答道：「我老闆有時候還滿和氣的。幾年以前他把這幢房子大翻修了一遍，還裝設了一整套防盜警鈴，那時候工人正忙著弄玻璃窗，我在玄關碰到他，他說：『我想假如有任何人想闖進來，那玩意兒應該會提醒我們注意。』我說：『老闆，我猜像你這樣的大人物，敵人一定很多。』他有點好笑的看著我，回答道：『老佛，這個世界上我只怕一個人。』我說：『就只一個？』於是鼓起了勇氣問道：『那個人是誰啊，老闆？』他說：『那個人名叫傑利・狄蘭尼，記下來吧，假如有任何事發生的話。』我告訴他我會記住，然後他走開了去。我又問：『老闆，你為什麼會怕這個叫狄蘭尼的人？』那是件羞於啟齒的事，一開始他沒有回答。」

「但他還是回答了？」鮑伯・伊登問道。

「是的。他看了我一會兒，然後說：『傑利・狄蘭尼從事的是最古怪的一種行業，而且他還真是他媽的厲害。』說完他走進了書房，當時我知道最好別再問下去了。」

【第十八章】開往巴斯托的火車

片刻之後他們告別彼得．佛格，麥當的宮殿空無一人，一旁的草坪修剪得整整齊齊，只有佛格獨自佇立在那裡。兩人默默無語的坐進車內，計程車順著大道開下去，然後轉到較為熱鬧的商業區。

「我們從那裡得到了什麼呢？」鮑伯．伊登不解道：「我會說沒什麼大收穫，假如你問我的話。」

陳查禮肩聳了聳。「充其量只能說是微不足道。但是微不足道的小事有時候卻會開出大型的花朵，偵探工作包含著一個一個看不出名堂的細節，然後你一陣眼花撩亂，整件事便豁然開朗。」

「那就來製造眼花撩亂吧，」伊登說：「我們得知麥當星期三有來過這裡的宅邸，但是沒有進去。當佛格問到他的女兒時，他回答說她人很好，而且不久就會過來。還有呢？我們先前已經知道的：麥當很怕狄蘭尼。」

「還有狄蘭尼的職業很怪異。」

「什麼職業？那得再明確一點。」

陳查禮皺了一下眉頭。「假如我能吹牛說自己是美國本土的萬事通就好了。你呢？推理一下吧。」

伊登搖搖頭。「我向我老爸保證說我絕不『投機』（譯註：二人所謂的「推理」「投機」是同一個英文字speculate），就算是這個案子也一樣，我想不出什麼的。請別介意我提到另一個更看不出名堂的細節——我的腦子已經麻痺了。太多的謎題把年輕的我變成了一個笨小孩。」

計程車載他們到達車站，從那裡每小時開出一班車到好萊塢，他們正好及時搭上十二點那一班。巴士開得很快，小山丘才剛拋諸腦後，跨越旱溪峽谷的大橋也立刻到了盡頭，一個活潑明朗的世界在眼前，小小間的灰泥平房漆成粉紅、翠綠和亮白，加油站不計其數。巴士一下子便駛入這座電影城的城郊，色彩愉悅的豪華住宅歪歪扭扭的高踞在山坡上。然後巴士駛進一條長長的街道，遠端似乎綿延無盡，深入好萊塢商業區的車水馬龍之中。

他們下車之處，名牌汽車的喇叭聲吵得令人精神錯亂，人行道上熙來攘往著一大群忙碌的人，不細看的話，這群人似乎以衣著光鮮的男女為榜樣。兩人穿越了馬路。

「你要提高警覺喔，查禮，」伊登提醒道：「你四周都是賣汽車的推銷員。」陳查禮好奇的四下看了看。「這裡是世界上最多彩多姿的製造業城鎮，除了煙囪之外，這裡什麼都有。」

寶拉．溫岱兒已經在製片廠的接待室等候著他們了。「跟我來吧，」她說：「我帶你們去自助餐廳吃午飯，之後你們或許想四處看一看？」

她帶著他們走過攝影棚，走下一條街道，街道連接至模擬住宅區的假門面，陳查禮一路上眼花撩亂。「我的大女兒一定會拿神明的恩寵來跟我交換置身此地，」他說：「等我回潘趣盂山，可以講的事情可多了。」

他們和一大群演員在一起用餐，那些演員的妝扮、衣著都很怪異。「對不起，假如我吃得太恣意，口味也太重，請不要介意。」陳查禮一面吃著雞肉派，一面說：「從來沒有一個郵差休假時額外走的路會這麼有趣。碰到了未經自己揮汗調理的食物，這對我倒是個新鮮的經驗。」

「他們現在在拍第十二場戲，」用餐過後，女孩解釋道：「這樣做雖然會違反規定，但是你們講話只要不太大聲，我可以帶你們去看一下。」

他們走過陽光刺眼的戶外，進到一座看起來有如倉庫似的巨大建築，裡面光線幽暗。他們來到拍片現場，場景搭成一間精緻的外國餐廳，背景掛著鮮艷的窗帘，地板鋪上豪華的地毯，沿著牆壁排列了許多張餐桌，上面擺著粉紅色燈罩檯燈，餐廳入口處站著一位衣著光鮮的領班，神氣得很。

正要拍的這幕戲顯然用了很多臨時演員，有一大群人站在那裡耐心的等著，大部分人的臉上都洋溢著神采，令人難忘。好萊塢的生活並不那麼幸福快樂，名氣卻為世界許多角落所知悉。現場大多數的男演員都穿著軍服，想必是拍戰爭片吧。鮑伯・伊登還聽到一陣夾雜著法語、德語和西班牙語的聲音傳來。他在自己周遭目睹的許許多多個故事，都比這些演員在銀幕上演的真實且悲哀多了。

「男女主角多多少少有點指標的作用，」寶拉．溫岱兒說：「可是臨時演員卻不同，你只要跟他們其中幾個談一下話，就會大吃一驚。他們不但聰明，教養又好，過去的經歷也非泛泛，而現在到了出納那裡，每天卻只有五塊美元好拿。」

有人高喊了一下，臨時演員魚貫進入拍攝現場，各自到分配好的定點，各個不同的桌位。陳查禮看得入神，顯然他可以一直待下去，可惜缺乏耐性此一可貴美德的鮑伯．伊登，卻變得坐立難安起來。

「這個真的很不錯，」他說道：「只是我們還有事情要做，艾迪．波士頓怎麼辦呢？」

「我給你他的住址，」女孩答道：「這時候不知能不能找到他的人，但是你們可以試試。」

攝影機後面的暗處來了一位老傢伙，鮑伯．伊登認出他昨天曾經出現在麥當農莊——那位被稱作「老爹」的資深演員。

「哈囉，」寶拉．溫岱兒喚道。「也許老爹可以幫你們的忙，」她招手請老傢伙過來。「老爹曉不曉得到哪裡可以找到艾迪．波士頓？」她問道。

老爹走來他們這裡，陳查禮退入陰暗的角落。

「噢，是伊登先生，你好嗎？」老傢伙說。「你說你要去找艾迪．波士頓？」

「是的，我想去找他。」

「那太糟了，他現在人不在好萊塢。」

「怎麼一回事？他人在哪裡？」

「這時候正在往舊金山的路上，」老爹回答道：「至少我昨晚看到他時，那是他打算要去的地方。」

「舊金山？他去那裡幹什麼？」伊登詫異的問。

「一件突發狀況，他嘴巴這樣講。你知道嗎，依我看艾迪是為了一筆錢去的。」

「哦，真的嗎？」伊登的眼睛半瞇起來。

「昨晚我們剛從沙漠回來，我在街上遇到他，他是坐火車回來的。我說為什麼要這樣，他說：『因為有些緊急的事情要辦，老爹。明早我要到舊金山去，事情滿有搞頭。現在戲拍完了，為了健康著想，我要去遠足一趟。』他還說，自從一八九〇年代之後，他就沒有再去過舊金山，現在很渴望再去一趟。」

伊登點點頭。「嗯，真是非常謝謝你。」他和寶拉．溫岱兒往門邊走去，陳查禮帽沿壓得低低的從後面跟來。

來到通道的盡頭，在明亮的世界底下，伊登停了下來。「就這樣了，」他說：「希望又落空了一次。我們到底走得到終點嗎？這下好啦，查禮，波士頓居然溜了，咱們的鳥兒飛了。」

「他幹嘛不？」陳查禮說：「當然是麥當花錢請他走的，波士頓不是說狄蘭尼的事他都曉得嗎？」

「那必然意味著他知道狄蘭尼已經死了，但是他怎麼知道呢？出事的星期三晚上他人在沙漠那裡嗎？老天啊！」小伙子把手放在額頭上。「妳有沒有帶嗅鹽？」他對寶拉．溫岱兒說。

女孩大笑道：「我才不用那個！」

他們往街上走去。

「好吧，我們必須加把勁，」伊登說：「長夜漫漫，家還在遠方。」他轉向女孩：「妳什麼時候回厄爾多拉多。」

「今天下午，」她回答道：「我要忙下一個劇本了，這回需要找一座幽靈城市。」

「一座幽靈城市？」

「是啊，你知道吧，就是一個廢棄的礦業城鎮。所以我又得去跑佩蒂寇礦區了。」

「那是什麼地方？」

「在距離厄爾多拉多十七英哩的山上。十年前佩蒂寇礦區住了大約三千人，現在卻一個人影也沒有，像龐貝城一樣，湮沒了。我一定要帶你去看，那裡很有趣。」

「一言為定！」伊登回答道：「等妳回到沙漠我們再去看妳。」

「非常謝謝妳帶我近距離的參觀攝影棚，」陳查禮說道：「那在記憶的卷軸裡永遠會發出亮光。」

「那對我來說也很有趣，」女孩答道：「很可惜你們必須走了。」

在往洛杉磯的電車上，伊登問中國人：「查禮，你曾經氣餒過嗎？」

「還有工作要做就不氣餒，」警探回答道：「那位費茲格羅小姐，聲音或許像黃鶯一般，但是她可不會飛。」

「最好由你來跟她談。」伊登說。

陳查禮搖搖頭。

「不行，這一趟我不能在場。這很簡單，只要我在場，就會因為氣氛尷尬而停頓。這種事很難解釋，就像我的眼珠是黑色的一樣。」

「噢，我應該不會如此稱呼你吧！」小伙子笑道。

「你單獨去見這個女人，問出她對死掉的狄蘭尼所知的一切。」

伊登歎了一口氣。「我會盡力而為。我從前對自己最有信心的一點，就是我退卻得很快。」

來到空無一人的戲院後台門邊，伊登塞了一美元給守門人，獲准進到裡面察看演出通告。一如他所願的，劇團投宿的地址就高懸在通告牌上，費茲格羅小姐住的是溫尼塢飯店。

「你幹起這件事來像是有經驗的。」陳查禮說道。

伊登笑了起來。「噢，我以前認識幾個歌舞女郎，其實我是全世界最規矩的人。」

陳查禮在潘興廣場找了張長椅坐下，伊登獨自向溫尼塢飯店走去。他向櫃檯報上姓名，之後在簡陋的大廳等了許久，女演員這才出來見他。這個女人起碼有三十歲了，可能還不止，但是眼神看起來還很年輕，閃亮動人。她一看到鮑伯·伊登，立刻擺出十分妖艷的姿態。

「你就是伊登先生？」她說：「幸會，雖然你因何而來對我而言有些神祕。」

「嗯，」伊登笑道：「不管神不神祕，感覺愉快就好。」

「那倒是挺愉快的，到目前為止。你也是這一行的？」

「那倒不是。首先我必須說，前兩天聽到妳在收音機裡的演唱，我真的非常著迷，妳的音色好美。」

她盈盈笑道：「你說的我很愛聽。可是我那天感冒了，自從來到這裡，我就感冒了。你應該聽聽我嗓子好的時候。」

「對我而言妳嗓子夠好了。妳有那麼好的嗓子，應該去唱大型歌劇才對。」

「我知道，我朋友都這麼說，也並不是沒有機會，可是我很喜歡戲院。我還很小的時候就已經登台表演了。」

「回想起來，一定覺得才不過是昨天的事而已。」

「年輕人，你很棒，」她說：「你該不會碰巧來到大都會吧？」

「不是，我倒希望我是。」伊登停了一下，「費茲格羅小姐，我跟妳一位朋友很熟。」

「哪個朋友？我有好多朋友。」

「妳朋友當然很多，我講的是傑利．狄蘭尼。妳認識傑利吧？」

「我認識他嗎？我認識他好多年了。」她突然皺起眉來，「你有傑利的消息嗎？」

「沒有，」伊登回答道：「這就是我來找妳的緣故，我找他找得很急，因此想到妳或許能幫我。」

她忽然提高了警覺。「你說你跟他很熟？」

「是啊，以前在四十四街賈克．馬蓋爾那裡和他一起工作過。」

「真的嗎？」警覺消失了。「這樣的話，你對傑利知道得跟我一樣多。兩星期前他從芝加哥寫信給我，我是在西雅圖收到的。他有點神祕兮兮的，還說希望過不久來看我。」

「他沒告訴妳他正在幹的買賣嗎？」

「什麼買賣？」

「噢，假如妳還不知道的話——傑利想做點滿不錯的改變。」

「是那樣嗎？那我倒是樂意聽到。傑利自從離開馬蓋爾之後，情況就一直不是很順。」

「我想那是事實。對了，傑利有沒有跟妳談起他在馬蓋爾那裡遇到過的人，那些名人？妳知道嗎，我們曾經在那裡幹過一些非常棒的買賣。」

「沒有，他從不多講。你為何提起這件事？」

「我想說他會不會跟妳提到P．J．麥當個名字？」

她用一種小嬰兒般的眼神望著小伙子，眼睛睜得大大的，一臉天真無邪。「誰是P．J．麥當？」她問道。

「咦，他是全美國最大的金融鉅子啊，妳要是看過報紙……」

「噢，我沒有欸。我的工作那麼花時間，你不知道我下了好多工夫……」

「那個我能想像。不過現在的問題是：傑利到哪裡去了？我或許該這麼說：我很替他擔心。」

「擔心他？為什麼？」

「噢，傑利做的工作有危險性，這妳也知道。」

「那樣的事我一點也不知道，為什麼會有危險？」

「這個我們先別討論。事實是：傑利．狄蘭尼上個禮拜三早上抵達巴斯托，沒有多久他就從地球上消失了。」

女人的眼睛出現一陣震驚。「你該不是認為他……他出了意外？」

「恐怕真的如此。妳也知道傑利那種人，莽莽撞撞的……」

女人沈默了一會。「我知道，」她點點頭：「像他這樣的脾氣，這些紅頭髮的愛爾蘭人……」

「就是啊！」伊登操之過急的應道。

諾瑪．費茲格羅小姐的綠眼睛半瞇起來。「你說你是在馬蓋爾那裡認識傑利的？」

「對啊！」

她站了起來。「傑利從什麼時候起是紅頭髮了？」她友善的態度消失了。「我昨天晚上還在想咧，我在第六街和希爾路的轉角看到了一個警察，好英俊的一個小伙子！你們這地方的警方還真會找一些長得不錯的傢伙。」

「妳在說什麼啊？」伊登問。

「你去賣你的報紙號外吧！」費茲格羅小姐奉勸道：「傑利是不是有了麻煩，我看未必，但是我不會透露任何事的，朋友終歸是朋友。」

「妳完全誤解我。」伊登辯解著。

「噢，我可沒有。我對你清楚得很，你要調查傑利可以，但是我可不幫你。老實說，我真的不知道他人在哪裡，現在你可以走了。」

伊登站起來。「不管怎麼說，妳的歌我還挺欣賞的。」他笑道。

「是喔。原來警察當中有你這麼英俊、又那麼會獻殷勤的傢伙。喜歡聽就儘管聽，收音機是對任何人都開放的。」

鮑伯．伊登一臉鬱卒的走回潘興廣場，在陳查禮身邊坐下。

「運氣很不好是吧，」警探說：「看你的臉就知道。」

「你有所不知，」小伙子回答道。他把適才發生的事敘述了一下。「我果真出了紕漏。她說我是警察，還奉承了我幾句。我看警校初級班才不會要我這種肉腳。」

「你別再懊惱了，」陳查禮勸道：「那女人是精了點，情形不過如此。」

「那就夠我受了，」伊登答道：「接下來你主導吧。與其冒充警察，我還是當個小珠寶商吧。」

他倆在一家飯店用過晚餐，然後搭五點半的火車回巴斯托。暮色四合，火車飛快奔馳，鮑伯．伊登看著同伴。

「我說，查禮，一切都結束了，」他說：「我們對今天抱著那麼大的希望，結果呢？什麼都沒有，對吧？」

「差不多對！」陳查禮同意道。

「查禮我跟你說，我們不能再繼續這麼下去了。我們的情況一點指望也沒有，還不如去找郡治安官……」

「找他幹什麼？很抱歉我打斷了你的話。你要知道，我們所有的證據都很模糊，像霧裡看花一樣。麥當是個大人物，他講的話很多人都會當真。」火車在一個站停靠了下來。「我們要是向郡治安官講一些奇怪的話，什麼死掉的鸚鵡、沙漠裡探礦人講的話——人家會說他老眼昏花，搞不好還瘋了——另外還有什麼閣樓裡的手提箱，裡頭都是些舊衣服。我們能拿這些愚蠢的理由去證明那位名人犯下謀殺案嗎？屍體在哪裡？你找不到幾個警察不把我們當成笑柄……」

陳查禮忽然閉口不談，伊登順著他的視線看過去，車廂走道上站著一個人，刑事組的普里斯探長，正在注視著他們倆。

伊登一顆心沈了下去。探長那雙小眼睛緩緩的打量陳查禮身上的穿著，又看了一眼年輕人，然後一點表示也沒有，轉身走向後面那節車廂。

「晚安！」伊登說道。

陳查禮聳了聳肩。「用不著再煩惱了！」他說：「我們不必去找郡治安官，郡治安官會自動找上門來。我們在麥當農莊的時候也很有限了。可憐的老阿金說不定會被抓起來，罪名是殺死了王路易。」

【第十九章】空中之聲

他們於十點半抵達巴斯托，鮑伯．伊登表明要在車站附設的旅社住一晚，在與售票口的人短暫交涉過後，陳查禮走了回來。

「我訂了房間，你就住我隔壁，」陳查禮說：「下一班到厄爾多拉多的火車是明天早晨五點，我就搭那班車，而你最好是等下一班，十一點十分的。我們要是像雙胞胎一樣回到農莊，可能不太適當。那位粗鹵的普里斯很快就會揭發我們之間的關連。」

「隨你吧，查禮，」伊登答道：「假如你執意要起來搭五點鐘的火車，我只有致上最衷心的祝福。且容我再補充一句：我的祝福會一直延伸到睡夢當中。」

陳查禮在行李間領取了手提箱，兩人上了二樓。伊登並未立即上床睡覺，而是坐了下來，雙手抱頭，試著想要思考。

突然兩個房間相通的門打了開來，陳查禮站在門口，拿著一串晶瑩的珍珠項鍊。

「我只是讓你再確定一下，」他笑道：「菲力摩爾家的財產還很安全。」

他把項鍊放在桌上光亮處，鮑伯．伊登仔細的用手指觸摸那一顆顆珍珠。

「很可愛，是吧？」伊登說道。「我說，查禮，我們兩個必須老老實實談一下。」

陳查禮點點頭。「請告訴我老實話，農莊那裡發生的事，你是否曾有過最微小的亮光，知道是怎麼回事？」

「最近的一天是有，」陳查禮說：「我以為……」

「怎樣？」

「但是我錯了。」

「原來如此。我知道要一名警探承認這一點是很難，可是你完全被困住了，是不是？」

「你總會遇上四處碰壁的感覺，也許……」

「好吧，我來替你回答，你是被困住了。你遇到了困擾，而我們不能再這樣下去了。明天下午回到農莊時，我會假裝見到了德瑞考特──再多說一次謊，多一次欺騙。我對這一套已經煩透了，此外也有個感覺告訴我，這招不會再管用了。不能再這樣了，老陳，我們已危在旦夕，必須放棄這一串項鍊了。」

陳查禮的臉色黯淡下來。「請別這麼說，」他懇請道：「在任何時刻……」

「我懂，你需要多一點時間，這觸及到職業的尊嚴，我能夠理解，而且感到遺憾。」

「再多幾個小時吧！」陳查禮提議道。

伊登望著中國人那張善意的臉，過了好一會兒，他搖搖頭。「這不只是我的問題，而是普里斯。普里斯再過不久就會闖進來，我們已經智窮力盡了。唉，我再做一次最後的讓步吧──我給你直到明晚八點的時間，條件是普里斯沒有在這段時間之內出現，你同意嗎？」

「我必須同意。」陳查禮說。

「非常好，那你明天就有一整天的時間。等我回到那裡，我也不想扯什麼跟德瑞考特怎樣的廢話，而只是說：『麥當先生，那串珍珠項鍊今晚八點會在這裡。』時間一到，如果沒有任何狀況發生，我們就把項鍊交出去，然後走人。在回家途中，我們把我們碰到的事向郡治安官陳述，即使他嘲笑，好歹我們也做了該做的事。」伊登如釋重負的歎了口氣，然後站起來，說：「謝天謝地，事情總算搞定了。」

陳查禮黯然的拿起了珍珠項鍊。「我非要跑來美國本土這裡，然後陷入困境，」他說：「這對我可不是快樂的處境。」忽然他臉色一亮：「但是還有一天，可能有更多的事發生。」

伊登拍拍他寬厚的臂膀。「講良心話，我真的希望你交上好運，祝你晚安。」

翌晨當伊登清醒時，太陽已經在窗戶外面把鐵軌照得閃閃發光了。他搭火車到達厄爾多拉多，然後去造訪何利的報社。

「哈囉，」報社編輯說：「你回來啦？你那位搭檔對這件工作可要勤快得多，一大早就到了。」

「噢，老陳真是有企圖心，」伊登回答道。「你們見面了嗎？」

「見過了。」何利向角落的手提箱頷個首：「他把正式場合穿的衣服留在這裡，打算一、兩天之內換上它們吧，我想。」

「也許是要穿著進監牢吧，」伊登陰鬱的回答：「普里斯的事，我想他對你說了。」

「是啊，恐怕會很麻煩。」

「肯定會的。你大概也知道，我們這一趟的收穫非常少。」

何利點點頭。「是啊，而且挖到的東西也充分支持我那個勒索理論。而這裡還發生了一件事，也證實了我的懷疑。」

「這裡發生了什麼事？」

「麥當在紐約的事務所又透過這裡的銀行匯了五萬美元過來，我剛和銀行行長談過，他認為明天之前可能無法調來那麼多現金，而麥當答應等。」

伊登思忖起來。「你的理論想必是對的，老傢伙被勒索了。不過老陳倒做了一個不錯的假設，他認為麥當可能想把這麼多錢匯集起來……」

「我知道，他有告訴我。但那並不能解釋病鬼菲耳和那位教授的事。不對，我還是比較喜歡自己的版本，雖然，我也必須承認這是個非常駭人的謎。」

「我的看法跟你一樣，」伊登回答道。「依我所見，為了解開這個謎，我們已經用盡各種方法了，今晚我打算把項鍊交出來，老陳應該告訴你了吧？」

何利點點頭。「他講了，你這樣很讓他傷心，不過依你的看法，你一點也沒有錯，每件事都有個極限，而你們似乎已達到了這個極限。儘管如此，我還是祈禱今晚之前會有奇蹟發生。」

「我也一樣，」伊登說：「假如沒有的話，我不知道要怎樣狠得下心——啊，真該死！我不能把喬登夫人忘了，麥當是否殺了人，和她一點關係也沒有。」

「老弟，這樣的處境對你來說很難，」何利回答道：「不過你到目前為止處理得很好。我會拼命的祈禱，以前聽說有個記者的祈禱真的應驗了，但那已經是很久以前的事了。」

伊登站了起來。「我必須回農莊了。今天有看到寶拉・溫岱兒嗎？」

「看到她在綠洲吃早餐，她正在前往佩蒂寇礦區的路上吧，」何利笑道。「但是你別擔心，我會載你去麥當農莊。」

「噢，不用了。我去雇一輛車。」

「算了吧。報紙現在已經印出來了，我比平常還要閒哩，走吧。」

何利那輛老掉牙的採訪車再度載著他們開上兩山間的粗糙路面，汽車轟隆隆的奔馳在刺眼的沙漠表面，當編輯的一面開車一面張著嘴打呵欠。

「我昨晚睡得不多。」他解釋道。

「你在想傑利．狄蘭尼嗎？」小伙子問。

何利搖搖頭。「不是，是發生了一件事，這件事只跟我本人有關。我一個老朋友在紐約看到那篇麥當的訪問稿，為我在那裡安排了一份工作，條件十分的好。昨天下午我在鎮上看了一下醫生，醫生說我的健康狀況可以勝任。」

「那太好了！」伊登大聲說道：「我真是替你高興。」

何利的眼睛露出古怪的表情。「是啊，」他說：「歷經多年之後，牢獄的大門打開了。我曾經夢想這個時刻的到來，心中非常渴望，而現在……」

「現在怎樣？」

「囚犯遲疑了起來，他一想到要離開他那安安靜靜的小窩，內心就感到害怕。紐約！可不是我所認識的那個老紐約。我到了那裡還能游刃有餘，甚至脫穎而出嗎？我好懷疑。」

「不要胡扯，」伊登答道：「你當然可以。」

何利露出下定決心的表情。「好吧，我去試試看，」他說：「為什麼我就應該把生命浪擲在這裡？沒錯，我要再一次擁抱划船公園。」

他在農莊和伊登分手，小伙子立刻衝進自己的房間，梳洗一番之後，走到了庭院，阿金正好從他身旁經過。

「有最新狀況嗎？」伊登低聲問。

「索恩和甘柏開那輛大轎車出去一整天了，」中國人回答道：「此外沒別的。」顯然他仍身陷困擾。

客廳裡頭，伊登發現大亨正孤獨而茫然的坐著，一見他進來，麥當立刻昂首挺胸起來。「安全的回來了，是吧？」他說道。「你找到德瑞考特沒有？說出來沒關係，這裡只有我們兩個。」

伊登在一張椅子落坐。「都搞定了，先生。今晚八點我會把菲力摩爾珍珠交給你。」

「在哪裡？」

「就在農莊這裡。」

麥當皺起眉頭。「我寧可選在鎮上。你是說德瑞考特會來……」

「噢，不是。今晚八點我會拿到那串項鍊，然後交給你。如果你希望交易祕密進行，那也可以安排。」

「很好，」麥當注視著他。「也許你現在已經拿到手了？」他問道。

「沒有。但是今晚八點我會拿到手。」

「好吧。這個我當然樂意聽到，」麥當說：「但是我在這裡要告訴你，你要是再拖延的話……」

「拖延？你這話什麼意思？」

「我就是這個意思，你認為我是傻瓜嗎？從來到這裡開始，你就遲遲不肯交出那串項鍊，不是嗎？」

伊登遲疑了一下，看來是該坦白一下了。他說：「你說得沒錯。」

「為什麼？」

「因為，麥當先生，我覺得這裡有點不大對勁。」

「你為什麼這樣認為？」

「在我告訴你之前，我且問你：你為什麼改變心意，要更改項鍊送達的地點？在舊金山的時候，你說東西要送到紐約，之後為什麼改為加州南部？」

「理由很簡單，」麥當回答道：「在舊金山的時候，我原本以為我女兒要跟我一起回東部，結果她計畫改了，她要立刻到帕薩迪納避寒。因此我想把項鍊存放在那裡的安全處所，以備她自由取用。」

「我在舊金山見過你女兒，」伊登說：「她長得非常迷人。」

麥當敏銳的注視著他。「哦，你這樣認為嗎？」

「是啊，我猜她人還在丹佛吧？」

麥當沈默了半晌，眼睛凝視著伊登。「不是，」最後他坦承道：「她現在不在丹佛了。」

「原來如此。假如你並不介意告訴我的話……」

「她人在洛杉磯，去拜訪朋友了。」

聽到這個意外的消息，伊登眼睛睜大起來。

「她在那裡多久了？」他問道。

「從禮拜二一直到現在，」麥當回答道：「我想大約是禮拜二吧，我接到她一通電話，說要到這裡來。為了某些理由，我不希望她來到這裡，所以我叫索恩去接她，吩咐送她回巴斯托，讓她坐上開往洛杉磯的火車。」

伊登的腦筋飛快轉動起來，以轎車上的里程數據推算，到巴斯托的距離差不多吻合，但是巴斯托車站的附近有紅色泥土嗎？

「你肯定她安全到達了洛杉磯？」他問道。

「那當然，我星期三在那裡見到了她。好了，我已經回答過你的問題，現在換你了，你為什麼認為這裡不大對勁？」

「『病鬼』菲耳．梅度夫怎麼樣了？」伊登反詰道。

「你說誰？」

「病鬼菲耳，那個自稱是麥葛倫的傢伙？那天晚上打撲克牌的時候，他還贏了我四十七塊美元。」

「你說他真正的姓名是梅度夫？」麥當好奇的問。

「一點都沒錯。我在舊金山跟梅度夫有一點點遭遇。」

「哪方面的遭遇？」

「他的行動看起來像是想動菲力摩爾珍珠的歪腦筋。」

麥當紅潤的臉頰又漲得發紫。「真的嗎？你能多加說明嗎？」

「沒問題！」伊登回答道。他把梅度夫在碼頭的行止描述了一遍，但是關係到王路易的部分並沒有提。

「你為什麼不早點告訴我？」麥當質問道。

「因為我認為你知情，到現在我仍然認為如此。」

「你瘋了。」

「或許吧，這且不談。問題是當我看到梅度夫來到這裡時，我自然會懷疑這裡不大對勁，我到現在還不太相信這裡會沒問題。你為什麼不回到原初的計畫，要那串珍珠項鍊送到紐約去？」

麥當搖搖頭。「不行。我既然決定要在這裡得到那樣東西，就要堅持到底。任何人都會告訴你我這個人絕不中途罷手。」

「那你最起碼告訴我問題出在哪裡。」

「這裡沒有問題，」麥當回答道：「至少沒有我解決不了的問題，這是我的私人事務。項鍊我既然買了，我就要得到。我向你保證買項鍊的錢我會付，你關心的也只是這樣而已。」

「麥當先生，」小伙子說道：「我並不是個瞎子，你好像遭到了某種困難，我想要幫你。」

麥當轉過頭去，他那心神不寧的疲倦表情就是充分的證明。「我會掙脫出來的，」他說：「更惡劣的坑洞我都掙脫了，何況這個。謝謝你的好意，你不用替我擔心。是晚上八點吧，我相信你。你不介意的話，我想去躺一下，看來今天晚上會很忙。」

麥當往臥房走去，鮑伯．伊登在背後望著，心中十分困惑。剛才是否把太多事情告訴了這位大亨？有沒有離了譜？而關於芙琳．麥當的消息又如何呢？此事當真？她果真人在洛杉磯？聽起來頗足採信，而且她父親在講這件事情時似乎滿坦率的。

噢，好了，沙漠的炎熱現在已經可以真實感受到，眼前的事物漸次模糊起來。伊登被許多問題攪得疲倦不已，於是師法麥當的故技，把這個下午睡掉吧。

當他醒來的時候，太陽已然西沈，夜晚的涼意陣陣襲來。他聽到甘柏在浴室裡洗澡。甘柏——這個甘柏到底是誰？為什麼他會獲准滯留在麥當農莊？

出去到外面的庭院，伊登和阿金低聲交談了幾句，把伊芙琳．麥當的消息告訴他。

「索恩和教授回來了，」那位警探說：「我檢查過車子跑的里程，三十九英哩，和上次一樣，而且駕駛座的地面沾了一點紅色的泥土。」

伊登搖搖頭。「時間分分秒秒在流逝。」他表示道。

陳查禮聳肩聳了。「只要逮得住時間，我就會這麼幹。」他答道。

吃晚飯的時候，甘柏教授展現了個人的親和力。

「呵、呵，伊登先生，你又回來跟我們在一起了，真好。很可惜你錯過了沙漠的芳香空氣。假如我猜得不錯的話，你的生意應該滿興旺的吧？」

「當然，」伊登笑道：「閣下的又如何呢？」

教授迅速的瞟了他一眼。「我的話……呃，我要很欣慰的說我今天過得非常喜悅，我最想發現的那種老鼠被我找到了。」

「這對你真是件好消息，對老鼠的話可就不是了。」伊登說道，於是這一餐飯在沈默中吃著。

用過飯後大夥兒離桌，麥當點燃一支雪茄，走到火爐前他最喜歡的椅子坐下。甘柏拿了一本雜誌坐在檯燈旁邊。伊登掏出香菸，點上一根，在客廳裡踱著方步。索恩也在閱讀一本雜誌。高腳時鐘敲了七下，一股令人幾近無法忍受的寂靜瀰漫在客廳裡頭。

伊登在收音機前面停下。「還沒來這裡之前，我一直搞不懂聽這玩意兒有什麼意思，」他對麥當說：「可我現在懂了，人肚子裡的蛔蟲如果習慣聽廣播，即使隨便來段播音也能夠把蛔蟲迷住。我們來聽段小孩子的床邊故事好不好？」

他把收音機扭開。阿金正好進來客廳收拾餐桌。洛杉磯一位播音員清楚的聲音流瀉整個屋裡：

「……我們下一個節目……正在梅森戲院演出歌舞劇的諾瑪．費茲格羅小姐，將要為我們演唱那齣戲的幾個精彩片段……」

麥當俯身向前彈掉了雪茄上的菸灰，索恩和甘柏索然無味的抬頭望了一眼。

「哈囉，各位聽眾，」前一天才跟鮑伯．伊登談過話的女人說道：「我又在空中與大家相會了。在節目的一開始，我必須感謝大家從我上這個廣播就踴躍寄來大批信件。今晚在錄音室裡我又發現了好多封令人愉快的信，我沒有時間將它們全唸出來，但是我要告訴莎蒂．法蘭屈，假如她有在收聽的話，我很高興知道她人在聖塔莫尼卡，我一定會打電話給她的。另外一封讓我很高興的信是我的老朋友傑利．狄蘭尼寫來的……」

伊登的心臟幾乎停了。麥當的身體向前傾了一下。索恩張大了嘴巴，久久合不攏來，教授的眼睛半瞇了起來。陳查禮仍然靜靜的收拾著餐桌。

「本來我有點替傑利擔心，」女人繼續說道：「現在既然知道他人活得好好的，實在是太高興了。我希望很快就能見到他。現在我要來進行節目了，因為再過半個小時我就要在戲院登台演出，希望各位聽眾能夠大駕光臨，欣賞我們的表演，我們一定會推出最精彩的內容，而且……」

「喂，把那個討厭的東西給我關掉！」麥當大叫道：「又是廣告！這些廣播節目，十分鐘有九分鐘都是廣告，我聽了就生病！」

諾瑪·費茲格羅才剛一展歌喉，鮑伯·伊登就把這討厭的東西切掉了。他和阿金深深的互望了一眼。有一個聲音越過了重山，越過了山艾樹與黃沙相連的可怕里程，來到了沙漠這裡；有一個聲音說，傑利·狄蘭尼還活得好好的。活得好好的——如此一來，他們那套完美的理論整個瓦解了。

麥當殺死的那個人居然不是傑利·狄蘭尼！那，發生悲劇的那個晚上是誰在高聲求救？中國鸚鵡東尼模仿的究竟是誰的大聲呼號呢？

【第二十章】佩蒂寇礦區

阿金端著疊得高高的餐盤出了客廳。麥當安逸的背靠在椅子上，閉上眼睛，朝著天花板吐出濃濃的菸圈。教授和索恩分別倚在同一盞檯燈兩旁，繼續靜靜的閱讀。好一幅居家寧靜圖。

鮑伯·伊登並沒有分享到這份恬適，他的心跳快速、思慮茫然，於是站起來悄悄的走出戶外。廚房裡，阿金正在洗滌槽前面忙著清洗餐盤。只要看到這位中國人如此平靜的表情，任何人都不會聯想到替人幫傭並不是他的真正職業。

「查禮！」伊登輕聲喚道。

陳查禮趕緊擦乾雙手，走了出來。「我建議你，最好不要到這裡來。」他帶伊登一起到穀倉旁邊的陰暗處。「現在又出了什麼麻煩？」他小聲問。

「麻煩！」伊登說：「你不也聽到了嗎？我們根本就搞錯了，傑利．狄蘭尼人還活得好好的！」

「的確是非常有趣！」陳查禮同意道。

「有趣！欸，你這個人到底是什麼做的？」陳查禮平靜的表情起了一點漣漪。伊登說：「我們的理論徹底被推翻了，而你……」

「生而為人，老是有建立理論的習慣，」陳查禮說：「然而理論在我面前跌個粉碎已不是頭一次了。很抱歉，我並不會像你那樣震驚。」

「那我們現在該怎麼辦？」

「我們該怎麼辦？我們交出項鍊呀。雖然我極力反對，你還是做出了愚蠢的承諾，現在沒辦法了，只好乖乖交出來吧。」

「然後在真相莫名的情況之下走人！我怎能就這樣……」

「既來之，則安之！這是孔老夫子睿智的名言，」

「查禮你聽我說，也許當初什麼事也沒發生，這一點你有沒有想過？也許我們打從一開始就搞錯了。」

一輛輕型汽車沿著道路急馳而來，隨即聽到一陣刺耳的煞車聲，在農莊前面停住了。他們趕緊繞到房子前面。月亮斜掛天空，景物顯得朦朧。一個熟悉的人影下了車，他並沒有停下來把園門打開，而是翻身躍過。伊登跑上前去。

「哈囉，何利。」他喚道。

何利突然轉身。

「啊，嚇我一跳。不過你來得正好，我正想找你。」他喘著氣，神色頗為激動。

「怎麼啦？」伊登問道。

「我不知道，但是我很擔心，寶拉——」

伊登內心一沈。「寶拉怎麼了？」

「你沒有接到她的消息……或看到她？」

「沒有啊，當然沒有。」

「唉，她去佩蒂寇礦區，到現在還沒回來。從鎮上到那裡只有一小段路，她吃過早飯就去，現在早該回來了。她答應跟我一起吃晚飯，然後去戲院看場電影，她最喜歡看電影了。」

伊登朝大路走去。「走吧，老天爺，我們快點！」

陳查禮走上前去，手上的東西反著光。「這是我的手槍，」他解釋道：「今早從手提箱裡拿出來的，帶著去吧！」

「我不需要那個，」伊登說：「你留著吧，說不定會用上。」

「我很誠懇的請你……」

「謝了，查禮，我不想帶它。走吧，何利！」

「項鍊的事……」陳查禮提醒道。

「唉，八點之前我會回來，眼前這件事比較重要。」

伊登鑽進何利的駕駛座旁邊時，他看到屋子的正門打了開來，麥當巨大的身影出現在門口。

「嘿！」大亨高叫道。

「嘿你媽的！」伊登喃喃說道。報社編輯以驚人的速度將車子掉過頭，上了道路，全速奔馳而去。

「可能會有哪些狀況發生？」伊登問道。

「不知道。那是個老礦區，相當的危險。礦坑的通風口散布在每個角落，有些開口還藏在很深的草裡，深度可達數百英呎。」

「再開快點！」伊登催道。

「已經是全速了，」何利回答道。「麥當對你的離開似乎滿關切的，是吧？依我看你還沒有把項鍊給他。」

「沒有。今晚發生了一件事。」伊登把收音機裡聽到的事告訴他。「你有沒有想過我們從一開頭就摸錯了路？到頭來，根本沒有人在農莊裡受到任何傷害？」

「是有可能！」編輯的同意道。

「唉，這件事可以等一下再說，現在先忙寶拉的事要緊。」

正前方一輛汽車不要命似的迎面奔來，何利讓過一旁，兩車擦身而過。

「那是誰啊？」伊登不解道。

「從鎮上火車站開來的計程車，」何利答道：「駕駛我認識，後座還坐了一個人。」

「我知道，」伊登說：「搞不好是要去麥當農莊的。」

「或許吧！」何利同意道。他把車子轉進一條不甚好走的半荒廢公路，通往遭遺棄已久的礦區。「恐怕我必須開慢一點！」他說。

「噢，堅持到底吧！」伊登敦促道：「你這輛老採訪車不至於報銷的。」何利再度馬力全開，就在那時，汽車左邊的輪子劇烈的撞上一塊岩石，兩人的腦袋差一點把車頂撞穿。

「這根本就不對，何利！」伊登帶著感情說。

「什麼事根本就不對。」

「像寶拉那麼漂亮，又那麼可愛的一個女孩子，卻放她一個人在這片沙漠到處跑，老天幹嘛不安排一個人娶她，把她帶離開這裡？」

「毫無機會，」何利回答道：「她根本不要結婚，她說結婚是『脆弱心靈的最後歸宿』。」

「真的？」

「她告訴我說，在享受過那麼自由自在的生活之後，她才不想把自己困在一間小廚房裡。」

「那她幹嘛要跟那傢伙訂婚？」

「哪個傢伙？」

「魏博啊——噢，不管他叫什麼名字，就是把戒指給她的那個傢伙。」

何利大笑起來，隨後沈默了一分鐘之久。「我還是告訴你實情好了，雖然她會不高興。」他說：「你若是毫不知情，那就太可憐了。戒指上的翡翠是她母親留下的遺物，她只是另外打了個較新潮的戒座而已。她戴上這枚戒指，只不過是一種保護措施。」

「保護措施？」

「對啊。這樣她不管遇上哪個呆瓜，都不會受到求婚的困擾。」

「喔，」伊登應道。一陣長長的沈悶。「那就是她看待我的方式嗎？」末了他問。

「什麼方式？」

「呆瓜一個。」

「噢，那倒不是。她說你對婚姻所持的觀點跟她一樣，認識一個像你這麼通曉事理的男士，令她感覺耳目一新。這就是她看待你的方式。」另一個長長的沈默。「你在想什麼事？」何利問。

「很多，」伊登陰鬱的說：「我在想，到了我這樣的年紀，過去的荒廢生活現在還彌補得回來嗎？」

「應該來得及。」何利安慰道。

「我以前的行為就像個傻瓜，這次回去之後，我一定要好好給我老爸來個驚喜。我要如他所願，把他的事業接掌過來，賣力的工作。直到今天為止，我還不知道我將來要幹什麼，老是立場軟弱、猶豫不絕的，像是一個……一個女人。」

「形容得那麼直接，」何利回答道，「我不知道有沒有聽過更壞的。但是你倒是找看看，女人裡面有沒有不知道自己想要什麼，或是知道而卻不敢去追求的這一種人？」

「喔，好吧，你明白我的意思就是了。還有多遠？」

「快到了，再五英哩。」

「老天——我希望她別出事才好。」

老爺車賣力的往前開，離低矮的山丘越來越近，月亮緩緩升上天際，紅色的磚瓦在月光底下現了形。進入一處狹窄的峽谷之後，道路幾乎不見了，然而採訪車卻老馬識途般的憑著直覺推進。

「你有手電筒嗎？」伊登問道。

「有啊，你要幹什麼？」

「車子停一下，讓我拿手電筒。我有個主意。」

他拿著手電筒下車，細心檢查前方路面。「她有來過這裡，」他說道：「這是她那輛車輪胎的痕跡，到哪裡我都認得，我幫她換過一隻輪胎。寶拉她……她一定在山上哪個地方，她的車走過這個路面，但只走了一次。」

他坐回何利身旁，小汽車繼續前進，轉了一個U形大彎，又開過一處斷崖的邊緣。不久他們轉過最後一個彎，眼前即是倚著山坡建立的幽靈城市——佩蒂寇礦區。

鮑伯·伊登屏住了呼吸。一座城鎮的遺跡在友善的月光底下鋪陳開來，這裡一座煙囪，那裡一道牆壁，房屋一整排一整排的傾圮在地，化為塵土。這個礦區曾經興旺過，人們不斷湧來，蓋起了房子，礦坑的通氣孔挖得深入地中，之後銀價大跌，人們走了，留下佩蒂寇礦區沈浸在砲轟之後的死寂。砲轟後的廢墟走過空白的歲月，很有耐心的沈默著。

他們的車子駛過主要街道，路面散布著黑黝黝的坑洞，說不定是炸彈爆炸形成的。

每逢週末夜人群擁擠的人行道上，一叢又一叢的青草填補了每一塊裂縫。「商業區」只剩下兩座建築，其中之一在風中搖搖欲墮。

「好愉快的景象！」伊登說著反話。

「那幢要倒不倒的建築從前是銀星酒吧。」何利說：「另外一幢不會倒，它是石頭造的，磐基永固，我想他們不得不如此。那是間老監獄。」

「監獄！」伊登重複說了一遍。

何利的聲音變得謹慎起來。「銀星酒吧那裡是不是有燈光？」

「好像是，」伊登說：「你聽我說，我們現在的處境十分不利——沒有武器，你也知道。我現在低身移到車子後座，一有必要就出來。使用奇襲戰術也許可以彌補我們沒有武器的弱點。」

「好主意！」何利同意道，於是伊登鑽到後座藏匿。車子開到銀星酒吧前面停下，忽然間門口閃出了一名高個子，動作矯健的來到汽車旁邊。

「喂，你來幹什麼？」高個子問道。伊登聽了大吃一驚，那正是「病鬼」菲耳·梅度夫尖銳而氣力不足的聲音。

「哈囉，老兄，」何利說道：「可真是意外啊，我還以為佩蒂寇這裡沒人了。」

「有家公司想盡快來這裡挖礦，」梅度夫說。「我先來這裡做一下礦石成分分析。」

「發現到什麼了嗎？」何利隨意問道。

「銀礦已挖得差不多了，不過左邊那幾座山裡有銅。你偏離了主要道路相當遠了。」

「我知道。有一個年輕的女孩子今天早上跑來這裡，我是來找她的。也許你有看到她？」

「這裡除了我以外，已經一個禮拜沒人來了。」

「真的嗎？嗯，你可能弄錯了，假如你不介意的話，我想四處看看！」

「如果我介意呢？」病鬼菲耳叱道。

「你幹嘛要介意……」

「我就是要介意。這裡只有我一個人在，我不想冒任何險，你快點把車子掉過頭。」

「欸，等一下，」何利說：「請把槍拿開，我來這裡並沒有惡意。」

「是喔。那好，既然沒有惡意，你就掉過頭去，快點閃，懂嗎！」他走近了車子。

「我已經說過了，沒有人來到這裡——」

忽然從車子後座冒出一個人來，縱身向他撲過去。「砰」的一聲槍響了，但只打在地上，鮑伯．伊登用力抓住了他拿槍的手。

一時之間，兩人就在銀星酒吧前的無人街道上拼命扭打起來。病鬼菲耳已不再年輕，但卻依然頑強抵抗。儘管如此，這場架還是沒有延長下去，何利才剛下了車，鮑伯．伊登已經把他壓倒在地，奪下了手槍。

「起來吧！」小伙子命令道。「你來帶路，鑰匙交給我。喔，監獄的門裝了一把新鎖，咱們倒想看看裡頭有什麼？」病鬼菲耳從地上起來，有氣無力的四下看了看。「快點！」伊登大叫道：「我早就想跟你再見上一面了，休想我會心軟！好小子，害我輸掉四十七塊美元，更別說皮爾斯總統號在舊金山靠岸的那個晚上，你搞出那麼多麻煩來。」

「監牢裡面什麼也沒有，」梅度夫說：「我身上沒有鑰匙……」

「你搜他，何利！」小伙子道。

何利很快搜出一大串鑰匙來，伊登拿在手上，把槍交給何利。「老病鬼菲耳就由你來看著，如果他想跑的話，你就當他是隻兔子。」

他從車內取出手電筒，走了過去，把監獄最外面的門打開，進去之後，發現裡面可能曾是間辦公室。月光從外面街上傾瀉進來，照在滿是塵土的辦公桌和椅子上，室內還有個舊保險箱，以及一個書架子，上頭放著幾本破舊的書。辦公桌上有份報紙，他用手電筒察看上面的日期——才一個禮拜前的。

辦公室後面有兩座厚重的門，兩座都上了新鎖。他試著那串鑰匙，打開了左邊那道門，牢房裡面空間很小，鐵窗開在高處，他用手電筒照去，發現一位高個子女孩，仔細一認：是伊芙琳．麥當，這他倒沒有太大的驚訝。伊芙琳立刻向他走來，口中叫道：「鮑伯．伊登！」她的高傲沒有了，痛哭起來。

「噢——好了，別哭了，」伊登哄道：「妳現在沒事了。」這時門口忽然出現另一位女孩，寶拉．溫岱兒，笑得十分燦爛。

「哈囉，」她情緒穩定的說：「我就知道你會跑來。」

「多謝妳的廣告，」伊登回答道。「嘿，妳這樣東跑西跑是會吃虧的。這到底是怎麼回事啊？」

「也沒什麼。我上山來到處看看，而他……」寶拉朝月光下病鬼菲耳所在的街上點一點頭，「他告訴我說不能看，我跟他爭論，結局就被關進這裡。他說我必須在這裡待上一整個晚上。他表現得很規矩，但是也很強硬。」

「他表現得很規矩是他走運！」伊登臉上帶著寒意的說。他挽著伊芙琳・麥當的手。「跟我來吧，」他有禮貌的說：「我想這裡的事應該了了……」

有人在另一座牢房裡面重重的敲門。伊登吃驚的望了寶拉・溫岱兒一眼。

寶拉點點頭，對他說：「開門吧。」

他打開門鎖，拉開了牢門，朝裡面一看。昏黑的牢房裡，他看到一個男人幽暗的身影。

伊登大吃一驚，連退了好幾步撐在辦公桌旁。

「幽靈城市！」他大叫道，「啊，原來事情真相是這麼回事，那就這樣吧。」

【第二十一章】郵差旅程的終點

當鮑伯・伊登和何利在趕去礦區的途中和一輛計程車交會而過時，假如他知道那輛車上乘客的身分，則儘管寶拉・溫岱兒令他擔心，他可能還是會折返麥當農莊。然而他毫無所悉的交會而去。那輛車裡面的乘客同樣交會而過，儘管這位仁兄認出對面的採訪車上坐著伊登，而感到有些好奇。從厄爾多拉多火車站出發的這輛車向指定的地點駛去，最後來到農莊的外面。

計乘車司機下了車，摸索著想打開園門，乘客也一腳伸出車外，踩到地上。

「不必忙了，」他說：「你只需載到這裡就好，我要付你多少車錢？」他是個矮胖的人，年約三十五歲，穿著時髦，態度高傲。司機講了一個數目，乘客如數付了之後，進入農莊前院，大搖大擺的來到豪宅的正門口，大聲敲了起來。

麥當在壁爐旁邊和索恩、甘柏正談論著事情，受到如此的干擾，不禁嫌惡的抬起頭來。「這時候又是哪個混……」他發怒道，索恩過去開門。矮胖男子立刻進到客廳裡來。

「我找P·J·麥當先生。」他開口道。

大亨站了起來。「好吧，我就是麥當。你有何貴幹？」

不速之客與他握手。「幸會，麥當先生。我名叫維克多·喬登，你在舊金山購買的珍珠項鍊，我是所有人之一。」

麥當露出喜色。「喔，真是幸會，」他說：「伊登先生告訴我說，你要到這裡來。」

「他怎麼知道我要來？」維克多問道：「事先他並不知情。」

「噢，他是沒提到你，不過他告訴我說項鍊在晚上八點會送到這裡來。」

維克多吃了一驚。「八點會送來這裡？」他重複那句話。「我說呢，鮑伯·伊登跑來這裡都幹些什麼來了？那串珍珠項鍊一星期前就和伊登離開舊金山了。」

「什麼！」麥當的臉又漲得紅紫。「他一直都帶在身上！天殺的，這個小無賴，我要把他剁成兩段！扭斷他的脖子——」他的話突然停住。「但是他跑走了，我剛才看到他坐著車子走了。」

「是嗎？」維克多回答道：「還好，事情並沒有看起來那麼嚴重。我剛才所謂項鍊與伊登一起離開舊金山，並不是說項鍊由伊登帶著，帶著項鍊的人是查禮。」

「查禮是誰？」

「嘎，是陳查禮啊，檀香山警察局的。項鍊是他從夏威夷帶出來的。」

麥當想了一下。「陳……他是個中國佬？」

「是啊。他人也在這裡，不是嗎？我知道他有來。」

麥當的眼睛裡露出邪惡的光芒。「是啊，他人在這裡。你認為項鍊還在他身上？」

「肯定在他身上。他腰部纏著一條錢帶，叫他出來，我命令他立刻把東西交出來。」

「好——太好了！」麥當裂嘴笑道。「喬登先生，請你到另一個房間稍待一會兒，隨後會叫你。」

「好的，先生，沒有問題。」維克多應道，他一向對有錢人謙恭有禮。麥當領著維克多走內側走廊到他的臥房，回到客廳之後，精神振奮得很。

「還真有點運氣，」他自言自語道：「我想哪有那麼能幹的廚子……」他走到靠後院的門邊，高喊道：「阿金！」

那位中國人慢吞吞走來，一臉茫然的看著麥當。「什麼事情，老闆？」他問。

「我有點事想跟你談談，」麥當的態度頗為平和，甚至還挺友善的。「我問你，你來這裡之前是在哪裡工作？」

「哪裡都做過，老闆。大概是去鋪鐵軌用的木頭。」

「是哪個城鎮？你上次在哪個地點工作？」

「我沒有記地名欸，老闆。是在荒郊野外，鋪木頭……」

「你是說，在沙漠地帶鋪設火車鐵軌用的枕木？」

「是的，老闆，你說對了。」

麥當靠在椅背上，兩隻拇指插在西裝背心的袖孔處。「阿金，你他媽的說謊！」

「怎麼啦，老闆？」

「我讓你看看怎麼回事。我不知道你來這裡玩什麼把戲，不過現在你玩完了。」麥當站起來，走到門邊。「請進來吧，先生。」他喚道，維克多．喬登隨即走了進來。陳查禮的眼睛半睇起來。

「查禮，你這是在搞什麼鬼？」維克多問道。「你穿那一身衣服幹嘛，又不是在演戲？」

陳查禮沒有回答。麥當大笑道：「我不是告訴你嗎，全部玩完了。查禮，這是你的名字吧。這位是喬登先生，你藏在錢帶裡的那條項鍊，他是所有人之一。」

陳查禮聳了聳肩。「喬登先生混淆事實，」他回答道，從此不用再模仿中下階層的口吻，也讓他鬆了一口氣。「他無權處分珍珠項鍊，那是他母親的財產，我答應他母親要用生命來保護這項財產。」

「你看這裡，查禮，」維克多憤怒的嚷道：「可別說我在講假話。你們在這裡拖拖拉拉的，我早就煩透了，所以我把我母親的意思帶過來，阻止你們再拖下去！你不信的話，看這張紙！」

他拿出一張紙，上頭有喬登夫人以舊式書法寫的字。陳查禮看了一遍。「答案只有一個，我必須把項鍊交出來。」他說。玻璃窗旁邊的時鐘滴滴答答響著，他看了一眼。「雖然我寧可等伊登先生回來……」

「別管伊登了，」維克多說：「把項鍊拿出來。」

陳查禮行了個禮，轉過身去，在腰際一陣摸索，隨後菲力摩爾珍珠出現在他手中。

麥當滿心渴望的拿在手裡。「好不容易！」他說道。

甘柏從他背後看過來。「真是美！」教授喃喃的說。

「請等一下，」陳查禮說道：「收據，麻煩一下。」

麥當點點頭，坐在書桌旁邊。「今天下午已經準備好了，只要再簽個名。」他把項鍊放在吸墨紙墊上，從最上一層抽屜拿出一張打好字的紙。他緩緩寫著自己的名字。「喬登先生，」他說：「我很高興你趕來這裡，結束掉這樣的情況。現在事情已經搞定了，我馬上就要離開。」他把收據交給陳查禮。

一向面無表情的陳查禮突然露出異樣的眼神，他沒去接那張遞過來的收據，反而迅雷不及掩耳的一把抓起珍珠項鍊。麥當也立刻伸手去抓，卻遲了一步。項鍊消失在陳查禮寬綽的袖子裡。

「這是怎麼回事？」麥當跳了起來，咆哮道：「怎麼，你瘋了不成！」

「小聲一點，」陳查禮說：「項鍊我來保管。」

「你來保管？」麥當亮出一把手槍：「咱們來試試看……」

「砰」的一聲槍響，火花閃現，然而火花並非從麥當手上的槍發出，而是出自陳查禮絲質的袖口。麥當的槍掉在地上，手上流出血來。

「不准彎腰！」陳查禮警告道，他的聲音突然變得高亢而尖銳。「郵差走了那麼長的路，現在終於來到旅程的終點。不准彎腰！否則子彈會從你那寶貴腦袋射進去！」

「查禮，你瘋了？」維克多嚷道。

「那倒沒有，」陳查禮笑道：「幫個忙，你給我退後一點，麥當先生。」他撿起地板上的槍，看樣子是比爾．哈特送的那把。「這槍很不錯，我就改用這枝。」他要麥當轉身過去，搜過身後，把一張椅子放在客廳中央。「坐這裡吧，假如你肯勞動大駕！」他說。

「他媽的我當然得坐。」麥當大聲說道。

「坐好！」陳查禮命令道。

高高在上的麥當瞪了他一眼，然後很不甘願的坐在那張椅子上。「甘柏先生，」陳查禮瞥了一眼瘦個子教授，「你那枝漂亮的槍還放在房間裡頭，非常的好，你就坐著吧。喔，還有索恩先生也不能忘掉，你同樣沒帶槍，你就坐那張椅子，舒適得很。」他退後幾步，面對眾人。「維克多，我也要很冒昧的請你跟他們坐在一起。記得在夏威夷的時候，你就是個十足的蠢男孩。」他的聲音嚴萬起來。「快坐下來！否則我射你一個洞，省得你母親老在替你操心！」

他弄了張椅子，在那幫人以及掛著槍的牆壁之間落座。「我也冒個險坐下來，」他看了一下時鐘，「我們可能要等上很長一段時間。索恩先生，我還有個建議，你用手帕把你老闆受傷的手包紮一下。」

索恩拿出一條手帕，麥當也伸出手來。「我們到底在等些什麼鬼？」大亨忿然道。

「我們等鮑伯．伊登先生回來，」陳查禮回答道：「等他回到這裡的時候，我有很多事情要講。」

索恩完成了他的慈善行為，一把靠回椅背上。向著庭院的玻璃窗旁，高腳時鐘滴滴答答走著。陳查禮以中國人特有的耐性安坐不動，眼睛注視著那幾個俘虜。十五分鐘、半個小時過去了，分針慢慢吞吞的向九點整移動。

維克多．喬登在椅子上不安的挪動起來。怎麼可以對一個大財主如此無禮！「查禮，你徹底瘋了！」他不滿道。

「或許是吧，」陳查禮同意道，「咱們再等一會兒就知道了。」

不久一輛汽車駛進了前面院子，陳查禮點點頭。「漫長的等待即將結束，」他宣布道：「現在伊登先生回來了。」

當門口響起敲門聲時，他的表情倏的一變。門被一把推開，一名男子冒冒然走進來。進來的是個魁梧、臉色紅潤、態度堅決的刑事組普里斯探長，在他背後又進來一個瘦而結實的人，頭上戴的是雙夸帽。兩人站在那裡，被眼前的情景嚇了一跳。

麥當一躍而起。「老天！普里斯探長，我太高興看到你了，你來得剛剛好。」

「這裡是怎麼回事？」瘦個子問道。

「麥當先生，」普里斯說：「我帶來了哈里．考克斯，他是本郡的治安官。我想你需要我們的協助。」

「我們當然需要，」麥當回答道：「這個中國佬瘋了，快把他的槍拿開，將他抓起來。」

郡治安官向陳查禮走去。「把槍給我，夥計！」他命令道：「你知道那會怎樣嗎？

一個中國佬在加州攜帶槍械是會被驅逐出境的。老天，他居然有兩把！」

「治安官，」陳查禮正色說：「請容我自我介紹，我是檀香山警察局的刑事組警官陳查禮。」

郡治安官笑了起來。「你不必說。好吧，你如果是名刑警的話，那我就是示巴女王。你是打算給我另一枝槍呢，還是想要一個妨害公務的罪名？」（譯註：示巴女王Queen of Shebs，聖經人物之一，出現在所羅門王的故事中。）

「我沒有妨害公務，」陳查禮交出自己的武器，說：「我只是提醒你注意我也是一名警察，而且我非常希望你不要犯下大錯，免得後悔不及。」

「我甘願冒這個險。好啦，這裡是怎麼回事？」郡治安官轉向麥當，「我們是來查王路易命案的。普里斯昨晚在火車上看到這個中國佬跟叫做伊登的傢伙在一起，兩個人都穿得很正式，好像自家兄弟一樣親密。」

「治安官，你這下可查對了，」麥當幫腔道：「不必懷疑，一定是他殺死了路易，而且他現在身上還有一條項鍊，那項鍊是屬於我的。請你從他身上搜出來。」

「沒問題，麥當先生。」郡治安官答道。他上前想要搜身，但陳查禮先一步交出珍珠項鍊。

「我交給你保管，」陳查禮說：「你是執法人員，要為此責任，務請小心！」

考克斯注視著那串珍珠項鍊。「原來是件珠寶，滿漂亮的。麥當先生，你說這是你的？」

「當然是我的。」

「治安官，」陳查禮瞄了一眼時鐘，懇請道：「我有個不情之請：步調放慢一點。你現在要是犯下錯誤，將會自食惡果。」

「可是麥當先生說這串珍珠項鍊是他的……」

「它是我的，」麥當說：「我十天前在舊金山向一位名叫伊登的珠寶商買的，原所有人是這位喬登先生的母親。」

「他講得沒錯。」維克多同意道。

「這對我來說已經夠了。」郡保安官說。

「我告訴過你了，我是檀香山警察局的……」陳查禮再次強調。

「或許吧，但是你想我會因為你的片面之辭，而去懷疑像P．J．麥當這樣的人物嗎?麥當先生,這是你的珍珠項鍊。」

「等一下,」陳查禮大聲道:「這個叫麥當的,自稱是在舊金山珠寶店那裡買項鍊的同一個人。那你請問他,那家珠寶店的所在位置。」

「在郵電街。」麥當說。

「郵電街哪裡?那條街有很多著名建築,是哪幢建築?」

「警官,」麥當不滿道:「我必須這樣屈從一個中國廚子的盤問嗎?我拒絕回答,這條項鍊是我的。」

維克多‧喬登的眼睛忽然睜亮起來。「等等,」他說:「這個讓我來問。麥當先生,我母親告訴過我你第一次看見她時的情景。你那時候是受雇於……哪裡?什麼職務?」

麥當紅潤的臉漲紫起來。「那是我個人的事。」

郡治安官脫下帽子,搔起頭來。「嗯,也許這件東西我最好暫時保管一下,」他想了想。「我說,夥計……噢,你說你是陳警官是吧,你們究竟在搞什麼名堂?」

忽然麥當大吼一聲,郡治安官連忙轉頭。麥當向掛著槍枝的牆壁移動過去,現在他人已經站在那裡了，綁著手帕的手拿起其中一把槍。

「好了！」他大叫道：「這些狗屁玩意兒我已經受夠了！手舉起來，我說的就是你，治安官！甘柏，你去拿那條項鍊。索恩，到我房裡去拿我那個袋子。」

突然之間，陳查禮奮不顧身的一躍過去，抓住了麥當拿槍的手，隨即猛然一扭，武器掉落在地板上。

「我唯一向日本人學的就是這招，」陳查禮說：「普里斯探長，你既然是警察，那就快點將甘柏和索恩銬上手銬。治安官，好心一點，把我的槍還給我吧，那是我在夏威夷當警探的配槍，這個麥當由我負責看著。」

「噢，我還給你！」考克斯說：「你真不得了，我從來沒見過有人那麼神勇。」

陳查禮笑了起來。「請讓我做個小小的修正，前兩天清晨的時候，我把牆上這些精心收藏的舊式手槍全動了手腳，每一個彈膛裡的子彈都被我取了出來。是很花時間的，而且惹得一身灰塵，但是我很高興我如此做了。」他忽然轉身對著身旁的大個子。「把手舉起來，狄蘭尼，狄蘭尼！」他大叫道。

「狄蘭尼？」郡治安官不解的重複了一遍。

「一點沒錯，」陳查禮答道：「你剛才質疑我講的話並不能用來考驗P．J．麥當，現在我很高興的說，那樣的情況並未發生。這個人不是P．J．麥當，他的名字是傑利．狄蘭尼。」

鮑伯．伊登靜靜的從後院進來。「幹得好，查禮。」他說：「你現在已經知道他是誰了，但是你到底是怎麼知道的？」

「我是在不久之前，打掉他手上的槍時知道的。」陳查禮回答道：「你只要注意他裹著手帕的手，就知道是個左撇子。我先前不是在這裡告訴過你嗎，狄蘭尼是個左撇子。」

從伊登背後的門進來一位高大、偉岸但有些疲累的男人，他一隻手用吊帶固定，鬍鬚有十天沒刮了，臉色十分蒼白。然而他還是帶著一股威嚴和架勢，灰色的西裝儘管縐得不成樣子，身軀卻宛如花崗岩高塔般的屹立著。他繃著臉瞪著狄蘭尼。

「好啦，傑利，你的確很厲害。」他說：「他們老是告訴我說你很有一套，我是指那些在賈克．馬蓋爾那裡見過你的人。沒錯，真的是很有一套。站在我的房子裡面，穿我的衣服，你看起來比我更像我自己。」

【第二十二章】到厄爾多拉多的路上

門口的那個人進到客廳裡來，滿臉驚奇的望著狄蘭尼。然後，他的視線落在索恩身上。

「哈囉，馬丁，」他說：「我警告過你，這種事行不通的。在場的哪一位是本郡治安官？」

考克斯走上前。「我就是，先生。想必你就是P．J．麥當？」

麥當點點頭。「我想是吧。我也一直以為我是。來這裡的路上，我們在一座牧場打了電話給本鎮的保安官，他告訴我們你在這裡。所以我們把另外一個小項目也帶了來，以便納入你這次的收集。」他指向庭院的門，正好何利押著病鬼菲耳進來，梅度夫的雙手反綁在身後。寶拉·溫岱兒和伊芙琳·麥當也一起進來屋裡。

「治安官，你最好把這位新加入者跟狄蘭尼銬在一起，」麥當建議道。「然後我再逐一交代我對這幫人的指控，也許能讓他們關上一陣子。」

「沒問題，麥當先生。」郡治安官同意道。正當他要走過去時，陳查禮止住他。

「稍等一下，那串珍珠項鍊……」

「噢，對，在我身上。」郡治安官回答道，他把菲力摩爾珍珠交了出來。陳查禮拿起來，交到麥當的手上。

「我很清楚你要它送到紐約，」陳查禮說：「但是如果你在這裡收下，將是件莫大的恩惠。珍珠項鍊帶在我身上早已超過保管期限，方便的話請開一下收據，謝謝。」

麥當露出笑容。「沒問題，我收下來。」他把項鍊放進口袋。「我想你就是陳先生吧，從礦區來這裡的路上，伊登先生把你的事告訴我了，我很高興你人在這裡。」

「樂於效勞。」陳查禮行個禮說。

郡治安官轉身過來。「這下沒問題了。他們所犯的罪，我想，是企圖偷盜吧！」

「還有其他一大堆哩，」麥當補充道：「其中包括意圖殺人。」他指著自己受傷的手。「我盡快把這件事交代一下，不過我要坐下來講。」他走到辦公桌坐下。「我身體有點虛弱，這段日子吃了不少苦頭。你們所知道的，是大致上發生了什麼事，但是這件事的背景、緣由，你們並不曉得。我得倒述往事，回溯到紐約第四十四街那家賭場。治安官，紐約那裡的賭場以及它們的操作方式你熟悉嗎？」

「我只去過紐約一次，」保安官說：「並不怎麼喜歡那裡。」

「沒錯，我想你也不會喜歡，」麥當回答道，他東張西望了一下。「我的雪茄呢？噢，這裡有。謝啦，狄蘭尼，你留了這幾根給我，是吧？好了，治安官，為了讓你了解這裡發生的事，我必須告訴你紐約賭場頭子和詐騙集團最喜歡用的一個伎倆，這個伎倆大約十二或十五年前在那裡盛行一時。眾所周知，當時的賭場裝潢得十分派頭，專等外地來的冤大頭上門，這一幫人當中有若干成員分配的任務是扮演知名度很高的大亨級人物，譬如說法蘭克·古德、哥尼留斯·凡得比特、亞斯特先生……還有我本人。他們花了很大的工夫，仔細研究這些有錢人的照片，無論身材、體型、舉止、穿著，全部盡可能觀察到微細末節，我們這些人梳的髮型、戴的眼鏡、與眾不同的舉止，任何微妙的細節都逃不過他們法眼。他們必須讓設計的肥羊完全墮入彀中、不疑有他，以為自己正置身名流大賈之中，以為這場賭博是誠實進行、不做假的。」

麥當停了一會。「當然啦，有些扮演者火候差太多，很容易就被拆穿。但我楣運當頭，眼前這位狄蘭尼博士以前是位演員，多少還是個藝術家，他一開始模仿我時只是皮像肉不像而已，隨著時間的經過，他的功力越來越好。我開始聽到謠傳，說我每天晚上都出現在第四十四街賈克・馬蓋爾開的賭場。我於是派我的私人祕書馬丁・索恩前去調查，他回報說，狄蘭尼扮演我的確扮演得很像——當然啦，還沒有好到能夠騙倒真正和我親近的人，但是要騙那些只經由照片認識我的人，已經很夠了。我叫律師來處理此事，律師回報說，經過威脅要將他抓起來，狄蘭尼已經答應不再搞這檔子事。」

「所以我認為他真的洗手不幹，再也不在賭場裡騙人了。此後所發生的事我僅能臆測，不過我想我猜得八九不離十。這兩個姓梅度夫的傢伙，病鬼菲耳以及……」他朝甘柏領個首，「他的老哥，警界的人都稱他為教授，兩個人都是馬蓋爾那個組織裡的智囊。他們一定老早就在構想這個計畫，要讓狄蘭尼在某個時間、某個地點化身為我，這項行動如果沒有我的祕書索恩協助的話，啥事也幹不了，但很顯然他們發現他很願意。最後他們敲定沙漠這裡是他們幹這樁買賣最適當的地點。這是個很棒的選擇，我很少到這裡來，來的時候也很少見任何人，一旦他們把我弄來這裡，沒有家人跟隨，事情就簡單了。他們所要做的就是讓我消失，然後P．J．麥當再與他的祕書一起出現，索恩在這一帶人家比較知道，沒有人會想到質疑麥當的真實身分，特別是他的相貌就跟照片上一樣。」

麥當若有所思的吞雲吐霧。「多年來我一直預想會遇到這樣的事，世界上我誰都不怕——只有狄蘭尼例外，他可能對我造成非常嚴重的傷害。我有一次在一家餐廳裡看到他，而他正在打量著我。嗯，他們漫長等待，他們做事情的風格是很有耐性的。兩個星期前我和索恩來到這裡，當我一到達這裡時，便感覺到氣氛有哪裡不對。上個禮拜三晚上，我坐在這裡寫信給女兒伊芙琳，當我聽到索恩在他房裡大叫一聲，於是把信夾進吸墨紙墊裡，可能現在還在。我起身走到他房裡，他就在那裡，手上拿著一枝我所收藏的舊式手槍，那槍是比爾．哈特送我的。他當時說：『把手舉起來！』然後有個人從庭院走進來，就是狄蘭尼。」

「又來了一個宵小加入這場遊戲，索恩接著說：『好啦，老闆，你不必慌。我們要載你去一個地方，讓你好好休息一下。我去幫你拿一些私人用品。傑利，這個你拿著，看好他。』然後他把槍交給了狄蘭尼。」

「我跟狄蘭尼面對面站著，我看出他有點緊張，玩這種遊戲對他如此出身的人來說，金額太大了些。索恩在我的房間裡忙著，我於是放開嗓門拼命的求救……我為什麼要呼救呢？又有誰會來救我呢？我不知道。但是說不定會有朋友聽到……也許路易會回來，也許正好有人路過這附近。狄蘭尼叫我閉嘴，他的手抖得像片葉子。我聽到庭院外面有聲音在回應，結果只是那隻鸚鵡東尼。我很清楚接下來會有什麼事情發生，於是我決定冒個險。我向狄蘭尼撲過去，他開了一槍，沒打中；他再開第二槍，我感到肩膀一陣刺痛，然後倒了下去。」

「我一定是暫時昏了過去，當我恢復神智時，索恩已經在房間裡了，我聽到狄蘭尼說他殺了我。當然，不久之後他們就發現我還活著，而我這位好朋友傑利準備完成他的工作，但索恩不肯，索恩堅持按原訂計畫實施。我得承認，是索恩救了我的命，這個卑鄙的叛徒，我想他是沒膽吧，但是他的確救了我。好啦，他們把我弄上車，載到佩蒂寇礦區的牢房關了起來。到了早上他們離開，只留下教授，他也加入咱們這個快樂的團體。他留在礦區，幫我包紮傷口，隨便弄些東西餵我。星期天下午他走了，到了深夜和病鬼菲耳一起回來。星期一早上教授又走了，此後病鬼菲耳成了我的牢頭，他可不像他哥哥那麼仁慈。」

「至於在農莊這裡發生的事，你們知道的比我清楚。星期二我女兒打電報說要過來，當然啦，她果真來了，那這場遊戲就結束了。所以索恩到厄爾多拉多接她，告訴她我受了傷，人在礦區，要接她過去。她很自然而然的相信了索恩，從那時候起她便跟我在一起。今天早上，另一位女孩子很不巧的撞見了這件事，若不是今晚伊登和何利先生上山去找她的話，我跟女兒到現在都還在那裡。」

麥當站起來。「治安官，以上就是我的遭遇，你應該不至於訝異我有多麼希望這一幫人關進牢裡吧？到那個時候，我才會睡得比較安穩一點。」

「嗯，我想這件事很容易安排。」郡治安官回答說：「我會帶走他們，逮捕羈押手續稍後就會辦好。看來他們必須關在郡府所在地的牢房裡，厄爾多拉多無法提供他們第一等牢房的舒適享受。」

「有一件事情，」麥當問：「索恩，我那天晚上聽到你對狄蘭尼說：『你老是那麼怕他……那次在紐約也是……』你這話什麼意思？你們以前就曾試圖做這件事嗎？」

索恩本來雙手蒙住臉的，這時一臉苦惱的抬起頭來。「老闆，這件事我很抱歉，我就講出來好了。本來我們準備好在紐約的公司搞它一票，那時你到外地打獵去了。但是，就算你怕狄蘭尼，而他對你卻更加害怕。他膽怯起來，在最後一刻打了退堂鼓。」

「我為什麼不該打退堂鼓？」狄蘭尼大聲說：「我才不相信你們任何一個，你們這些卑鄙的小人……」

「是嗎？」病鬼菲耳嚷道：「你是在指我嗎？」

「我當然是指你。我們派你去舊金山把王路易調走時，你不是試圖把那條項鍊私吞嗎？哼，我就知道！」

「我為什麼不該私吞？」病鬼菲耳質問道：「你不也想要私吞嗎？當你想到德瑞考特要帶項鍊過來時，你在打什麼主意？噢，要不是我兄弟亨利看穿了你……」

「就是說嘛，」教授插嘴道：「你想偷溜出去，單獨跟德瑞考特相見，假如你以為我沒察覺到，那你一定是個傻瓜。沒錯，你就是一個傻瓜，才會寫信去給一個演歌舞劇的女人。」

「閉嘴！」狄蘭尼咆哮道：「誰會比我更有資格得到那條項鍊？如果沒有我的話，

你能幹什麼?你還真幫了不少忙，成天晃來晃去，盡唱那些高調。還有你……」他轉向病鬼菲耳，「你還亮出閃閃發光的傢伙，王路易還在園門邊你就一刀捅進他體內……」

「是誰一刀捅進王路易體內啊？」病鬼菲耳大叫。

「是你捅的！」索恩怒罵道：「我跟在你身邊親眼看到的，我敢發誓。」

「你們是同謀吧?」郡治安官笑道：「太好了，只要讓這一幫人互咬下去，他們全都會作繭自縛。」

「喂，你們，」教授溫和的說：「把嘴巴閉上，再扯下去對我們都沒好處。治安官，我們都準備好了。」

「請等一下，」陳查禮說。他離開了片刻，回來時帶了一隻黑色小背包，放在麥當面前。「我很樂意提醒你留意這個，」他說。「你會發現這裡有一大堆現鈔，不是賣掉有價證券，就是從紐約公司匯過來的。大部分都沒有動，不過不很確定，我來問狄蘭尼。」

「全都在裡面！」狄蘭尼咆哮道。

陳查禮搖搖頭。「即使跟你這樣的惡棍意見相左，我也苦惱異常，不過還有個艾迪‧波士頓……」

「對，」狄蘭尼回答道：「你說的沒錯，我給了那傢伙五千美元。前兩天他在前面院子認出我來，你們去抓他，把那筆錢追回來。那個骯髒的騙子！」

郡治安官大笑起來。「說到了騙子，」他說：「我聽起來你們就是這樣的人。普里斯，我們最好開始行動吧。我們可以臨時在厄爾多拉多任命一、兩個副手，要他們宣誓執行職務。麥當先生，我明天再來見你。」

鮑伯‧伊登走到狄蘭尼面前。「喂，傑利，」他笑著說：「恐怕這下要說再見了，你在這裡如此招待我，我母親說當受到了款待，一定要向主人道謝……」

「喔，你去見鬼吧！」狄蘭尼咒罵說。

郡治安官和普里斯押著囚犯走入沙漠的夜色之中。伊登走到寶拉‧溫岱兒跟前。

「狄蘭尼那四人幫走了，」他說：「我想我在農莊滯留的期間也結束了，我要搭十點半的火車到巴斯托，還有……」

「叫輛計程車來吧！」她建議道。

「既然妳和妳那輛車都在，我就不叫計程車了。麻煩等我一下，我去整理行李。總之我有話要跟妳講，是有關魏博的。」

「我心裡忽然出現一個快樂的想法，」威爾．何利說道：「麥當先生，我就是你那篇有名的採訪稿的作者，雖然你實際上並未接受我的專訪。」

「真的嗎？」麥當回答道：「嗯，你別擔心，我會與你合作。」

「多謝了，」報紙編輯說：「我很奇怪，他們為何肯給我那篇稿子。」他思索道。

「那個不難理解，」陳查禮說。「他們正要打電報請紐約公司匯錢過來，為了製造麥當人在沙漠農莊的事實，有哪種方式會比把採訪稿公諸報端更好？白紙黑字就是鐵錚錚的事實。」

「我想你是對的，」何利點點頭說。「對了，老陳，我們從礦區回來的時候，本來以為會讓你大吃一驚，但結果卻是你搶先了一步。」

「成敗決於一線之隔，」陳查禮回答道：「既然現在有如此的餘裕，那我就鞠個躬，講些大言不慚的話吧。我必須承認，事實很明顯，而我卻太遲察覺，一直到了今晚才發現亮光。我為了安撫這位維克多，於是交出了珍珠項鍊，麥當在收據上簽名，字寫得很慢，而且很賣力的樣子。我忽然想到，他用右手做起事來總是那麼緩慢、那麼賣力的樣子，為何如此呢？我想起了狄蘭尼的背心，那是專門為左撇子量身裁縫的，因此我暗自吃了一驚。為了試試這個想法的正確性，我冷不防抓起了項鍊，麥當也伸手來抓，這時他失去防備，用的是左手；隨後他掏出手槍，用的又是左手。證明事實如此後，我立刻明白了真相。」

「哇，你腦筋動得好快！」何利說。

陳查禮很不好意思的搖搖頭。「我為什麼不能動得快一點呢？我這個可憐的腦袋年紀大了，一定老處在睡眠狀態，已經好多天沒能正常運作。當我迫使這些歹徒坐在椅子上等你們回來時，真是有許多時間痛切的責備自己。我為什麼會中了這個邪咒呢？這件事一直就像沙漠的早晨一樣清楚。有個人正在寫一封重要的書信，結果藏在吸墨紙墊裡，人離開了。等回來之後，他卻沒有繼續寫下去，為什麼？因為他本人並沒有回來。另外幾個簡單的線索：麥當——我又這樣叫他了，在天黑後的庭院裡會見惠肯大夫，為什麼？因為大夫以前見過真正的麥當。他在帕薩迪納跟自己的管家交談過，那時是幾點？傍晚六點，暮色已經降了下來，而且他心有顧忌，不敢下車。唉！當時我坐在這裡，內心裡頭懊惱不已，我為什麼會那麼蠢呢？我看是南加州這裡的氣候使然吧，看來我還是趕快回檀香山去吧，那裡才是屬於我的地方。」

「你對自己太苛責了，」麥當說：「伊登先生告訴我說，若不是因為你，項鍊早就交出去，而那幫歹徒不是逍遙法外到了東方，就是其他很遙遠的地方。我欠你不少的恩情，若只說聲謝……」

「不用再謝我了，」陳查禮敦請道：「要謝就謝東尼吧。假如那個晚上東尼沒有發出求救聲，項鍊現在的下落又如何呢？可憐的東尼，現在已埋葬在穀倉後面了。」他轉向維克多・喬登，那傢伙倒很安分的退居在一旁。「維克多，在還沒回北方之前，你倒是應該在東尼，也就是那隻中國鸚鵡的埋葬處獻上花圈。東尼死了，但牠是壯烈成仁的，在牠死前，牠救回了菲力摩爾珍珠。」

維克多點點頭。「我都聽你的，查禮。我會給花店一個長期的訂單，叫他們按時送花圈過來。現在不知有誰可以讓我搭個便車回鎮上？」

「我來載你好了，」何利說：「我要去發這個事件的專電。老陳，我會再見到你吧？」

「我也搭下一班火車離開，」陳查禮答道：「但我會到你的報社去，把比較體面的衣服換上，不過你不用等我，溫岱兒小姐會好心的送我一程。」

「我也在等寶拉的車哩，」伊登說：「我們到車站再見。」何利和維克多向麥當和他的女兒道聲再見，先行離開。鮑伯．伊登看了一下手錶。「嗯，等回到老家，我那票人每星期一次的聚會也散得差不多了。查禮，我還有個疑問，當今晚真正的麥當先生回來時，你一點也不驚訝，但是你確認出狄蘭尼的身分時，第一個念頭一定是麥當先生已經遇害了。」

陳查禮無聲的笑著。「我看你忽略了偵探這一行的習性，偵探若是驚慌失措就等於脖子套上鐵製的項圈往海裡跳，鐵定是完了。麥當先生的出現是讓我大吃一驚，但是我並不會讓對手看出我內心的變化，謝謝你如此關心。看來我們讓溫岱兒小姐等太久了。我還有些私人財物放在廚房裡，請等我一下。」

「廚房！」麥當大聲說道：「老天爺，我可真的餓了！這些天來我除了罐頭之外，根本沒有別的東西好吃！」

陳查禮臉上略過一陣相當理解的表情。「真是可憐，」他說：「可惜貴農莊的廚子馬上就要回去幹老本行了。溫岱兒小姐，我隨後就來。」他匆匆走了出去。

伊芙琳·麥當伸手搭著父親。「爸，開心一點吧，」她勸道：「我等一下開車載你到鎮上，我們今晚就住在旅館好了，你肩膀上的傷必須立刻找醫生看一下。」她轉向鮑伯·伊登，「鎮上想必有餐廳吧？」

「那當然，」伊登笑道：「名字叫做綠洲餐廳，但它可不舒適。話雖如此，我還是會強力推薦他們的牛排。」

麥當站了起來，再度恢復大亨的架勢。「好吧，伊芙琳，打電話到旅館訂間套房吧，唔，五個房間……不要，整層包下來好了。跟老闆講我要在起居室吃晚飯，要兩份上等腰肉烤牛排，以及他們所有的其他東西。還有叫他把鎮上最好的醫師找好等我過去，另外幫我備好電報用紙，預約五通長途電話——不對，這個最好等我們抵達旅館再說。還有，鎮上會幫人做口述記錄的，找一個來。打電話叫最好的房地產仲介商，這個地方要賣掉，我再也不要看到這幢房子了。另外，噢，對了，那個中國警探還沒跟我再見一面之前，別讓他走了，我還有事情要找他。這個記下來：明天早上八點要打電話給洛杉磯的祕書處……」

鮑伯·伊登匆匆進到房裡，收拾好行李。等他回到客廳時，陳查禮站在麥當面前，手上多了一張銀行支票。

「麥當先生已經簽下了項鍊的收據，」中國人說：「他還硬要我收下這麼一大筆錢，我真的很不願意接受。」

「胡說，」伊登回答道：「收下吧，查禮，這是你賺來的。」

「我就是這麼對他說的。」麥當表示。

陳查禮小心把支票收起來。「我乾脆講出來好了，這張支票面額是我在檀香山兩年半的薪水。嗯，看來美國本土的氣候也不那麼壞。」

「再見了，伊登先生，」麥當說：「陳先生我已經謝過了，但是我應該跟你說什麼好呢？你來這裡也經歷了一段時間……」

「經歷了我這輩子最快樂的一段時間。」伊登答道。

麥當搖搖頭。「噢，這我就不懂了……」

「我想我懂，」他女兒說：「祝你好運了，鮑伯，我真的非常感謝你。」

寶拉的小跑車很有耐性的在前面院子等著，他們從屋裡出來時，沙漠的涼風一吹，精神為之一爽。寶拉．溫岱兒坐上了駕駛座。「請上來，陳先生！」她邀請道。陳查禮坐到她身邊。鮑伯‧伊登把手提箱丟進車子後面的行李廂，回來打開車門。

「擠過去一點吧，查禮，」他說：「你別被車子的廣告騙了，這種車可以坐三個人。」

陳查禮擠了過去。「這讓我有點不好意思，」他說：「我這麼占用空間的事實很痛心的突顯出來。」

小跑車開上了路，在銀色的月光下，一株株約書亞樹揮舞著怪異的手臂向他們道別。

「查禮，」伊登說：「我想你並不知道咱們三個為什麼坐在一起吧？」

「溫岱兒小姐很好心，載我們一程。」陳查禮說。

「好心，而且小心，」伊登笑道：「你在這裡充當魏博，介於這位年輕小姐和可怕的婚姻制度之間的緩衝器。查禮你知道嗎，她不相信婚姻，你想她如此愚蠢的觀念從何而來？」

「的確是很愚蠢，」陳查禮同意道：「她應該好好開導開導。」

「她是該接受開導。她載你走這一趟，是因為她曉得我為她瘋狂，我那高度值得信賴的眼神她一看就懂了。她知道自從我遇見她，我那寶貴的人身自由似乎就成了一則陳腐的笑話。她也明白我絕不輕言放棄，而且打算帶她離開這片沙漠，但是她以為只要有你在，我就不敢提起。」

「我開始覺得自己成了一只電燈泡！」陳查禮說。

「打起精神來！對於我，你當然不必有那種感覺，」伊登說：「沒錯，她以為只要有你在，我就不敢講，但是她這下被我們騙了。我無論如何要說出來，查禮，我喜歡這個女孩子。」

「這個我可沒有看走眼！」陳查禮同意道。

「我打算娶她。」

「那倒是劍及履及，」陳查禮同意道。「但是她一個字都不說。」

寶拉．溫岱兒大笑起來。「婚姻也者，」她說：「脆弱心靈之最後歸宿是也。我已經過得夠快樂了，真是謝啦。我熱愛我的自由，決定要一直保有它。」

「真遺憾聽到這樣的話！」陳查禮說：「請容我講幾句偏袒婚姻的話，我可是個過來人。世界上有哪個地方會比一個新誕生的家更好？家庭的確是人世間的樂園，它化解所有的煩憂，妻子說話的聲音宛如天樂一般，震動得每一件事物都進入一種奇妙的和諧之中。」

「聽起來很棒！」伊登說。

「跟妻子手牽手漫步在夜晚的街道，徘徊在月下的海灘，只要一想起新婚時候的快樂，我就帶著無盡的思慕。」

「寶拉，妳覺得呢？」伊登鍥而不舍。

「而我身旁這位年輕小伙子，」陳查禮接下去說：「我不明白妳為何要抗拒他。對我而言，他實在夠好了，我對他很有好感。」寶拉・溫岱兒不發一語。「非常有好感。」陳查禮加強語氣。

「嗯，」女孩坦承道：「如果真要說的話，我個人對他也有一點好感。」

陳查禮用手肘朝伊登深深一戳。車子爬上黝黑的山丘，厄爾多拉多的燈火就在底下閃爍著。當他們抵達旅社時，何利和維克多・喬登已經恭候多時。

「你們可來了，」報社編輯說：「老陳，你的行李在報社裡，報社的門沒有鎖。」

「感激不盡。」陳查禮答道，隨即走開了去。

何利仰頭看著燦爛的星光。「伊登，可惜你就要走了，」他說：「少了你，我在這裡可就有些寂寞了。」

「咦，你不是說要去紐約？」伊登問道。

何利微笑的搖搖頭。「噢，我不去了。傍晚我拍電報回絕了。再早個幾年，也許可能吧——但是現在不一樣了。我不能去了。總之，沙漠這個地方……嗯，它把我俘虜了吧，我想。從現在起，紐約只能留在我的記憶裡了。」

在沈寂的荒地彼處響起了開往巴斯托的火車笛聲，衝破了沙漠的寂靜。陳查禮從街角走來，西裝革履的陳警官取代了廣東縐紗上衣的阿金。

「火車刺耳的聲音宣告了我們這次奇遇的結束。」陳查禮說道，他握著寶拉．溫岱兒的手。「請接受我這個有點倦意的郵差所給的最後一個祝福，願妳從此展開生命中最棒的冒險之旅，而且樂在其中。」

他們穿越空無一人的馬路。「再見了！」伊登說道，他和女孩在車站的陰影處停下來。握住伊人修長而又有力的手指，一種溫暖的感覺告訴了他所要知道的答案，他不覺心跳加速起來，把伊人攬近了些。

「我很快就會回來，」他承諾道，接著把一只翡翠戒指放入伊人手中。「就當這是信物吧，」他說：「等我回來我會帶另一件來取代它，那將是全美國西岸最好的珠寶典藏，也就是我們的典藏中最燦爛奪目的一件。」

「我們的典藏？」

「對呀！」支線火車轟隆隆的開進站，陳查禮在車廂台階處叫著伊登，「妳竟然還不知道，不過每一個女人畢生夢寐以求的事情將要在妳身上實現了，妳即將嫁給一個家裡開珠寶店的男人。」

國家圖書館出版品預行編目資料

中國鸚鵡／厄爾・畢格斯（Earl Derr Biggers）著；劉育林譯．-- 初版．-- 臺北市：臉譜出版：城邦文化發行，2002〔民91〕

面：　公分．--（陳查禮探案全集；2）

譯自：The Chinese parrot

ISBN 957-469-715-0（平裝）

874.57　　90017239